شناسائیاں

رسوائیاں

کشور ناہید

سنگِ میل پبلی کیشنز، لاہور

891.4394 Kishwar Naheed
Shanasaaian Ruswaaian/ Kishwar Naheed.- Lahore : Sang-e-Meel Publications, 2007.
220pp.
1. Urdu Literature - Sketches.
I. Title.

2007

نیاز احمد نے
سنگ میل پبلی کیشنز، لاہور
سے شائع کی۔

ISBN 969-35-1934-5

Sang-e-Meel Publications
25 Shahrah-e-Pakistan (Lower Mall), P.O. Box 997 Lahore-54000 PAKISTAN
Phones: 7220100-7228143 Fax: 7245101
http://www.sang-e-meel.com e-mail: smp@sang-e-meel.com
Chowk Urdu Bazar Lahore. Pakistan. Phone 7667970

زاہد بشیر پرنٹرز، لاہور

ش فرخ اور شہناز امام کے نام

ترتیب

دنیا کی وہی رونق۔ صوفی تبسم

کہتے ہیں پہلے لفظ پیدا ہوئے، پھر دیکھنے کا انداز، پھر سونگھنے کی حس اور پھر لمس کا احساس یا پھر یوں کہو کہ پہلے کھیت تھے، پھر لوگوں نے رسی اور کرسی بنالی اور پھر بیٹھنے والے تخلیق کر لیے۔

مجھے میرے ماں باپ نے لفظ بولنے سکھائے مگر لفظ لکھنے کے شوق کو فراواں اور عزت دی تو وہ پہلے شخص صوفی تبسم تھے۔ وہ ہمارے گھر سے تین گھر کے فاصلے پر رہتے تھے۔ شاعری کے بارے میں پوچھا ''کب سے شعر کہہ رہی ہو، کبھی دکھالیا کرو۔'' میں جھٹ بولی ''کیا کچھ غلط ہوتا ہے۔'' ''ارے نہیں، اچھا بتاؤ، گھر کیا پکا ہے۔'' ''اماں پکاتی ہیں۔ مجھے نہیں معلوم۔'' ''اچھا میں کسی دن آ کر چکھوں گا۔'' ''ارے آپ آئیں گے۔'' میں خوشی سے لہک گئی مگر چند ہی گھنٹے بعد ڈر گئی کہ صوفی صاحب سیڑھیاں چڑھ کر اوپر آ کر مجھے آواز دے کر کہہ رہے تھے ''کشور کیا پکایا ہے تمہاری امی نے۔''

امی سخت پردہ دار، بہت بے ہودگی لگی انہیں کہ ایک غیر مرد بلا جھجک گھر آ گیا ہے۔ بہر حال سلیقہ مند تو بہت تھیں، فوراً ثابت مسور کٹوراں کناروں کی گہری تانبے کی پلیٹ میں ڈال کر، اوپر تڑکا لگا دیا اور میرے ہاتھ میں دے دی۔ صوفی صاحب نے بگھار کو تیرتے ہوئے دیکھ کر، اس وقت پلیٹ میں انگلی ڈالی کر دال چاٹ لی اور سیڑھیاں اترتے گئے، چاٹتے گئے۔

بس اماں تو اس بدسلیقگی پر سخت سیخ پا ہوئیں۔ یہ کوئی بات ہے تم کہتی ہو استاد ہیں۔ بہت پڑھے لکھے ہیں، تمیز تو چھو کر نہیں گئی۔ انہیں کیا خبر تھی کہ ان کے اس بے تکلف انداز نے میرے اندر ان کی محبت دو چند کر دی تھی اور ہمارے گھر کے کھانے کے ذائقے نے میرا ان کا رشتہ بھی دہرا کر دیا تھا۔

ابھی تک مجھے گھر میں ہنڈیا پکانے کی اجازت نہیں تھی مگر صوفی صاحب نے اماں کے ہاتھ کے ذائقے کو میرے اندر دریافت کرنا شروع کر دیا تھا۔ بالکل اس طرح جیسے ہمیں حافظ اور رومی کو بچوں

کی طرح سمجھانا شروع کیا تھا۔

اب میں کالج سے لوٹتی، الٹا سیدھا ہوم ورک اور گھر کا کام کرتی اور برقعہ اوڑھ کر صوفی صاحب سے پڑھنے چلی جاتی۔ تھوڑا پڑھاتے، تھوڑی فرمائش کرتے ''ذرا اماں اور بہنوں کو بتاؤ تو تمہاری اماں شامی کباب کیسے بناتی ہیں۔ ذرا بتاؤ، تمہاری اماں کوفتے کیسے بناتی ہیں۔'' اس مرحلے میں شام گہری ہونے لگتی۔ شام کے مسافر آنے لگتے، میں صرف دعا سلام کر کے رخصت چاہتی۔ گھر جا کر کڑھتی رہتی، اتنے بڑے ادیب آئے تھے، مجال ہے میں ان کے ساتھ بیٹھ سکوں۔ کیا مصیبت ہے کہ گھر آنا ہے باادب بیٹھنا ہے۔ چھپ کر ناول اور شاعری پڑھنا ہے۔

میری یادیں جھوٹی نہیں ہیں۔ اس لیے سچ بتاؤں میرے اندر یوں روک ٹوک اور صوفی صاحب کو ناپسند کرنے والے گھر والوں سے ایمان اٹھتا گیا اور صوفی صاحب کی محبت اور ان کے گھر والوں سے تعلق بڑھتا گیا۔

صوفی صاحب کی بیوی کا انتقال ہو چکا تھا۔ وہ سنت نگر میں ایک پرچھتی نما بالکونی والے کمرے میں رہتے تھے۔ گھر میں دو بیوہ بہنوں اور ایک بھائی کی اولاد کے علاوہ ان کے تین بیٹے اور ایک بیٹی جو میری عمر کی تھی، بھرے ہوئے تھے۔ ان کے بھائی یعنی چاچا جی کی کلچوں کی دکان تھی۔ یہی کام ان کے ابا بھی کرتے تھے اور شروع طالب علمی کے دنوں میں صوفی صاحب بھی یہی کام کرتے تھے۔ ساتھ ساتھ کلچے بناتے اور ساتھ ساتھ عرشی صاحب کے دیئے ہوئے مصرعے پر طرحی غزل سوچتے بھی جاتے اور لکھتے بھی جاتے۔ وہ مجھے بھی چاہتے تھے کہ اپنی مشق بڑھانے کو روز ایک غزل مصرعہ طرح پر لکھوں مگر نہ مجھے اتنا وقت ملتا اور نہ شوق تھا کہ زلفِ یار اور جنابِ شیخ یا یارِ طرحدار قسم کی ترکیبوں کو استعمال کروں، پتہ نہیں کیوں میرا وجود، اپنی طرح کی شاعری کا طالب تھا۔ جب میں نے لکھا کہ:

''کچھ یوں بھی زرد زرد سی ناہید آج تھی، کچھ اوڑھنی کا رنگ بھی کھلتا ہوا نہ تھا۔''

یہ شعر سن کر صرف عابد علی عابد تھے جو خوشی کے مارے بیٹھے سے کھڑے ہو گئے تھے اور انہوں نے ریڈیو کے Live مشاعرے میں مجھ سے یہ شعر بار بار سنا تھا اور کہا تھا ''میری غزل چھوڑ دو۔ اس لڑکی کی غزل دوبارہ سنواؤ۔'' اور مشاعرے کے کمپیئر اخلاق احمد دہلوی کو چار و ناچار، مجھ سے ہی دوبارہ غزل سنوانی پڑی تھی۔ مگر صوفی صاحب اور فیض صاحب نے یہ غزل سن کر کہا تھا ''یہ تم کس طرح عورتوں کے سے شعر کہنے لگی ہو۔'' مجھے ان کے اس فقرے کو سن کر ذرا سی بھی پریشانی یا بددلی نہیں ہوئی

تھی۔ مجھے اچھا لگا کہ میں "یارِ طرحدار" والے مصرعے نہ لکھنے کا عہد کیے ہوئے تھی کہ کالج کے زمانے میں طرحی مشاعروں میں، میں ایسی غزلیں بنا بنا کر تنگ آئی ہوئی تھی۔ میرے اندر کچھ سلگ رہا تھا۔

وہ اندر کی بھوبھل ایک دم آگ بن گئی۔ جب میری شادی اچانک ہوگئی۔ ایسی شادی سے تو صوفی صاحب بھی چند دن تک سہمے ہوئے رہے مگر پھر یوں ہوا کہ ہمیں اپنے ایک کمرے سے بھی بیدخل کرنے کو یوسف کے رشتہ دار آن پہنچے۔ ان کے پہنچنے سے پہلے' میرے دیوروں نے جو کہ مجھے بہت پیار کرتے تھے' فوراً آ کر بتایا کہ نکلو یہاں سے' وہ لوگ دو گاڑیوں میں آ رہے ہیں' تا کہ دونوں کو الگ کیا جائے اور بالکل ہیر رانجھا کی کہانی کی طرح الگ الگ بے یار و مددگار چھوڑ کر' کشمیری خاندان کی عزت بچالی جائے' ہمارے گھر کے باہر موٹر ورکشاپ تھی' ہم نے جھٹ موٹر پکڑی اور اب مال روڈ پر گھوم رہے ہیں۔ ڈرائیور پوچھ رہا ہے کہاں ڈراپ کروں مگر ہم جائیں تو کہاں جائیں۔ آخر یوں گھومتے گھماتے' صوفی صاحب کے گھر اتر گئے۔ وہاں محفل عروج پر تھی' ہمارا بڑا استقبال ہوا۔ کھانا لگا' سب نے کھایا' ایک ایک کر کے جانے لگے' ہم دونوں ہیں کہ بیٹھے ہوئے ہیں۔ آخر کافی دیر کے بعد' صوفی صاحب نے کہا "اب کہاں جاؤ گے' نیچے سے کمبل لو اور ڈرائنگ روم میں سو جاؤ۔ سویرے چلے جانا۔"

سویرے اٹھ کر یونیورسٹی اور پھر نوکری پر چلے گئے' دوپہر کو کافی ہاؤس میں قرض پہ کھانا کھایا' لائبریری گئے اور شام کو لوٹے تو صوفی صاحب کو ساری رام کہانی سنائی۔ بولے "جب تک کوئی گھر نہیں ملتا' تم لوگ یہیں رہو گے' بالکل کھانا باہر نہیں کھاؤ گے۔"

ان دنوں صوفی صاحب کے ساتھ ایک خاتون رہتی تھیں۔ وہ شاید کہیں پڑھاتی تھیں۔ ہمیں نیچے بھی کوئی جگہ سونے کے لیے نہیں ملتی تھی۔ صوفی صاحب کا ایک نوکر تھا جو میرے ماں باپ کے گھر سے چار دکانیں آگے رہتا تھا۔ اس نے اپنی جگہ ہمیں دے دی۔ ہم رات کو گیارہ بجے وہاں جاتے کہ میرے گھر والے ہمیں دربدر ہوتا دیکھ کر خوش نہ ہوں اور ہم چار بجے لوٹ آتے۔ کوئی ہفتہ بھر بعد' ایک بزرگ نے کرشن نگر میں ہمیں گھر دیا' وہ بھی بغیر ایڈوانس لیے کہ مجھے اور میری بپتا کو تو سارا شہر جانتا تھا مگر اسی شام صوفی صاحب نے دوستوں کو میرے گھر بلا لیا اور ہر ایک کو کہا کہ کچھ لے کر آنا۔

جبھی تو میں صوفی صاحب کو اپنا میکہ سمجھا کرتی تھی۔ یوسف میرے کہنے پہ بڑے کوٹ میں صوفی صاحب کی دو کتابیں چرا کر رکھ لیتا۔ میں پڑھ لیتی تو اس طرح چپکے سے رکھ کر دو اور کتابیں لے آتے مگر یہ سب کام چوری چوری ہوتا کہ ویسے وہ اپنی کوئی کتاب دینے کو تیار نہ ہوتے۔

اتوار کی دوپہر کو اکثر ٹب میں بیئر کی بوتلیں لگا دی جاتیں۔ دوست آتے جاتے، بیئر کی بوتل اٹھاتے، چاہتے تو گلاس میں ورنہ بوتل ہی سے پینا شروع کرتے۔ فلسفہ، ادب، ابنِ عربی، سوویٹ روس، کوہ قاف، گویا ہر دفعہ ایک موضوع ہوتا، جس پر سب لوگ بے تکلفی سے بحث کرتے، اڑھائی تین بجے کے قریب گرم گرم قیمے والے نان، چاچا جی کی دکان سے لگ کر آنے شروع ہوتے، دہی کا کونڈا سامنے ہوتا، جس کا جتنا جی کرتا کھاتا اور پھر شام پڑے یہ نشست تمام ہوتی۔

بھٹو صاحب کی دین اور ضیاء الحق کی توفیق کے باعث اب تو ایڈلجی کی دکان بند ہوگئی تھی۔ ریگل اور چھاؤنی کی دکانوں پر بھی تالے پڑ گئے تھے اور کوئی دین کا متوالا۔ صوفی صاحب کے گھر کے باہر لکھ گیا تھا ''شرابیوں، زانیوں کو پھانسی دو۔'' یہ وہ زمانہ ہے جب صوفی صاحب نے سمن آباد میں گھر بنا لیا تھا اور ہم ایبٹ روڈ، ریواز گارڈن سے ہوتے ہوئے کرشن نگر میں بھی دو گھر بدل چکے تھے۔ ملک میں بدترین آمریت تھی۔ ہر چند صوفی صاحب کے ساتھ اس زمانے میں ایک اور خاتون رہ رہی تھی مگر صوفی صاحب بہت بے چین رہتے۔ اس زمانے میں فیض صاحب علامہ اقبال کا ترجمہ کر رہے تھے۔ مجھے حکم ہوتا کہ ایک ڈش بناؤں اور آ جاؤں۔

ایک دن میں دوپہر کو دفتر سے سیدھی صوفی صاحب کے گھر پہنچ گئی۔ اچانک مجھے دیکھ کر حیران ہوئے مگر کچھ بولے نہیں۔ کھانا کھایا، آرام کیا، شام کو صحن میں کرسیوں پر بیٹھے وہ اور میں گفتگو کر رہے تھے۔ یہ میرے لیے بہت پرلطف زمانہ تھا کہ جب مجھے کسی شعر کی تشریح چاہیے تھی تو کبھی مشورہ مختار صدیقی سے کرتی۔ وہ اردو، ہندی اور فارسی سے کئی شعر سند میں سنا دیتے، کبھی میں احسان دانش کی انارکلی والے گھر کی سیڑھیاں چڑھ کر جاتی اور وہ لغات کے علاوہ، کلاسیک دیوان اٹھا کر، لفظ کے حوالے سے میری تشفی کرتے۔ عابد علی عابد کے گھر چھاؤنی جا کر بھی میں نے کئی دفعہ ان سے تعلیم حاصل کی۔ البتہ صوفی صاحب سے جب بھی مشورہ مانگا، جواب ملا، شام کو آنا، بتا دوں گا۔ ضروری نہیں تھا کہ شام کو اُسی نکتہ یا اُسی حرف کے حوالے سے گفتگو ہو مگر فقرے بازی نہیں ہوتی تھی، لطیفے نہیں ہوتے تھے۔ علمی گفتگو ہوتی تھی۔ اس دن شام کو مجھے گھر نہ پا کر، یوسف بھی صوفی صاحب کے گھر آ گئے۔ چلتے وقت جب انہوں نے کہا ''چل یار چلیے۔'' تو صوفی تنک کر بولے ''نہیں جاندی، مل لیاندی اے چل نس۔'' پھر اس نے صوفی صاحب سے معافی مانگی اور یوں کئی بار انہوں نے میرا مان رکھا۔

1965ء کے زمانے میں صوفی صاحب، میڈم نور جہاں اور بڑی گانے والیوں اور گانے والوں کے ساتھ، صبح 11 بجے سے رات گئے تک محفلیں ہوتیں۔ ریڈیو سٹیشن کو تو گویا ہم لوگوں نے اپنے

ہاتھ میں لے لیا تھا۔ ابھی ٹیلیویژن نیا نیا شروع ہوا تھا۔ اس لیے سب کی مکمل توجہ ریڈیو پر ہی تھی۔ ایک پروگرام تجمل حسین نے اپنے ہاتھ میں لیا ہوا ہے۔ لاہور نامہ سنا رہے ہیں کہ لوگ کس طرح چھتوں پر چڑھ کر ہندوستان، پاکستان کے جہازوں کی لڑائی اور ایک دوسرے کے پیچھے بھاگنے کا منظر دیکھ رہے ہیں۔ ہر چند کہ ریڈیو پر بار بار اعلان ہو رہا ہے کہ سائرن بجتے ہی تہہ خانوں میں چلے جاؤ یا سیڑھیوں کے نیچے بیٹھ جاؤ۔ پر لاہوری تو لاہوری ہی تھے۔ کرفیو میں وقفہ آتا تو لوگ کانوں سے میل نکلواتے ہوئے بھی سڑک کے کنارے نظر آتے۔

ریڈیو پر اعجاز بٹالوی نے اپنے لیے ایک پروگرام، شہزاد احمد نے اپنے لیے اور میں نے اپنے لیے پروگرام، ہندوستان کی اردو سروس کا جواب دینے کے لیے منتخب کیا ہوا تھا۔ چونکہ اس زمانے میں میرا گھر ایبٹ روڈ پر ہی تھا، اس لیے کئی پروگراموں کی پلاننگ میرے گھر ہوتی تھی۔

ریڈیو پر میڈم نور جہاں کو لانے کا سہرا، راجہ تجمل حسین کے سر ہے کہ وہ اس وقت مغربی پاکستان ون یونٹ کے کمشنر انکم ٹیکس تھے اور ان کے بھائی الطاف گوہر سیکرٹری انفرمیشن تھے۔ حکم ہوا بڑے بھائی کا کہ میڈم اور محمد علی کو ریڈیو پر فوراً لے کر آؤ۔ ادھر ایوب خان للکارنے والی آواز میں تقریر کر رہا تھا (ہمیں کیا خبر تھی کہ یہ سب ایکٹنگ تھی) ادھر میڈم ریڈیو پر آ گئیں۔ اب صوفی صاحب کی ڈیوٹی کہ روز ایک ترانہ لکھنا ہے، میڈم نے ایک مصرعہ پکڑ کر اس کی دھن بنانی ہے۔ دوپہر کو ان کے گھر سے کھانا آنا ہے۔ ہم سب نے مل کر کھانا ہے، شام ساڑھے پانچ بجے، فوجی بھائیوں کے پروگرام میں تازہ تیار کردہ نغمہ میڈم نے پیش کرنا ہے۔ پھر تھوڑے وقفے کے بعد رات آٹھ نو بجے، تجمل حسین اور دوستوں کے کرائے پر لیے ایک الگ گھر پر پھر مجمع ہونا ہے جو رات گئے تک چلنا ہے۔ اس جگہ کا نام ہم سب نے "قعر مذلت" رکھا تھا۔ یہاں کس کس کا مجرا نہیں دیکھا اور کس کس کا کلام نہیں سنا مگر ان تمام باتوں میں شائستگی اتنی تھی کہ اول تو گانے والی اول درجے کی یعنی فریدہ خانم سے کم نہیں۔ پھر ادائیگی ایڈوانس ہو چکی ہے۔ تمام لوگ فارسی اور اردو کلاسیک سن کر رہے ہیں نہ کہ "لادے جھمکا چاندی کا۔" صبح کی اذان ہوتی تو ہوش آتا کہ اب گانا ختم، کھانا شروع۔ پائے اور نان خوب پیٹ بھر کر کھائے جاتے، گھروں کی سمت روانہ ہوتے تو جمعدار سڑکوں کی صفائی کر رہے ہوتے، اس زمانے میں صبح سات بجے دفتر لگتے تھے۔ ہم لوگ دفتر بھی وقت پر پہنچ جاتے اور کبھی تھکان بھی محسوس نہ کرتے۔

کچھ دن ہو جاتے اور صوفی صاحب کو فون نہ کرو یا ان کے گھر نہ جاؤ تو وہ ناراضگی کے اظہار کے لیے بڑے کروفر کے ساتھ فون کرتے "میں صوفی تبسم بول رہا ہوں۔" یوسف فون پر ہاتھ

رکھ کر کہتے "صوفی صاحب کا فون ہے، وہ ناراض ہیں۔" میں فوراً کہتی "ارے آج ہی تو میں پائے لائی ہوں، ان کے گھر لے جانے کے لیے۔" میری آواز پیچھے ہی سے سن کر ان کا لہجہ بدل جاتا، سوال اٹھتا "تو پھر کس کس کو بلالیں۔" اب میں فوراً گھر سے نکلتی، ڈھونڈ ڈھانڈ کر پائے لاتی اور پکا کر لے کر جاتی۔ صوفی صاحب کے گھر پہنچتی تو اماں سے لے کر بھابی تک کہتیں "شام سے ہماری شامت آئی ہوئی ہے۔ گھومتے پھر رہے ہیں گھر بھر میں، کہہ رہے ہیں وہ بے چاری دفتر بھی جائے، گھر کا کام بھی کرے، ہمارے لیے پائے بھی بنا کر لائے اور تم سب گھر میں خالی بیٹھی رہو۔" میں ہنس پڑتی۔ اس محبت پہ اس لاڈ پہ۔

ایک دن میں پہنچی تو دیکھا صوفی صاحب رو رہے ہیں۔ معلوم کیا، پتہ چلا، بخاری صاحب کا انتقال ہوگیا ہے۔ صوفی صاحب کے گھر میں کسی نے ٹیلیویژن گانے سننے کے لیے لگا لیا تھا۔ بس یہی قیامت ہوگئی تھی۔ گھر بھر سے ناراض تھے، روئے جا رہے تھے۔ میں نے جب کہا چلیں بخاری صاحب کی باتیں کریں۔ گلاس بنائے اور پھر آل انڈیا ریڈیو سے اب تک کا سارا افسانہ بحوالہ بخاری صاحب سنا ڈالا۔

کھاتے وہ آدھا پھلکا تھے، مگر سلیقہ مندی میں ذرا سا فرق آئے تو کھانے کو ہاتھ بھی نہیں لگاتے تھے۔ اول تو دو سالن ہونے چاہئیں، پھر دہی اور سلاد صاف دسترخوان اور گرم پھلکا۔

اسی طرح تازہ حقہ کرنے کا قرینہ بھی جس کو نہ آتا ہو، وہ نوکر گھر میں ٹک نہیں سکتا تھا۔ کوئلے الگ دہکانے، حقہ تازہ کرنا، اپلے دہکانے، چلم میں خاص قوام والا تمبا کو رکھنا جو کہ ان کے مختلف شہروں میں رہنے والے شاگرد بھیج دیا کرتے تھے۔ حقہ اور پیتل کی پرات، باقاعدہ منجھی ہوئی ہونا، یہ سب لوازم تھے، صوفی صاحب کے حقے کے، وہ دوسرے شہر بھی جاتے اور چند دن کے لیے جاتے تو اپنا حقہ ساتھ لے کر جاتے۔ جب وہ امریکہ گئے (حالانکہ وہ اچھے دنوں کا امریکہ تھا) حقہ ساتھ نہ لے جا سکے۔ اپنے بیٹے وقار کے پاس بس چند ماہ رہ کر واپس آ گئے تھے کہ انہیں بغیر حقے کے مزا نہیں آ رہا تھا۔

حقے کی طرح، ان کی لنگی بھی بڑی رنگدار ہوتی تھی۔ جھنگ کی لونگیاں، نسواری بارڈر، آتشی گلابی اوپر کا حصہ، گہرا نیلا بارڈر، گہرا سبز۔ اوپر کا حصہ اس کے اوپر ململ کا کرتہ اور پیر میں تلے والا کھسہ۔ سر پہ ہاتھ پھیرنا اور دوسروں کے علاوہ اپنے بھی شعروں کو جب کوئی اچھا گانے والا سنا رہا ہوتا تو وہ بے ساختہ رو پڑتے تھے۔

جب انہوں نے غالب کو پنجابی میں ترجمہ کیا "میرے عشق دانئیں اعتبار تینوں" اور غلام علی

نے گایا تو پورے ملک میں لوگ غلام علی سے یہ غزل ہی گانے کی فرمائش کرتے۔ لفظوں کے استعمال میں تو ان کو کمال قدرت اس لیے تھی کہ فارسی، پنجابی اور اردو، تینوں زبانوں کے وہ ماہر تھے۔ اس لیے بلاتکلف انہوں نے "غالباوے" یا "شکیبانہ کرسکو" جیسی ترکیبیں اختراع کیں اور لوگوں نے خوب داد دی۔ "کہاں میں کہاں یہ کلام اللہ اللہ" جیسی غزلیں لکھنے والے صوفی صاحب نے شاعری کو بہت وقت نہیں دیا۔ محفل آرائی جس کی اپنی اہمیت ہوتی ہے، اس نے صوفی صاحب کو بہت کم لکھنے دیا۔

مگر یہ اپنی جگہ سچ ہے جیسا کہ پطرس بخاری نے اپنے دیباچہ "ٹوٹ بٹوٹ" میں لکھا ہے کہ اتنی آسان اور بیک وقت اتنی دلچسپ نظمیں وہ بھی بچوں کے لیے تخلیق کرنا کوئی آسان کام نہیں تھا۔ باقاعدہ "ٹوٹ بٹوٹ" کا کردار کہ جسے پڑھ کر ہر بچہ خود کو ٹوٹ بٹوٹ سمجھنے لگتا ہے۔ "ثریا کی گڑیا" آپا ثریا (ان کی بیٹی) اپنی پوتی کو بھی یہ نظم خوشی خوشی سنایا کرتی تھیں۔

صوفی صاحب سڑک پر جا رہے ہوتے تھے تو بچے اپنی ماؤں کی ٹانگوں سے لپٹ کر ضد کرتے "وہ دیکھیں ٹوٹ بٹوٹ جا رہے ہیں۔ مجھے ملوائیں۔" صوفی صاحب خود رُک جاتے، بچے کو گود میں لیتے، اس کی ناک سے ناک رگڑتے، بچے کو پیار کرتے۔ بچہ نہال ہو جاتا۔ صوفی صاحب آگے بڑھتے، کوئی افسر، کوئی پروفیسر آگے بڑھ کر صوفی صاحب کے گھٹنوں کو ادب سے ہاتھ لگاتا اور باتیں شروع ہو جاتیں۔

شام کے ساتھیوں میں کچھ لوگ باقاعدگی رکھتے تھے۔ ڈاکٹر حمید الدین جو کہ پنجاب یونیورسٹی میں ہیڈ آف فلسفہ ڈیپارٹمنٹ تھے۔ وہ مستقل آنے والوں میں تھے۔ وہ بھاٹی گیٹ رہتے تھے، پیدل چل کر صوفی صاحب کے گھر آتے اور رات گئے واپس لوٹتے، فیصل آباد سے صوفی صاحب کے دوست شیر محمد صاحب، جب بھی آتے صوفی صاحب کے یہاں قیام کرتے۔ جب پرانے دوست ملتے تو عرشی صاحب اور طغرائی صاحب کا بہت ذکر ہوتا، تاثیر صاحب اور بڑے بخاری صاحب کا بہت ذکر ہوتا۔ حفیظ جالندھری صاحب کا نام سنتے ہی صوفی صاحب کے منہ کا ذائقہ خراب ہو جاتا کہ انہوں نے تاشقند سے واپسی پر فیض صاحب کے حوالے سے بہت فضول باتیں کی تھیں۔ اس طرح کی کہ وہاں کے لوگ مجھے بھی ایک ہزار ڈالر دے رہے تھے مگر میں نے پاکستان کے خلاف باتیں کرنے سے انکار کر دیا۔ فیض نے پیسے بھی لیے اور باتیں بھی کیں۔ یہ بحث بہت دن تک ایک معاصر اخبار میں چلتی بھی رہی۔ فیض صاحب نے حسبِ عادت اس کا کوئی جواب نہیں دیا مگر صوفی صاحب نے پھر حفیظ صاحب سے بقیہ عمر کوئی بات نہ کی۔

عجب معصوم اور ہوش مندی کی باتیں صوفی صاحب بیک وقت کر جاتے۔ ایک دن بھری دوپہر میں وہ ہمیں اپنی ایک دوست سے ملوانے کے لیے شاہی محلے لے گئے۔ میرے لیے یہ پہلا موقع تھا کہ میں کسی گھر میں جاؤں جہاں شام کو مجرا ہوتا ہو۔ اس خاتون نے بہت ضد کر کے بڑی نخرے والی چائے پلائی۔ گانا بھی سنایا اور پھر آنے کا مجھ سے وعدہ لیا۔

صوفی صاحب کو یہ شرف حاصل تھا کہ انہوں نے علامہ اقبال کی صحبت میں بھی وقت گزارا تھا۔ بلکہ ان کی فارسی دانی پہ علامہ اقبال کو بھی اعتبار تھا۔ وہ بتایا کرتے تھے کہ لفظوں کی صحت کی تحقیق کا کام بھی کئی دفعہ علامہ اقبال صوفی صاحب کو دے دیا کرتے تھے۔

ریڈیو پاکستان سے کوئی پانچ برس تک اور پاکستان ٹیلیویژن سے کوئی تین برس تک، تشریحِ غالب پروگرام کرتے رہے جو بعد ازاں کتابی شکل میں شائع ہوا۔ اُسی زمانے میں سید بابر علی نے کہا کہ آپ کا خط بہت اچھا ہے، آپ اپنی پسند کے اردو، فارسی کے شعر لکھیے۔ ہم آپ کے ہاتھ کی لکھی پوری کتاب شائع کریں گے۔ بابر علی صاحب نے یہ کتاب شائع کی۔ اس کی ایک کاپی آج بھی میرے پاس محفوظ ہے۔

جس زمانے میں خانۂ فرہنگِ ایران کے ڈائریکٹر تھے تو وہاں بہت ادیبوں سے ملاقات ہوئی۔ ہمارے شہر کو یہ فخر حاصل تھا کہ صوفی صاحب کو دو مرتبہ شہنشاہ ایران نے سرکاری سطح پر مہمان بلایا اور دو دفعہ ان کو قالینوں کے تحائف بھیجے۔ وہ قالین اتنے خوبصورت تھے کہ صوفی ہمیں انہیں ہاتھ بھی لگانے نہیں دیتے تھے۔ خانۂ فرہنگ ایران میں صرف جوش صاحب کو یہ اجازت تھی کہ وہ شام کو طلوع ہوسکیں۔ وہ دونوں ایک دوسرے کو بے تکلفی سے بلاتے تھے۔

خانۂ فرہنگ ایران وہ اپنے گھر سے ٹانگے پر آتے تھے مگر ڈرتے بہت تھے۔ ایک دفعہ ٹانگے میں بیٹھے، کوچوان کو کہا آہستہ چل، پھر ایک مرتبہ کہا اور آہستہ چل۔ وہ بے چارہ بھی پریشان ہوا کہ آخر کتنا آہستہ، اس نے اگلی سواری اور وہ بھی مال روڈ سے بٹھانی تھی۔ صوفی صاحب اپنی جگہ برہم۔ آخر پی۔ ایم۔ جی آفس کے سامنے ٹانگہ روک کر بولے یہ لے روپیہ، تو جا اور جتنی مرضی تیز ٹانگہ چلا۔

جس زمانے میں وہ ریڈیو پر سٹاف آرٹسٹ کے طور پر کام کر رہے تھے یہ زمانہ ریڈیو پہ بہار کا زمانہ تھا۔ مختار صدیقی، یوسف ظفر، رضی ترمذی، ایوب رومانی، ناصر کاظمی، شکول بیدل، عتیق اللہ شیخ، امراؤ ضیا بیگم، موہنی حمید، عفت بیگ، یاسمین طاہر اور نجانے کتنے نام مجھے بھول رہے ہیں مگر یہ تو باقاعدہ کام کرنے والے لوگ تھے۔ ان پر مستزاد صوفی صاحب، ہر وقت باتوں کی پھلجھڑیاں کہ کبھی فریدہ خانم

کچھ بیٹھی گنگنا رہی ہیں۔ ناصر کاظمی اپنے ہفتہ وار فیچر کی تیاری کر رہے ہیں۔ کالے خان، حسن لطیف، امانت علی خاں، نئی نئی طرزیں بنا رہے ہیں۔ اساتذہ کا کلام گانے سے پہلے شعروں کی صحیح ادائیگی کے لیے صوفی صاحب سمجھا رہے ہیں۔

کبھی گھر سے ٹفن کیریئر میں کھانا آ رہا ہے تو کبھی کینٹین سے کھانا آیا ہے۔ سب مل کر کھا رہے ہیں۔ بات سے بات نکل رہی ہے، کام بھی مسلسل ہو رہا ہے مگر ایک لطف اور سرشاری سے زندگی بہت پر بہار تھی۔ میں بھی ریڈیو پر پروگرام کرتی تھی۔ کبھی مشاعرے میں حصہ لینا، کبھی مذاکرے میں، کبھی عورتوں کا پروگرام اور کبھی پروگرام کی کمپیئرنگ۔ ریڈیو جانا روزمرہ میں شامل تھا۔

صوفی صاحب اپنے پرانے دوستوں میں تاثیر صاحب، پطرس بخاری اور پنڈت ہری چند اختر کو بہت یاد کرتے اور ان کے قصے سناتے تھے۔ بہت مزا اس وقت آتا تھا جب صوفی صاحب کسی سے ناراض ہوتے اور اب بحث میں کبھی وہ سر کو کھجاتے، کبھی دانت پیستے، ایک دن کوہ قاف کے بارے میں فیض صاحب سے بحث ہوگئی۔ فیض صاحب نے کہا کہ کوہ قاف، روس میں ہے۔ صوفی صاحب نے غصے میں کہا ''تو کوہ قاف وی روس نوں دے دیتا اے۔''

گورنمنٹ کالج سے انہیں عشق تھا مگر جانے کیوں ڈاکٹر نذیر سے بہت بغض، جب گورنمنٹ کالج کے جشنِ صد سالہ پہ کتاب شائع ہوئی اور صوفی صاحب کا ذکر اس میں کم کم تھا تو بہت آزردہ ہوئے۔

صوفی صاحب کو اپنی بیگم یاد آتی تھیں۔ ہر چند ان کی یاد بھلانے کے لیے، صوفی صاحب کی دونوں بہنوں اور والدہ نے بہت دلجوئی کی مگر کبھی کبھی صوفی صاحب کہتے تھے کہ رات کے دو بجے، جب ہم لوگ گھر آ کر کھانا مانگتے تھے تو وہ نیک بخت اس وقت تازہ پھلکے بنا کر دیا کرتی تھی۔ سارے بچوں میں عذرا سب سے چھوٹی تھی۔ وہ میری عمر کی تھی۔ صوفی صاحب وقار سے اور عذرا سے بہت پیار کرتے تھے، ویسے تو ساری اولاد عزیز تھی مگر ان دونوں کو دیکھ کر کھل اٹھتے تھے۔

امرتسر ان کی یادوں کا ایک اہم حصہ تھا۔ گورنمنٹ کالج نیو ہاسٹل اور امرتسر یہ دونوں یادیں، کسی نہ کسی طرح، ہم چھوٹوں کی موجودگی میں داستان در داستان ہم تک پہنچتی رہتی تھیں۔ امرتسر کی پنجابی بھی ذرا، لاہور سے مختلف تھی۔ وہ خود بھی ہنس کر بیان کرتے تھے کہ امرتسری پنجابی میں قمیض کا بٹن ٹوٹتا نہیں ہے یا قمیض پھٹتی نہیں ہے بلکہ ''ٹٹ'' جاتی ہے۔ انہوں نے مجھے بتایا کہ امرتسری کون سی سبزی میں کس طرح کا گوشت ڈال کر پکاتے ہیں۔ ساتھ ساتھ علامہ اقبال اور غالب کے فارسی شعروں کی

تفسیر بتاتے جاتے تھے اور ساتھ ہی یہ بھی سمجھاتے جاتے تھے کہ آخر شام کو ڈرنکز کے ساتھ دہی کھانا، صحت کے لیے کتنا مفید ہے۔ وہ گھر بھر کے لیے خود گوشت خریدنے جاتے، پھل بھی خود ہی لاتے اور شام کو ضد کر کے، فیض صاحب کے ساتھ کبھی اعجاز بٹالوی کو تو، کبھی محمد علی فلم سٹار کو اور کبھی ہم جیسے شاگردوں کو بہت اچھا کھانا کھلاتے اور حافظ و رومی کا محاکمہ بھی کرتے جاتے۔

گورنمنٹ کالج لاہور کی کینٹین کے سموسے ہمیں بہت مرغوب تھے۔ شاید اس لیے کہ کالج میں آ کر ہی باہر کی چیزیں کھانے کا موقع ملتا تھا، ورنہ گھر پر تو اماں ہر چیز یعنی نمک پارے تک گھر ہی میں بناتی تھیں۔ یہاں بابو غلام علی، کینٹین چلاتے تھے۔ وہ بھی صوفی صاحب کے شام کے ساتھی ہوا کرتے تھے۔ کبھی کچھ بنوا کر بھیجتے کہ خود بڑھاپے کی وجہ سے نہیں آ سکتے تھے۔

مجلسِ اقبال گورنمنٹ کالج، ہفتہ وار نشستیں کرتی تھی۔ مجھے اس میں حصہ لینے پہ مائل کرنے والوں میں ایک صوفی صاحب تھے اور دوسرے حافظ اسلم۔

صوفی صاحب سے میں نے علامہ اقبال کا فارسی کلام بڑی توجہ سے پڑھا۔ غالب کا کلام بھی خاص کر فارسی کے کلام کے تراجم، میں نے ان کے سامنے بیٹھ کر کیے۔ کبھی وہ میرے بیان سے اتنے خوش ہوتے کہ بی۔ اے، فارسی کے پرچے جوان کے پاس چیک کرنے کو آتے مجھے دیتے کہ تم چیک کر کے لاؤ۔

میں جب اپنے اعتماد کی چھاگل میں جھانکتی ہوں تو مجھے صوفی صاحب مسکراتے نظر آتے ہیں۔ میری ابتدائی شاعری میں فارسی بہت تھی۔ ن۔ م راشد اور صوفی صاحب کا اثر تھا۔ میں آج بھی مشکل لفظوں کو سمجھنے کے لیے آئینے کی سمت دیکھتی ہوں شاید وہاں صوفی صاحب کھڑے مسکرا رہے ہوں۔

لاہور کا یہ وہ زمانہ ہے کہ شرفا اور پڑھے لکھے لوگ شام کو مال روڈ پر گاڑیوں میں نہیں، پیدل ٹہلتے ہوئے چلتے، ایک دوسرے سے دعا سلام کرتے اور شیزان کانٹی نینٹل میں بیٹھ کر چائے پی جاتی۔ متوسط طبقے کے لوگ جن میں صحافی، سیاست دان وکیل اور ہم جیسے نئے انقلابی بھی شامل ہوتے۔ چائنیز لنچ ہوم، کافی ہاؤس اور کبھی کبھی ٹی ہاؤس کا رخ کرتے مگر صوفی صاحب شام ڈھلے یا گھر لوٹ جاتے یا پھر کسی دوست کے گھر محفل آرائی کرتے اور لکھتے ''دنیا کی وہی محفل، دل کی وہی تنہائی۔''

ان کے سر پہ بالوں کی جھالر بس پچھلی طرف تھی۔ ہم چھیڑنے کو کہتے کہ آپ ہمیشہ سے ایسے ہی تھے تو چڑ کر ایک دن انہوں نے اپنی جوانی کی تصویر نکال لی اور بولے ''دیکھو میرے سر پہ کتنے بال تھے۔''

فقرے بازی میں بھی صوفی صاحب کا کوئی جواب نہ تھا۔ ایک دفعہ ہم بیڈن روڈ سے گزر رہے تھے۔ دودھ والا کڑاہی میں دودھ، مگ کے ذریعہ اونچا لے جا کر پھینٹ رہا تھا۔ ہاتھ میں سگریٹ پکڑے، پہلے تو صوفی صاحب مسکراتے ہوئے اس کے ایکشن کو دیکھتے رہے۔ پھر بولے "اے اڑھائی گز دودھ مینوں وی دئیں۔" دودھ والا بھی ہنس پڑا اور ضد کی کہ آپ اب دودھ کا گلاس پی کر ہی جائیں گے۔

صوفی صاحب آخر عمر میں واہ بھی جانے لگے تھے۔ مجھے معلوم نہیں کون خاتون تھیں مگر راستے میں یعنی اسلام آباد میں حمید علوی کے یہاں قیام کرتے۔ آخری سفر بھی یونہی تھا۔ ٹرین سے اتر کر ٹیکسی ڈرائیور کو گھر کا پتہ بتایا۔ جب ٹیکسی گھر پہنچی تو صوفی صاحب عدم آباد جا چکے تھے۔

مرے دل..... مرے مسافر- فیض صاحب

لوگ میرے ہونٹوں اور آنکھوں کی بے حجابی کی بات کرتے تھے مگر اب جبکہ میرے گھٹنوں تک میں پانی اتر آیا ہے۔ مجھے چلتے ہوئے تکلیف ہوتی ہے۔ مجھے اپنے گزشتہ بھاگتے لمحات یاد آتے ہیں۔

وہ زندگی کا پہلا دن تھا کہ کالج سے گھر اور گھر سے کالج کی سائیکل میں دراڑ آیا۔ ہم لوگ فرسٹ ایئر میں تھے۔ مس ڈاکٹر رفعت رشید اور مسز ایلس فیض ہم لڑکیوں کا گروپ لے کر ایک گاؤں میں گئے۔ ہمیں رات بھی ایک ٹینٹ میں رہنا تھا۔ کام کیا تھا۔ اس گاؤں کی لڑکیوں کو منہ دھلانے، کنگھی کرنے اور ساتھ بیٹھ کر باتیں کرنے اور ہنسنے کا حوصلہ دینا تھا۔

ہم بہت خوش تھے۔ لڑکیوں کو جالے بنے بال اور آنکھوں کی پلکوں تک جھلکتی مٹی کو نلکے کے پانی کے نیچے دھوتے ہوئے، ان لڑکیوں کی چیخیں اور ہماری کلکاریں آمیز ہو رہی تھیں۔ مائیں پلنگوں پہ بیٹھی، بڑی بوڑھیاں حقہ پیتی اور دوسری لڑکیاں ادھ کھلے منہ سے ہمیں دیکھتی اور بیچ بیچ میں ہنستی جا رہی تھیں۔

پھر ہم نے ان لڑکیوں کے بالوں میں کنگھی کی۔ چٹیا باندھی اور اب ہم سب کے ذمے تھا کہ ہر ایک گھر میں دو دو لڑکیاں جھاڑو دیں، گلی کی نالیاں صاف کریں اور واپس آ کر اپنے ٹینٹ میں اتنا کھانا بنائیں کہ ان لڑکیوں کو بھی کچھ کھلا سکیں۔

بڑی مشکل سے کچھ لڑکیوں کو پلیٹ میں سالن ڈال کر روٹی سے کھانے پر راضی کیا کہ سوکھی روٹی اور لسی کے علاوہ، کھانے کا کوئی اور ذائقہ ان کی زندگی میں شامل نہیں تھا۔

ہمارا بڑا جی کر رہا تھا کہ اب ہم لڑکیوں کو بلا کر ڈھولکی منگوائیں اور مل کر لوک گیت گائیں۔

مسز فیض نے منع کیا اور مس رفعت رشید نے کہا کہ ان بچیوں کو کہانیاں سناؤ۔ مجھ جیسی لڑکی نے اپنی ماں سے کہانی سنی ہی نہیں تھی۔ وہ تو نمازیں پڑھ رہی ہوتی تھیں اور بڑی بہنیں اپنی کتابیں۔ ہم تو بس آسمان پہ تاروں کی بدلتی جگہیں دیکھتے دیکھتے سو جاتے تھے۔ مگر دوسری لڑکیوں نے کہانیاں سنائیں۔ کسی نے جن کی، کسی نے محبت کی اور کسی نے پری کی۔

یہ تھا تعلق کا آغاز مسز فیض سے۔ میں نے ان کو سائیکل پر پاکستان ٹائمز کے دفتر جاتے اور پاکستان ٹائمز میں بچوں کے صفحے کے لیے چھوٹے چھوٹے مضمون ان کو بھیجتے ہوئے اس لیے تعارف کے مراحل طے کیے تھے کہ میں فیض صاحب تک پہنچنا چاہتی تھی۔

کیا جانتی تھی میں فیض صاحب کے بارے میں۔ بس اتنا کہ ایک کتاب ''نقشِ فریادی'' مجھے زبانی یاد تھی۔ بس اتنا کہ وہ کسی بغاوت کیس میں جیل میں تھے۔ بس اتنا کہ ان سے ملنا، میرے اندر ایک جنون کی طرح رواں تھا۔

ابھی میرا فرسٹ ایئر ختم ہوا تو کالج میں سلیمیٰ، فیض صاحب کی بڑی بیٹی نے داخلہ لیا۔ میں اس سے ملتی نہیں تھی کہ ہم سینئر کلاس کے طالب علم تھے مگر میں اُسے دیکھتی۔ وہ اس زمانے میں بھی کبھی کبھی جینز پہن کر آتی تھی۔ میں نے ایلیس کو کرتہ شلوار اور ساڑھی میں دیکھا تھا۔ کبھی جینز یا مغربی لباس میں نہیں۔

پھر اچانک یوں ہوا کہ فیض صاحب میرے گھر تک آ گئے۔ یہ اچانک کیسے ہوا۔ مجھے شمع تاثیر کے مشاعرے میں جانا تھا۔ فیض صاحب نے صدارت کرنی تھی۔ صوفی تبسم مہمانِ خاص تھے اور میرے قریبی گھر میں رہنے کے باعث، انہوں نے کہا تھا کہ ہم تمہیں لیتے جائیں گے۔ پھر اس ہم کا مطلب یہ تھا کہ فیض صاحب بھی ہوں گے۔ یہ تصور میں بھی نہیں تھا۔

گھر والوں نے میری چھوٹی بہن کو ساتھ کر دیا۔ میں نے معلوم نہیں کس کو فوٹو اتارنے کو کہا۔ میری بغل میں برقعہ تھا اور ہم چاروں کی تصویر نے میرے قرب کی بنیادی اینٹ رکھ دی تھی۔ یہ بات ہے 1956ء کی۔

اب صوفی صاحب کا گھر ہونا، بخاری صاحب، ڈاکٹر حمید جو فلاسفی ڈیپارٹمنٹ کے ہیڈ تھے۔ فیض صاحب اور پھر کبھی اعجاز بٹالوی، کبھی ستنام محمود، کبھی سرکاری افسران، سب جمع ہوتے۔ میں گھر پہ لائبریری جانے کا بہانہ بناتی اور اس محفل میں سرکتی سرکتی زمین پہ بیٹھ کر ان کی گفتگو سنتی۔ مجھے پانی اور گلاس لانے کو کہا بھی نہ جاتا تو بھی میں بھاگ بھاگ کر یہ کام کرتی۔ یہی گن تھا جس نے مجھے ان سب

کی اپنی چہیتی بنا دیا تھا۔ میں تو اس خاندان، ان محفلوں کا حصہ بن چکی تھی۔ میں حیرت سے ستنام محمود کو ان سب کے درمیان بلاتکلف گفتگو کرتے اور ہنستے ہوئے دیکھتی۔ فیض صاحب کو خاموشی سے سگریٹ کے دھوئیں کو بھی آہستگی سے آزاد کرتے دیکھتی۔ بخاری صاحب کو شعری تلازموں پر دھواں دھار گفتگو کرتے دیکھتی۔ یہیں پہلی ملاقات پنڈی ہری چند اختر سے ہوئی، بڑے بخاری صاحب سے ہوئی، جگن ناتھ آزاد سے، ایران کے بہت سے شاعروں سے اور ان زمانے کے نوجوان لکھنے والوں یعنی ناصر کاظمی، شہزاد احمد اور ایک آدھ دفعہ سید سبط حسن سے ملاقات ہوئی۔ سید صاحب اس زمانے میں فیروزسنز میں کوئی چھوٹی موٹی ملازمت کرتے تھے اور بعد میں لیل ونہار کے ایڈیٹر کی حیثیت سے ان سے ملاقات ہوئی اور میری پہلی غزل شائع ہوئی۔ ہر چند اس سے پہلے اسی شمع تاثیر کے مشاعرے والی نظم، جس کو پہلا انعام ملا تھا۔ میرزا ادیب، ادبِ لطیف کے لیے لے کر گئے تھے اور یوں وہ نظم شائع ہوئی تھی۔

اُسی زمانے میں صوفی تبسم، خانۂ فرہنگ ایران کے منتظم اعلیٰ لگ گئے۔ اب جب بھی جوش صاحب خانۂ فرہنگ ایران آتے اور یہ شام کا وقت ہوتا۔ یہیں ان سے پہلی ملاقات ہوئی اور جب انہیں میری شاعری کی خبر پہنچی تو انہوں نے کوئی اہمیت نہیں دی۔ البتہ جب میں نے کہا ''ارشاد فرمائیے کیا کھانا لگا دوں۔'' جھٹ سے بولے ''ہمارے یہاں تو پان لگائے جاتے ہیں۔'' میں پھر بولی ''اچھا تو کھانا نکال دوں۔'' تڑ سے جواب دیا ''گھر سے نکالا کرتے ہیں۔'' میں نے زچ ہو کر کہا ''اچھا اب کھانا کھا ہی لیجیے۔''

فیض صاحب جب بھی جوش صاحب کے سامنے ہوتے، میں نے ان کو جوش صاحب سے کوئی علمی بحث کرتے نہیں سنا تھا۔ فیض علمی بحث، ہمیشہ صوفی صاحب کے ساتھ کیا کرتے تھے اور وہ بھی فارسی کی تراکیب کے حوالے سے یا پھر میں نے اس زمانے میں تقریباً روز ہی فیض صاحب کو صوفی صاحب کے گھر دیکھا کہ جب وہ کلام اقبال (فارسی) کا اردو ترجمہ کر رہے تھے اور صلاح و مشورے کے لیے آتے تھے۔ اب میں بڑی ہوگئی تھی اور کبھی کبھار میں بھی ایک آدھ فقرہ بول لیتی تھی۔

مگر جب 1960ء میں اچانک میری شادی ہوگئی تو اس حادثے کو بتانے کے لیے میں ریڈیو پاکستان کے سامنے والے شملہ پہاڑی کے اوپر والے گھر میں، صبح ناشتے کے وقت پہنچ گئی۔ فیض صاحب اور مسز فیض کھانے کی میز پر تھے۔ میری گھبراہٹ اور نوکری کی فوری ضرورت کو رونے والی آواز میں سن کر، شاید فیض صاحب نے ہی میر نسیم محمود جو ڈائریکٹر جنرل لوکل گورنمنٹ تھے۔ ان کو کہا

کہ مجھے نوکر رکھ لیں کہ انہیں اپنے دیہات سدھار پرچے کے لیے ایک اسسٹنٹ ایڈیٹر چاہیے تھا۔
یہاں میری تہری نوکری شروع ہوئی۔ صبح پانچ بجے اٹھ کر ناشتہ اور گھر کی صفائی' سات بجے بس کے ذریعہ یونیورسٹی' 11 بجے یونیورسٹی سے سمن آباد دفتر' 4 بجے شام دفتر سے گھر' پھر وہی ہوم ورک اور باورچی خانہ۔

اب صوفی صاحب کو شامیں آباد کرنے کے لیے ایک اور گھر مل گیا تھا۔ مجھے بھی اچھا لگتا تھا۔ وہ ایک کمرے کا گھر' اس نے کس کس بڑی شخصیت کو لطف وشادمانی نہیں بخشی' مگر سب گروپ اس زمانے ہی میں الگ الگ آتے تھے۔ صوفی صاحب کے ساتھ فیض صاحب' سرفراز صاحب' مسعود پرویز' خواجہ خورشید انور' ڈاکٹر حمید الدین اور شیر محمد صاحب کے علاوہ میر نسیم محمود اور ستنام محمود ضرور ہوتے تھے۔

احمد راہی کے ساتھ' اے حمید' شاد امرتسری' عدم صاحب' ظہیر کاشمیری' غفور بٹ اور نجانے کتنے فلم سے متعلق لوگ آجاتے تھے۔ کبھی یہ نشست ہمارے گھر اور کبھی تہہ خانے میں غفور بٹ کے گھر اور دفتر میں ہوا کرتی تھی۔

فیض صاحب بیچ بیچ میں لمبے وقفے کے لیے غائب ہو جاتے تھے۔ جب وہ لینن انعام لینے کے لیے گئے تو ان کی واپسی پہ جشن کیا گیا۔ جب وہ بیروت سے مستقل واپس آئے تو ہم نے ان کی سالگرہ کا پروگرام بنایا۔ انہوں نے پورے پروگرام کی ذمہ داری مجھ پر چھوڑ دی۔ لوگ آتے تھے میرے دفتر پوچھتے تھے ''ہمارے سپرد سالگرہ کا کوئی کام۔'' میں کہتی ''اقبال بانو کے ملتان سے آنے' ٹھہرنے اور گانے کا خرچ آپ کے سپرد۔'' وہ کہتے بجا۔ اب دوسرے صاحب آتے ''کوئی ذمہ داری۔'' ''جی آپ ہوٹل میں ایک ہزار لوگوں کی چائے کا بل دے دیجئے گا۔'' اب ایک اور صاحب داخل ہوئے ''میرے لیے کیا خدمت۔'' ''آپ شام کو پچاس لوگوں کے لیے فراواں کھانے کا انتظام کر دیجئے۔'' اور صاحب آئے ''میں کیا خدمت کر سکتا ہوں۔'' ''آج شام کی شراب آپ کے ذمے ہے۔''

نہ مجھے معلوم ہوا' ان لوگوں کا نام کیا ہے' نہ انہوں نے مجھ سے نام پوچھا۔ نہ میں نے ان کو یاد دہانی کروائی۔ نہ انہوں نے اس کا موقع دیا۔ ارشد محمود' نیرہ یا ٹینا کا تلفظ اور گائیکی کا مرحلہ یا مسئلہ طے کرنا' شعیب ہاشمی کا کام تھا۔ البتہ تمام رات بھر ایلیس فیض حیران پریشان پھرتیں کہ فلاں نے گلاس بغیر میٹ کے رکھ دیا ہے۔ میز پر نشانات پڑ جائیں گے۔ پھر چاہے رات کو تین بجے دعوت ختم ہو' صبح تک ایلیس کو گھر کو دوبارہ سلیقے میں لانا ہے۔ پھر آرام کرنا ہے۔

بیروت سے واپس آنے کے بعد، انہوں نے ایک اور گھر ماڈل ٹاؤن میں لیا جو منیزہ کے نام سے تھا۔ اس میں رہنے کو اپنے لیے ٹاؤن ہاؤس بنایا اور یہ پارٹیز ہم لوگ اُسی گھر میں کیا کرتے تھے۔ اب تو وہ گھر بھی نہیں رہا۔ ان کی بیٹی نے ابا کی یہ نشانی بھی ختم کر دی ہے۔

اس زمانے میں تیسری مرتبہ پھر نیشنل سنٹر کی ڈائریکٹر بنی۔ اس کی بڑی خوبصورت لائبریری تھی۔ یہاں ایک کونے میں م۔ ش آ کر بیٹھ کر کالم لکھتے اور سامنے نوائے وقت کے دفتر دے کر چلے جاتے، کبھی ڈاکٹر عبدالسلام خورشید کوئی فنکشن ہوتا تو گھنٹہ پہلے آجاتے اور کتابیں پڑھتے۔ فیض صاحب کا فون آتا ''بھئی ہمیں بلالو۔'' میرے دفتر کی گاڑی جا کر لے آتی۔ جہاں جہاں یہ لوگ پڑھنے کو بیٹھتے، وہیں چپڑاسی کو ہدایت تھی کہ ہر گھنٹے بعد چائے دے دی جائے۔ فیض صاحب چند گھنٹے بعد، میرے دفتر میں آجاتے اور پھر ان کو گھر چھوڑ دیا جاتا۔

وہ مجھ سے کہتے ''تم عورت بن کر کیوں شاعری کرتی ہو۔'' میں کہتی ''فیض صاحب میں عورت ہوں۔ پر وہ عورت نہیں جو آپ کی شاعری کی محبوبہ ہے۔'' وہ کہتے ''بھئی ہم نے تو اس کے علاوہ عورت کے بارے میں سوچا ہی نہیں۔''

جب منیزہ ان کے گھر کے بیک یارڈ میں اپنا گھر بنا رہی تھی تو مجھے بار بار فیض صاحب کا وہ درختوں کا دکھانا اور بڑے دھیان سے کہیں امرود، کہیں انار اور کہیں مالٹوں کے درخت لگواتے ہوئے کرسی پہ بیٹھے۔ بیٹھے خوش ہونا، مسلسل یاد آ رہا تھا۔

ایک زمانے میں فیض صاحب بیمار ہوئے، میو ہسپتال میں داخل تھے۔ سلیمٰی کا فون آیا ''تمہیں بلا رہے ہیں۔'' خاص اجازت ملی اندر جانے کی، کان ان کے ہونٹوں کے قریب لے کر گئی ''وہ ساری نئی شاعری کی کتابیں لاؤ، جو تم ہمیں سمجھاتی رہتی ہو۔'' میں بہت خوش ہوئی۔ زاہد ڈار، عباس اطہر، انیس ناگی اور ڈاکٹر خورشید الاسلام کی نثری نظم کی کتابیں لے گئی۔ دس دن گزر گئے۔ خیر سے فیض صاحب گھر لوٹ آئے، سالگرہ کا دن بھی آ گیا۔ جموں یونیورسٹی کے پروفیسر مظہر امام صاحب نے ضد کی کہ میں انہیں فیض صاحب کے گھر لے چلوں۔ میں نے تعارف کراتے ہوئے کہا ''یہ غزلِ آزاد کہتے ہیں۔'' فیض صاحب کے منہ سے بے ساختہ نکلا ''لاحول ولاقوۃ۔'' پھر میں نے پوچھا ''آپ کو جدید شاعری کی کتابیں کیسی لگیں۔'' بولے ''بھئی ہم ایسی شاعری نہیں کر سکتے۔''

یوسف کی موت پر وہ صبح سلیمٰی کے ساتھ آتے تو شام کو شعیب کے ساتھ مگر چین نہیں پڑتا تھا۔ ضد کر کے آتے، چند لمحے ٹہلتے یا میرے پاس بیٹھتے اور پھر چل پڑتے۔

صوفی صاحب کی موت کا بھی انہیں بہت غم تھا۔ اُسی زمانے میں سارتر کا انتقال ہوا تھا۔ کسی نے فیض صاحب سے افسوس کرتے ہوئے کہا ''سارتر مر گیا۔'' فیض صاحب نے بے ساختہ کہا ''اور صوفی صاحب بھی تو چلے گئے۔''

دو مرتبہ ایسے ہوا کہ فیض صاحب کی سالگرہ، کسی دوست کے گھر میں منائی گئی۔ ایک محفل میں میڈم نور جہاں بھی تھیں۔ وہ ساری شام فیض صاحب کا کلام بغیر سازوں کے سناتی رہیں۔ ایک اور شام میں فریدہ خانم موجود تھیں اور انہوں نے تمام شام فیض صاحب کی پسندیدہ غزلوں کو اُسی وقت دھن میں سمویا اور گایا۔ یہ شام اس لیے نہیں بھولتی کہ فیض صاحب کی ایک محبوب شخصیت کی وفات چند روز پہلے ہوئی تھی۔ یہ کراچی کا واقعہ ہے۔

یہ غزل برنگِ نوحہ تھی جس کو فریدہ خانم سے سن کر، سبھی آبدیدہ ہو گئے تھے۔ آخری سالوں میں فیض صاحب نے دو تین جام کے بعد، بولنا شروع کر دیا تھا۔ کبھی وہ اپنے بچپن کا احوال سناتے، کبھی امرتسر کالج کا، کبھی فوج میں شامل ہونے کا اور کبھی اپنے گاؤں کا۔

کوئی ایسا موقع تھا کہ منٹو صاحب کے لیے جلسہ تھا، اس کے بعد ہم نے فیض صاحب سے پوچھا، آپ منٹو صاحب کے بارے میں کیا رائے رکھتے ہیں۔ بولے ''بھئی وہ امرتسر میں ہمارا شاگرد تھا۔ کلاس میں مگر کبھی کبھی آتا تھا۔ ایک دن ہم نے بلایا، پوچھا ''بھئی کلاس میں نہیں آتے، کیا کرتے رہتے ہو۔'' بولا ''پڑھتا رہتا ہوں۔'' ''کسے پڑھتے ہو۔'' ''چیخوف، ٹالسٹائی کو''، ''تو پھر یہ کہانی ذرا ترجمہ کر کے لاؤ۔'' فیض صاحب نے جب وہ ترجمہ دیکھا تو کہا ''ٹھیک ہے تمہیں کلاس میں آنے کی ضرورت نہیں ہے۔'' پڑھو اور ترجمہ کرو۔

ایک دفعہ میں نے کہا ''فیض صاحب آج کل آپ نرودا سے بہت متاثر نظر آ رہے ہیں۔ یہ ''سمندر آنکھیں'' جیسی ترکیبیں تو نرودا کی ہیں۔ بولے ''بھئی اتنے بڑے شاعر کا اثر نہ ہو، یہ کیسے ممکن ہے۔''

ٹیلیویژن کے شروع کا زمانہ تھا۔ مجھے اور افتخار جالب کو انٹرویو لینے کے لیے کہا گیا۔ ہم دونوں نے بڑی تیاری کی۔ بڑے سوالات کیے۔ وہ سیدھے سبھاؤ اتنی آسانی سے جواب دیتے گئے کہ ہماری تیزی دھری کی دھری رہ گئی۔ آخری سوال بڑا توپ سمجھ کر ہم نے کیا ''آخر آپ حبیب جالب کی طرح شعر کیوں نہیں کہتے ہیں۔'' مسکرا کر بولے ''ہمیں یہ انداز نہیں آتا۔ ہاں حبیب جالب بڑے شاعر ہیں۔''

1973ء میں افرو ایشیائی ادیبوں کی کانفرنس میں مجھے بھی الماتا بھیجا گیا۔ یہاں فیض صاحب نے مریم سلگانیک، رسول حمزہ، زلفیہ خانم، چنگیز اتماتوف اور وزنے سینکی سے ملاقات کروائی۔ لدمیلا تو اُسی زمانے سے دوست بنی۔ فیض صاحب نے حوصلہ دیا کہ ساری کانفرنس کے سامنے بولو۔ فیض صاحب نے ہر شام دوستوں کی محفل میں مجھے شعر سنانے کو کہا۔ میرے اندر کی مٹی یوں سونا بنتی گئی۔

ایک دفعہ ہندوستان جانا تھا مگر ان پر پابندی لگی ہوئی تھی۔ ملاقات کے لیے ضیاء الحق سے وقت مانگا۔ اس نے تو فوراً بیتاب ہو کر وقت دیا۔ ہم سب مرجھا گئے۔ خفگی کا اظہار کیا۔ میں نے کہا ''دیکھئے میرے بھی تو آگے پیچھے پولیس لگی ہوتی ہے۔'' کہنے لگے ''ہم یہ زمانے جوانی میں دیکھ چکے اب ہماری عمر جیل جانے کی رہی نہیں۔''

پھر جب ادیبوں نے مل کر مشرقی پاکستان ہونے والے مظالم پر احتجاج کرتے ہوئے دستخط کیے تھے اور بہت سوں کو نوکری سے نکلوایا گیا تھا۔ بہت سوں کو میڈیا پہ بین کر دیا گیا تھا۔ فیض صاحب نے سرکار کے حق میں ایک چھوٹا موٹا بیان دے دیا تھا۔ سارے ادیب برہم ہو گئے تھے مگر جب بھٹو صاحب کے ساتھ بنگلہ دیش گئے اور غزل لکھی ''خون کے دھبے دھلیں گے کتنی برساتوں کے بعد۔'' تو سارے ادیبوں نے ان کو معاف کر دیا۔

ایک دفعہ کسی ملک کے سفر سے پاکستان آئے، کراچی اترے، انہیں بتا دیا گیا ''آپ یہاں نہیں رہ سکتے ہیں۔'' ''بولے بھئی رات ہے صبح جو جہاز ملے گا چلے جائیں گے۔'' آمنہ آپا کے یہاں ٹھہرے وہیں سے نظم ''مرے دل، مرے مسافر'' بھجوائی، جو تمام تر پابندیوں کے باوجود، میں نے ماہِ نو میں شائع کی۔

وفات سے کوئی آٹھ دن پہلے، مجھے اور حمید اختر کو بلا کر کہنے لگے ''بھئی ہمارا ایلیس سے جھگڑا ہوتا ہے۔ ہم دوپہر کو ڈبل روٹی نہیں کھا سکتے ہیں۔ یہ انگریز ابھی تک ہیں۔ بتاؤ اس مسئلے کا حل کیا ہے۔'' ہم دونوں نے کہا ''نئے نئے انگریزی پرچے نکل رہے ہیں۔ آپ اپنی یادداشتیں لکھیں۔ اتنے پیسے ملیں گے کہ آپ خانساماں رکھیں، خود بھی کھائیں اور ہمیں بھی کھلائیں۔

وہ مہلت ہی نہیں ملی۔ یہ وہ دن بھی تھے جب سگریٹ چھڑائی جا چکی تھی، صرف ریڈ وائن بھی کبھی ایلیس سے چھپ کر پی لیتے تھے۔ کرکٹ بہت شوق سے دیکھتے تھے اور کتابیں پڑھتے تھے۔ راشد صاحب اور کبھی حفیظ صاحب، ان پر چوٹ کرتے تھے۔ وہ کبھی تلخ نہیں ہوتے تھے۔

بس در گزر کرتے تھے۔

الماتا میں کانفرنس ڈیکلیئریشن میں کشمیر کے بارے میں صائب ذکر نہ ہونے پر فیض صاحب نے اتنی لڑائی کی تھی کہ ڈیکلیئریشن نہ صرف بدلا گیا بلکہ اگلے دن تک کے لیے ملتوی کر دیا گیا۔ چند دن بعد ہمارے سب کے خلاف لکھنے والے اخبار نے متروک ڈیکلیئریشن شائع کیا اور خوب نمک مرچ لگا کر فیض صاحب کا اور میرا نام لکھا۔ میں نے طیش میں آ کر فیض صاحب کو فون کیا کہ آپ تردید کریں بولے ''تمہارا نام بھی تو ہے۔ تم کر دو۔ بھئی ہم اس اخبار کی کسی بات پر تبصرہ نہیں کرتے ہیں۔''

منور حفیظ اور حفیظ الرحمان، اُسی طرح عابد شاہ اور نازی نے ان کی اس قدر خدمت کی کہ بھلائے نہیں بھولتی ہے۔

ہم نے ایک زمانے میں پوئٹری فورم شروع کیا۔ مقصد تھا کہ ٹی ہاؤس میں بیٹھ کر لاہور کے نئے شاعروں اور لاہور میں مہمان آنے والے شاعروں کا کلام سنا جائے۔ منتخبہ نظمیں، تین اہم لوگوں کو دے دی جاتیں تاکہ وہ ان نظموں پر تبصرہ کریں۔ اس سلسلے میں توفیق رفعت، استاد دامن اور فیض صاحب جیسی شخصیات کے علاوہ پہلی دفعہ لاہور کے لوگوں نے عشرت آفریں اور تنویر انجم کو بھی سنا۔

فیض صاحب نے بھی کہیں جانے پہ نخرا نہیں دکھایا۔ ہم لوگ ان کی اتنی سادگی پر برہم بھی ہوتے۔ کہتے یہ کیا ہے آپ اس صنعت کار، اس دکاندار، اس سیاست دان کے گھر چلے گئے تھے، ایسا کیوں کیا، کیوں گئے۔ کوئی وضاحت نہیں کرتے، جواب بھی بہت کم دیتے۔ بس سگریٹ پیتے ہوئے مسکراتے رہتے اور میں جب بہت بولتی تو کہتے ''اچھا اب چپ کرو۔''

فیض صاحب روس گئے ہوئے تھے۔ اس زمانے میں انہیں بھٹو صاحب نے اپنا ایڈوائزر اور پی۔این۔سی۔اے کا چیف ایگزیکٹو لگایا تھا۔ ان کی غیر موجودگی میں آج کل بہت وضاحتیں کرنے والے حفیظ پیرزادہ صاحب اور خالد سعید بٹ نے وہ جو کہتے ہیں تختہ الٹ دیا۔ فیض صاحب واپس آئے تو گھر بیٹھ گئے۔ بھٹو صاحب کو جب خبر ہوئی تو وہ خاص لاہور آئے فیض صاحب سے ملنے۔ ضد کی کہ جو اور جس طرح کا دفتر چاہیں آپ بنالیں مگر آپ کام میرے ساتھ کریں گے۔ مجھے یاد ہے چھوٹی گلبرگ مارکیٹ سے پہلے ایک گھر کرائے پر لے کر انھوں نے دفتر بنایا۔ شیخ صاحب جو ریلوے سے ریٹائر ہوئے تھے اور موسیقی کا خاص ذوق رکھتے تھے۔ انہیں اپنے ساتھ ملایا، برصغیر کی موسیقی کے

ذخیرے اکٹھے کرنے شروع کیے۔ بھٹو صاحب کے جاتے ہی یہ دفتر بھی گول کر دیا گیا۔ البتہ موسیقی کے ذخائر معہ شیخ صاحب، ریڈیو پاکستان لاہور کی بیسمنٹ میں منتقل کر دیئے گئے۔

اب زمانہ آیا تاریکیوں کا، کوڑوں کا، سنسر شپ کا، فیض صاحب کو یاسر عرفات نے لوٹس کا ایڈیٹر لگا کر بیروت بھیج دیا۔ جب تک بیروت نہیں اجڑا تھا کہ وہ مکان جہاں فیض صاحب رہتے تھے، بمباری سے تباہ نہیں ہو گیا۔ فیض صاحب بیروت ہی میں رہے۔ پھر پاکستان آ کر کہا ''اب کہیں نہیں جاؤں گا۔'' مگر اولاد کے لیے فیض صاحب کو بھی اپنے اوپر جبر کر کے پاکستان کے فرینکو سے ملنا پڑا۔ جب سی آئی ڈی لگی تو باہر جانے کی اجازت لینے کے لیے بھی اس فرینکو سے ملے۔ ہم نے بہت برا منایا۔ احمد فراز نے تو کئی دفعہ جھگڑا بھی کیا۔ مگر کیا کرتے بیٹی بضد تھی کہ اس کی ٹرانسفر کروائی جائے۔ فیض صاحب کو اس طرح بھٹو صاحب کے زمانے میں سرکاری افسر پوچھتے یہ کام کس سے کروائیں تو وہ آرام سے کہہ دیتے ''بھئی سلیمیٰ اور شعیب سے مشورہ کر لیں۔'' یہ سچ ہے انہوں نے اپنی دونوں بیٹیوں کو بہت سچا اور بے لوث پیار دیا۔ ایسے لمحے بھی آئے کہ انہوں نے اپنی عزت کی پاسداری کو ترک کیا۔ بیٹیوں کو سکھ پہنچایا۔ البتہ ایک بات تھی۔ ہر چند ہر سال وہ اور ایلیس علاج اور چیک اپ کے لیے سوویٹ یونین جاتے تھے مگر کبھی انہوں نے سوویٹ روس کی مدح میں نظم نہیں لکھی۔

اپنے شہر سے نکلتے تو ان کے کچھ گھر متعین تھے جہاں وہ بلا تکلف جا کر ٹھہرا کرتے تھے۔ آمنہ مجید ملک کا گھر کراچی میں، سرفراز اقبال کا گھر اسلام آباد میں، ملتان میں عفت ذکی کا گھر تھا۔ لاہور میں ندرت الطاف کے دفتر میں جا کر بیٹھنا ان کو اچھا لگتا تھا۔ لندن میں زہرہ نگاہ کے گھر رہا کرتے تھے۔

لوگوں نے بہت کوشش کی فیض صاحب اور راشد صاحب کو لڑوانے کی۔ راشد صاحب برہم بھی ہوتے تھے اور اس بات سے چڑ بھی جاتے تھے کہ لوگ فیض صاحب کو بڑا شاعر ان کے مقابلے میں کیوں کہتے ہیں مگر فیض صاحب سے جب بھی ذکر ہوا وہ ہمیشہ راشد صاحب کی تعریف بھی کرتے تھے اور عزت بھی۔ اس طرح دو ایک دفعہ ہمارے ساتھ چل کر قاسمی صاحب کے پاس بھی گئے۔ یہی ان کی بڑائی تھی۔

میجر اسحٰق، مرزا ابراہیم، عبداللہ ملک، حمید اختر اور آئی۔ اے رحمان، ان سب سے ملاقاتیں، فیض صاحب کے توسط ہوئیں۔ یہ ملاقاتیں بعد ازاں، الگ الگ دوستی کی شکل اختیار کر گئیں۔

بڑے بڑے مشکل لوگ یعنی مظہر علی خاں اور طاہرہ سے ملاقاتیں یا پھر رالف رسل، آغا حمید،

مجید ملک، سبط حسن اور ڈاکٹر سلیم الزماں صدیقی۔ یہ سارے لوگ میری زندگی کی رحل پہ رکھے صحیفے ہیں۔ وہ مظہر علی خاں جو ہر کام وقت پر کرتے تھے، فیض صاحب کے سامنے بولتے بھی نہ تھے۔ شاکر علی واحد شخص تھے جو بالکل ہی نہیں بولتے تھے۔ فیض صاحب ان کو چپ دیکھ کر خود بولنا شروع ہو جاتے تھے۔

فیض کے تراجم کے سلسلے میں پہلا ترجمہ وکٹر کیرنین نے کیا تھا۔ ہم لوگوں کو پسند نہیں آیا، یہ تو بعد میں اندازہ ہوا کہ بعد ازاں جس قدر تراجم ہوئے وہ اس قدر خراب تھے کہ آخر وکٹر کے تراجم ہی بہتر لگنے لگے۔

جب میں 1973ء میں الماتا پہنچی تو ایئر پورٹ پر خبر ملی کہ رات دو بجے کے قریب فیض صاحب اور سجاد ظہیر صاحب بے ہوش ہو گئے تھے۔ ہسپتال میں ہیں۔ میں چونکہ صبح چار بجے پہنچی تھی۔ اس لیے ہوٹل جاتے ہی سو گئی۔ صبح ناشتے کے لیے نیچے اتری تو فیض صاحب کو منتظر پایا۔ کہنے لگے ''تم پہلی دفعہ روس ہو آئی ہو۔ تمہارا استقبال کرنا تھا۔ اب تم پاکستان کی نمائندگی کرو گی۔'' میں سارا دن تقریریں کرتی اور جگہ جگہ انٹرویو دیتی جب واپس آتی تو فیض صاحب مریم سلگانیک، ڈاکٹر سخاچوف لدمیلا اور بے شمار دوستوں میں گھرے، کمرہ سگریٹ کے دھوئیں سے بھرا اور گفتگو قہقہوں سے لبریز چھلک رہی ہوتی تھی۔ میں کہتی ''آپ بھی باہر نکل کر گھوم کر آئیں نا۔ دیکھیں میں نے وہاں وہاں کے سیر کی۔'' کہتے ''ہم تو ہر روز آتے ہیں۔ ہم تھک چکے ہیں سب کچھ دیکھ کر۔''

میں نے زندگی میں بہت کم مشاعرے پڑھے ہیں۔ دو چار مشاعرے فیض صاحب کے ساتھ بھی پڑھے۔ سب چھوٹے بڑے شاعروں کے ساتھ مل کر بیٹھتے تھے۔ نہ کبھی میں نے ان کو لفافے میں سے پیسے نکال کر گنتے دیکھا اور نہ کبھی یہ دیکھا کہ جب وہ پڑھ رہے ہوں تو کہیں سے کوئی آواز آ رہی ہو۔ نوجوان شاعروں کو نہ صرف دھیان سے سنتے بلکہ جس کا شعر پسند آتا، وہ دوسروں کو بھی سنواتے۔ سلیم شاہد کا یہ شعر کہ ''باہر جو میں نکلوں تو برہنہ نظر آؤں۔ بیٹھا ہوں میں گھر میں در و دیوار پہن کر۔'' اس قدر مرتبہ دہرایا، لوگوں کو سنایا اور پھر مجھے فخر ہے کہ میرا ایک شعر۔

''کچھ اس قدر تھی گرمیٔ بازارِ آرزو۔ دل جو خریدتا تھا اُسے دیکھتا نہ تھا۔''

جب انہوں نے ڈاکٹر شوکت ہارون کا نوحہ لکھا اور ''ہم آگئے تو گرمیٔ بازار دیکھنا'' تو مجھے بڑی خفت ہوتی تھی۔ جب وہ کہتے کہ بھئی اس مصرعے کے لیے تو ہم کشور کے شکر گزار ہیں۔ اس طرح محمد خالد اختر کے ناول ''چاکیواڑہ میں وصال'' کی ہر جگہ تعریف کرتے تھے حالانکہ ان کی ملاقات محمد خالد اختر سے بالکل نہیں تھی۔

جب لوگ ان کو سوویٹ روس سے وابستگی کے باعث، دہریہ کہتے تو انہیں بہت تکلیف ہوتی مگر پھر بھی وہ نہیں بولتے تھے۔ ہم لوگ بتاتے تھے کہ فیض صاحب نے تو عربی میں ماسٹر کیا ہوا ہے۔ ابنِ انشاء کے لندن میں انتقال اور کراچی میں تدفین کے باعث، لاہور کے ادیبوں نے اشفاق احمد کے دفتر کے لان میں فاتحہ خوانی کا اہتمام کیا۔ فیض صاحب بیٹھے سیپارہ پڑھ رہے تھے۔ کچھ ضیاء الحق کے چہیتے ادیب آئے اور بے ساختہ بولے ''ارے فیض صاحب کو عربی آتی ہے۔'' یہ سن کر بہت سے لوگ ہنس پڑے کہ تم لوگ اتنے جاہل ہو۔ وہ لوگ کھسیانے ہو کر کونے میں بیٹھ گئے۔

فیض صاحب کی نظم ''آج بازار میں پابجولاں چلو'' فارسی میں ترجمہ کر کے، ان کی سترہویں سالگرہ پر بی۔بی۔سی سے نشر کی گئی۔

نعمان الحق نے لندن میں جب فیض صاحب کو یہ بتایا تو فیض صاحب نے بڑی طمانیت کے ساتھ کہا ''بھئی ہمارے عقیدت مند اپنی محبتوں کا اظہار کرتے رہتے ہیں۔''

قزلباش حویلی سے دسویں کی شب، شب عاشور کی مجلس سننے کے لیے ہم لوگ بھی شاکر علی اور فیض صاحب کے ساتھ ہو لیتے تھے۔ ذوالجناح کے نکلنے تک وہاں ٹھہرتے، ہماری تواضع بہت ہوتی اس لیے کہ ہم فیض صاحب کے ساتھ ہوتے تھے۔ باقر خانیاں، کشمیری چائے، حلیم کیا کچھ کھانے کو نہیں ملتا تھا۔

فیض صاحب جب تک زندہ رہے، کبھی کبھار ہی ہوتا تھا کہ فیض صاحب کے یہاں سب لوگ جمع ہوں۔ البتہ ان کی سالگرہ پہ، سارا انتظام باہر سے مگر ان کے گھر پہ پارٹی ہوتی تھی۔ ایلیس واقعی انگریز تھیں۔ یہ گھر کا ڈسپلن تھا، جس نے فیض صاحب کو بھی مجتمع شخصیت کے طور پر منظم رکھا۔

ایلیس نے بھی رنڈاپے کے 17 سال گزارے۔ کئی دفعہ بیمار ہوئیں مگر انسانی حقوق کی تنظیم کی دو منزلہ سیڑھیاں چڑھ کر ہفتے میں دو دفعہ کام کرنے ضرور جاتی تھیں۔ نواسے، نواسیوں سے بہت پیار تھا، شروع میں تو پالا ہی انہوں نے اور ان کی زندگی کے وہ آخری سال جب وہ چلنے سے بھی معذور ہو چکی تھیں، سلیمٰی ان کو اپنے گھر لے آئی تھی۔ اب تو سنائی بھی کم دیتا تھا۔ بستر پر لیٹی کتاب پڑھتی رہتی تھیں۔

فیض صاحب نے کبھی لمبی بیماری نہیں کاٹی۔ نظمیں بھی انہوں نے بہت لمبی نہیں لکھیں۔ رشتے جہاں جہاں قائم ہوئے، ان کو خلوص سے زندہ رکھا۔

فیض صاحب کی مقبولیت کے صحیفے کس کس انداز سے لکھوں۔ کبھی ہم لاہور کوسموپولیٹن کلب جاتے یا پھر پنڈی کلب، منظر ایک جیسا ہی ملتا۔ ہم لوگ ابھی ایک ایک پیگ کا آرڈر دیتے کہ دس منٹ کے اندر کیا دیکھتے کہ کبھی اس میز سے کبھی اس میز سے فیض صاحب کے لیے جام لیے، ایک بیرا ہماری

میز کی سمت بڑھ رہا ہوتا۔ بتاتا کہ یہ پیگ فیض کے لیے فلاں میز سے بھیجا گیا ہے۔ یہ سلسلہ متواتر چلتا اور ہر روز چلتا۔ لوگوں کو یہ جرأت نہیں ہوتی تھی کہ خود اٹھ کر ہماری ٹیبل تک آ جائیں۔ تہذیب کا زمانہ تھا۔ کم علم لوگ اپنی عقیدت کا اظہار کیا کرتے تھے اور اس طرح فاصلے پہ رہتے تھے۔

فیض صاحب کی ایک سالگرہ عجب طریقے پر منائی گئی۔ ان کے دوست تھے، جن کا ایک گھر صرف پارٹیوں کے لیے استعمال ہوتا تھا۔ اس گھر میں نور جہاں کو بھی دعوت دی گئی۔ وہ شام جو صبح 3 بجے تک چلی، بغیر کسی ساز کے، نور جہاں کی گائیکی کی شام تھی۔ عجب سحر تھا ان کی آواز میں اور عجب ماحول تھا کہ سب اس گائیکی کے نشے میں گم، مسحور بیٹھے سن رہے تھے اور داد دے رہے تھے۔ اس دن کو ہم لوگ آج تک فراموش نہیں کر سکے ہیں۔ آئی۔اے۔ رحمان اور حمید اختر، اب تو دو ہی لوگ ہیں جو زندہ ہیں اور اس نشست کے گواہ ہیں۔

فیض صاحب اور قاسمی صاحب، دونوں پاکستان ٹائمز اور امروز کے ایڈیٹر تھے۔ یہ لوگ دوپہر کو اکٹھے لنچ کرتے تھے۔ قاسمی صاحب کو کبھی شکایت کرنے کی عادت نہیں تھی۔ ازراہِ تفنن کہنے لگے کہ روز نئے شاعر کلام کی اصلاح کرانے آ جاتے ہیں۔ ٹالو تو ٹلتے نہیں۔ فیض صاحب نے کہا کہ بھئی ہم تو مزے سے اکیلے بیٹھے ہوتے ہیں۔ مزے سے سگریٹ پیتے ہیں۔ اگلے دن سے جو کوئی شاعر، قاسمی صاحب سے اصلاح کے لیے آتا، قاسمی صاحب، فیض صاحب کی جانب روانہ کر دیتے۔ دو چار دن تو فیض صاحب نے صبر کیا۔ پھر ایک دن لنچ پر بولے ''ندیم صاحب! یہ لاہور میں شاعر کچھ زیادہ نہیں ہو گئے ہیں۔'' تب قاسمی صاحب نے اپنی شرارت کا اقرار کیا۔

فیض صاحب پہ ابھی تحقیق کم ہوئی ہے مگر جن لوگوں نے بہت دقت نظری سے کام کیا ہے۔ ان میں اشفاق حسین اور شاہین مفتی نمایاں ہیں۔ ان کی زندگی میں مرزا ظفر الحسن نے جتنے انٹرویو لیے اور ان کو غالب کے شماروں میں مرتب کیا، ان سارے انٹرویوز میں مشتمل عمدہ کتاب بن سکتی ہے۔

ڈاکٹر ایوب مرزا نے فیض صاحب پہ دو کتابیں شائع شدہ ایسے بنائی ہیں کہ ان میں زیادہ تر گفتگو فیض صاحب ہی نے کی ہے۔ حال ہی میں فیض صاحب پہ خالد حسن کے تراجم کی کتاب بہت عمدہ ہے۔

برگد تلے۔ پرانے چہرے

جیسے برگد کے درخت کے سارے پتے ایک ساتھ جھڑ جاتے ہیں۔ بالکل اسی طرح برگد جیسی شخصیات میری یادوں کے کیمرے میں مسکرا رہی ہیں۔ وہ مجھ سے اور آپ سے بات بھی کرنا چاہتی ہیں۔

گڑھی شاہو رہتے ہوئے، بچپن کے زمانے میں گھر کے سامنے دارالبلاغ تھا جہاں ایم اسلم کی کتابیں شائع ہوتی تھیں، ساتھ ہی مرغی خانے کے بارے میں کتابیں بھی شائع ہوتی تھیں۔ اس زمانے میں اے۔ آر خاتون، پاکیزہ کتابیں لکھنے والیاں اور ایم۔ اسلم، گناہ کے دن اور گناہ کی راتیں لکھنے والے مشہور ہو گئے تھے۔ اس لیے نہ میں نے ایم۔ اسلم سے ملنے کی ضد کی اور نہ گھر والوں سے اجازت کا مرحلہ درپیش ہوا۔ البتہ پھندنے والی ٹوپی اور سفید کرتہ شلوار میں گزرتے ہوئے، اپنے گھر کی چق سے ان کو بارہا دیکھا تھا۔ اس منظر کے کوئی چالیس برس بعد، ہم بارود خانے والے گھر میں، یعنی میں اور یوسف، ایم اسلم صاحب کو ملنے گئے۔ وہ گھر کے پلنگ پر لیٹے، سر کے نیچے گاؤ تکیہ رکھے، کوئی کتاب پڑھ رہے تھے اور معصومیت سے بے اختیار ہنس رہے تھے۔ ہم نے آگے بڑھ کر سلام کیا۔ اٹھ بیٹھے، بہت پیار کیا، میں نے چوری چوری کتاب اٹھا کر دیکھی وہ اپنا ہی ناول ''گناہ کے دن اور گناہ کی راتیں'' پڑھ رہے تھے۔

مجھے یاد ہے کہ ایک دفعہ ایک صحافی نے کہا ''مجھے آپ پر مضمون لکھنا ہے۔ آپ اپنی کتابیں عنایت فرما دیں۔'' ایم اسلم صاحب نے اپنی پچاس کی پچاس کتابیں ان صاحب کو پکڑا دیں اور وہ ایک ماہ تک روز کتاب فروخت کر کے اپنی شاموں کو آبیار کرتے رہے۔ آج بھی صحافت میں ان کا سکہ خوب چلتا ہے۔ معلوم نہیں لوگ اب ایم۔ اسلم کے ناول پڑھتے ہیں کہ نہیں کہ ایم۔ اسلم اور

نسیم حجازی کے علاوہ رشید اختر ندوی ہمارے پچھلے دور میں اور ان سے پہلے آغا حشر صاحب دو یا تین لکھنے والوں کو بٹھا لیا کرتے تھے۔ ایک کو جنگ کا منظر لکھوا رہے ہیں۔ دوسرے کو عشق کا منظر اور تیسرے کو ہجر و فراق کا منظر۔ کبھی کوئی ناول یا تحریر گڈ مڈ نہیں ہوتا تھا۔ اب صرف اے حمید ہے جو سلسلہ وار جاسوسی و دیگر ناول سینکڑوں کی تعداد میں لکھے جا رہے ہیں۔ ہر نئی کہانی میں نئے کردار، بہروپ بدل بدل کر آتے رہتے ہیں۔

1955ء میں شوق ہوا تھا کہ ادیبوں سے ملا جائے۔ قلعہ گوجر سنگھ، روزنامہ زمیندار کے دفتر میں حاجی لق لق سے ملاقات ہوئی۔ نہ کوئی مکالمہ نہ کوئی بات، بس سلام کیا ذرا دیر بیٹھی۔ آٹوگراف بک پر دستخط لیے اور واپس۔ انہی دنوں ایک دن لکشمی مینشن میں منٹو صاحب کے گھر کی سیڑھیاں چڑھ گئی۔ منٹو صاحب گھر میں تھے۔ ملگجا کرتہ پاجامہ پہنے ہوئے، میں نے لرزتے ہوئے کہا ''آٹوگراف''۔ انہوں نے ہنس کر آواز دی ''صفیہ ایدھر آ، دیکھ برقعے وچ کڑی آٹوگراف لین آئی اے۔'' اُدھر صفیہ آپا آئیں مجھے پیار کیا اور منٹو صاحب نے آٹوگراف دیئے۔ کچھ ہی دن بعد منٹو صاحب نہیں تھے۔ میں پھر صفیہ آپا کے پاس گئی۔ پھر یہ رشتہ ان کی زندگی تک اور اب ان کی بیٹیوں سے گہرے روابط کی شکل میں موجود ہے۔

ایبٹ روڈ پر ریڈیو سٹیشن کی نئی بلڈنگ کے سامنے ایک بڑا سا گھر تھا۔ اس میں حجاب امتیاز علی رہتی تھیں۔ ان کی خواب ناک کہانیاں اور ان کی ہیروئن کو تلاش کرتی، میں ایبٹ روڈ والے گھر میں پہنچ گئی۔ نوکر ڈرائنگ روم میں لے کر آیا۔ مجھے یاد ہے نیلے پردے، گرے صوفے اور یہاں وہاں بہت سی سیامی بلیاں بیٹھی ہوئیں۔ تھوڑی دیر میں اوپر سے آواز آئی ''یہ کھڑکیاں بند کرو۔ ساری دھوپ پگھل پگھل کر اندر آ رہی ہے۔'' نظر اٹھا کر دیکھا اور خاموشی سے آٹوگراف بک آگے کر دی۔ انہوں نے بھی نام بھی نہیں پوچھا۔ دستخط کر کے واپس کر دی اور پھر اوپر چلی گئیں۔

مدتوں بعد، ملاقاتوں میں سہیلپنہ شامل ہو گیا۔ ادا جعفری 1965ء میں لاہور آئیں تو انہوں نے ادیبوں کی ایک ٹولی بنائی، جو مہینے کے مہینے کسی ایک گھر میں اکٹھے ہوتے، ہر ادیب ایک ڈش لاتا، کچھ سناتا، کچھ سنتا، پھر سب کھانا کھاتے، بعد میں ایک گروپ ٹھہر جاتا۔ یہ گروپ اب سب کی غیبت کرتا کہ اس کے بغیر نشست کا مزا، ذرا پھیکا پھیکا رہتا۔

ادا جعفری کے کراچی جانے کے بعد، یہ ذمہ داری کلی طور پر حجاب آپا نے اپنے سر لے لی۔ ہر چند اونچا سننے لگی تھیں مگر اس بلاوے اور تقاضے کے لیے وہ سب کو فون کرتی تھیں۔ ہمیشہ میک اپ میں

اور وگ لگائے ہوئے دیکھی گئیں۔ 60ء کی دہائی میں صرف دو خواتین وگ لگاتی تھیں۔ ایک حجاب آپا اور دوسرے عذرا مختار مسعود۔

امتیاز علی تاج کے قتل کے بعد، میں کراچی سے قل والے دن سیدھی حجاب آپا کے گھر پہنچی۔ فاتحہ کے بعد جب سب باہر نکلنے لگے تو میں نے کہا ''مزا نہیں آیا''۔ فیض صاحب نے جھنجھلا کر کہا ''تم یہاں بھی کوئی مزا لینے آئی تھیں۔'' میں نے کہا ''میں حجاب آپا کو وگ اور میک اپ کے بغیر دیکھنا چاہتی تھی مگر افسوس! فیض صاحب نے پیار سے ایک چپت لگائی اور ہم سب اپنے گھروں کی سمت روانہ ہوگئے۔

اِسی زمانے میں، ایک دن ماہنامہ ہمایوں کے دفتر بھی گئی اور وہاں مولانا صلاح الدین احمد کو دیکھا۔ جن کو بعد ازاں ریگل کے قریب مال روڈ پر ٹہلتے اور ڈاکٹر وزیر آغا کے ساتھ ''اوراق'' کے دفتر میں بیٹھے دیکھا تھا۔

میں نے ان سب میں کسی کو نہیں بتایا کہ میں لکھتی بھی ہوں کہ ابھی مجھے خود پتہ نہیں تھا کہ میرے اندر ایک شاعر چھپا بیٹھا ہے۔ میں نے لاکھ شخصیات نمبر نقوش کا پڑھ کر، ہاجرہ اور خدیجہ آپا کی طرح پلنگ پر اوندھے لیٹ کر پڑھنے کی کوشش کی مگر اس طرح میں بہت جلد تھک جاتی تھی۔ سونے لگتی تھی۔

لاہور کالج میں داخلہ لیا تو چند گھروں کے فاصلے پر ہاجرہ مسرور رہتی تھی۔ کالج میں وقفے کے دوران ان سے ملنے چلی گئی۔ وہ سفید ساڑھی پہنے اور سگریٹ پیتی، بڑی مسحور کن لگیں۔ انہوں نے بتایا کہ ان کے گھر کے باہر کئی لوگ ایک جھلک دیکھنے کے متمنی رہتے ہیں۔ وہ اس لیے موٹر کے بغیر گھر سے باہر نہیں نکلتی ہیں۔ ہم گھر سے باہر نکلے تو وہاں سب سنسان پڑا تھا۔

گڑھی شاہو میں رہتے ہوئے، شوکت تھانوی سے ملاقات ہوئی۔ ابھی ان کے یہاں بیٹی پیدا ہوئی تھی جس کا نام ''شوقیہ'' رکھا تھا۔ لوگوں نے پوچھا، یہ نام کیوں رکھا۔ بولے ''شوق سے پیدا کی ہے اس لیے شوقیہ رکھا۔'' یہ ملاقات ریڈیو تک مگر صرف سلام کرنے کی حد تک قائم رہی۔

صوفی صاحب کے توسط جوش صاحب سے اور جوش صاحب کے توسط مصطفیٰ زیدی سے ملاقات جاری رہی۔ جب زیدی لاہور کے ڈپٹی کمشنر لگے اور لاہور میں ہیرا منڈی پہ پہلی دفعہ یہ بین لگا کہ تمام کوٹھے دارنیاں لائسنس لے کر رات گیارہ بجے سے رات دو بجے تک کوٹھے پہ گا سکیں گی اور باقی کاروبار یہاں نہیں ہوگا۔ ہم لوگوں نے زیدی سے بڑی لڑائی کی کہ یہ سب کچھ تمہارے دور میں ہو رہا

ہے مگر زیدی نے بتایا کہ وہ تو اوپر والوں کی وجہ سے حکم بر آری کر رہا ہے۔

اس زمانے میں، ہم رائل پارک میں رہتے تھے۔ ڈی۔ سی کی پلیٹ لگی گاڑی دروازے پہ کھڑی ہوتی تو اگلے دن سے بڑی سفارشیں ملنے لگیں کہ یہ کرا دو اور وہ کرا دو۔ میں نے زیدی سے التجا کی کہ اب گھر پر نہیں، ہر سنیچر کی رات گارڈینیا ریسٹورنٹ میں شام کو بیٹھا کریں گے۔ یہ سلسلہ صرف چند ماہ ہی چل سکا کہ زیدی کو حکم ملا کہ پبلک سرونٹ یوں عوام کے ساتھ گھل مل نہیں سکتے ہیں۔ جب کبھی جوش صاحب آتے تو ایک شام مصطفیٰ زیدی ہم سب کو اکٹھا کرتا اور جب وہ ترنگ میں آجاتے تو کہتے ''اے لڑکی اب تم جاؤ، ہمیں ہزلیات کہنی ہیں''۔

یہ ہزلیات کا سلسلہ مصطفیٰ زیدی، ٹیلیفون پر بھی جاری رکھتا تھا۔ جب آدم جی انعام ادا جعفری کو ملا اور مصطفیٰ زیدی کو نہیں ملا تو زیدی نے بڑی لمبی ہزل ادا بہن کے خلاف لکھی تھی۔ یہ مخالفت آج کل کے بے نام کھرّوں کی طرح نہیں ہوتی تھی۔ بس کوئی فقرہ، کوئی خط، کوئی نظم، سینوں میں نفرتیں اس طرح نہیں پلتی تھیں۔

یوں تو ایک دو دفعہ عطا اللہ شاہ بخاری کی موچی دروازے میں تقریر سننے کا اتفاق ہوا، مگر ملاقات باقاعدہ نہیں ہوئی۔ البتہ فاطمہ جناح کے الیکشن کے دور میں شورش کاشمیری سے خوب ملاقات رہی۔ حبیب جالب اور شورش کاشمیری کا ٹولنٹن مارکیٹ میں لڑائی اور ایک دوسرے پہ گھی کے ڈبے پھینکنے کا منظر بھی مجھے آج تک یاد ہے۔ پھر نیشنل سنٹر میں تو اکثر وہ بلانے پہ آجاتے تھے۔

میرا فین روڈ کا دفتر، تصدق حسین خالد کے گھر کے سامنے اور میاں محمود علی قصوری کے گھر کے ساتھ تھا۔ وہاں سلمیٰ تصدق حسین سے جب بھی پوچھا ''بتایئے سلمیٰ آپا۔ آپ کے لیے اختر شیرانی نظمیں لکھتا تھا۔'' یہ سن کر سلمیٰ آپا نے کبھی انکار نہیں کیا۔ ایک طرح کی مسحور کن مسکراہٹ کے ساتھ کہتیں ''چل ہٹ۔ فضول بات مت کر۔''

میاں محمود علی قصوری سے ملاقات، حبیب جالب یا ولی خاں صاحب یا بیگم بھٹو کے توسط ہو جاتی تھی۔ ولی خاں اور نسیم ولی خاں سے ملاقات بیگم عابد حسین یعنی چندی کی والدہ کے گھر بھی اکثر ہو جاتی تھی۔

رائل پارک میں طفیل ہوشیار پوری، بشیر موجد، مشیر کاظمی، ایس۔ ایم یوسف (فلمساز جو ہمارے ہمسائے تھے) سورن لتا اور نذیر صاحب سے ملاقاتیں رہیں۔ حفیظ جالندھری صاحب کا انٹرویو 1966ء میں پی۔ ٹی۔ وی لاہور سے کیا۔ انہوں نے مجھے کوئی 19 اعزازات بتائے، تھوڑی بہت تحقیق

کر کے ان میں سے گیارہ میں نے رہنے دیئے۔ مجھے پریشانی تھی کہ کہیں مجھے ٹوک نہ دیں مگر وہ انٹرویو آرام سے گزر گیا۔

انہی انٹرویوز میں مجھے حاجی شریف کا انٹرویو یاد ہے کہ انہوں نے کہا کہ میں تو ریلوے میں بک ہونے والے ڈبوں پہ خوش خطی سے پتے لکھتا تھا۔ مجھے نہیں معلوم کہ میرے اندر کا آرٹسٹ کب جاگ اٹھا۔ حاجی شریف آخری عمر تک نیشنل کالج آف آرٹس میں منی ایچر پینٹنگز سکھاتے رہے۔ استاد اللہ بخش کو پنجاب کے کلچر کو پیش کرنے کا بہت شوق تھا۔ آخری عمر تک مسلم ٹاؤن میں ڈاکٹر عبدالسلام خورشید یعنی عبدالمجید سالک کے گھر کے ساتھ رہتے تھے۔ پھر ان کی اولاد نے ان جیسا کچھ کرنے کی ٹھانی مگر ٹی وی کی ملازمت نے، باپ جیسا کام نہ کرنے دیا۔ اکثر ڈاکٹر عبدالسلام خورشید کے لان میں ہم سب اکٹھے ہو جاتے، استاد اللہ بخش بھی آ جاتے اور رات پڑے یہ محفل تمام ہوتی۔

اس زمانے میں فیروز سنز کے لیے میں نے کہانیاں ترجمہ کرنی شروع کیں کہ وہ ایک روپیہ فی صفحہ دیتے تھے۔ یہاں پر سید سبط حسن بھی کام کرتے تھے۔ اس زمانے میں سمن آباد میں گھر لے لیا تھا۔ ان کی بیٹی اور بیوی بھی اب ان کے پاس آ گئی تھیں۔ سید صاحب، لکھنؤ اور حیدر آباد دکن کی بیگمات کے بڑے دلارے رہے تھے۔ اس لیے شہر نگاراں کے درمیان، اپنے گھر کو بھول بیٹھے تھے مگر بعد میں وہ ایسے گئے کہ ہندوستان جا کر واپسی کے لیے اگلے دن کے منتظر تھے کہ ایک رات پہلے، بس ایک قلابازی دل کی جان لے گئی۔ ہم نے کراچی میں ان کا تابوت وصول کیا۔ ان کی زوجہ کوئی دس سال تک بعد ازاں زندہ رہیں۔

1966ء ہی میں، میں نے پہلی دفعہ ملکہ پکھراج کو انٹرویو کیا۔ آزادی کا زمانہ تھا۔ ملکہ پکھراج نے کشمیری زبان کی گائیکی میں انعام کے طور پر ہیروں جواہرات میں تلنے کے علاوہ، شاہ جی سے عشق کے باعث، محل سے نکل بھاگنے کا پورا قصہ بڑے مزے لے کر سنایا۔ کبھی کوئی کہتا کہ حفیظ صاحب ملکہ پکھراج کی نقل میں ''ابھی تو میں جوان ہوں'' پڑھتے اور کوئی کہتا کہ حفیظ صاحب کی طرز پر ملکہ پکھراج گاتی ہیں۔ ان کے پرانے گھر میں جو کہ ماڈل ٹاؤن میں تھا۔ میں نے شاہ صاحب کو اکثر زمین پر بیٹھ کر، ملکہ پکھراج کا گانا سنتے ہوئے دیکھا تھا۔ وہ گھر عجائب خانہ تھا۔ ملکہ پکھراج کے ہاتھ کی کاڑھی ہوئی بے شمار سینریاں تھیں۔ مور تھے، ہر طرح کا ساز تھا۔ بے شمار زیورات وہ پہنتی تھیں اور بڑے ٹھسّے کے ساتھ رہتی تھیں۔ طاہرہ کو زبردستی گانے کے لیے بٹھاتی تھیں۔ 1970ء کے الیکشن میں جب طاہرہ کو اختر وقار عظیم نے ٹیلیویژن پہ متعارف کرایا تو پھر اس کا شوق بھی گانے کی طرف بڑھا۔ باقاعدہ وکالت پڑھی،

پریکٹس بھی کی۔ ظفر صاحب کی اسسٹنٹ کے طور پر کہ ظفر صاحب اس کے بہنوئی تھے۔ بعد میں وہیں عشق نے زوجیت کا نام پایا۔ قرعہ نعیم بخاری کے نام نکلا۔ بہت دن ساتھ رہے مگر ڈور کچی نکلی مگر بچوں کے ساتھ دونوں نے وفا کی اور کبھی ایک دوسرے کے خلاف بات نہیں کی۔

عبدالرحمان چغتائی صاحب سے ملاقات، جلال الدین احمد کے ساتھ 1967ء میں، راوی روڈ والے مکان پر ہوئی۔ ان کے چھوٹے بھائی رحیم چغتائی کڑی نظر رکھتے تھے کہ کوئی شخص چغتائی صاحب سے ایک لائن بھی کھنچوا کر نہ لے جائے۔ ایک دن جلال صاحب اور میں اکٹھے چغتائی صاحب کے پاس ایسے وقت گئے کہ جب رحیم چغتائی وہاں نہیں تھے۔ بہت باتیں کیں اور آزادی سے باتیں کیں۔ اپنی بہت سی منی ایچر پینٹنگز بھی دکھائیں جو ہندو مائتھولوجی سے متعلق تھیں۔ کہہ رہے تھے کہ ان کے خریدار تو ہندوستان میں ہیں۔ یہاں بھلا کون لے گا۔ غالب کا دیوان مرقع چغتائی جس میں شعروں کی تشریح یا شعروں پہ منطبق پینٹنگز مرصع کی گئی تھیں، کسی نے کہا کہ یہ کام حمید المکی نے کیا ہے، کسی نے کہا کہ بڑے بخاری صاحب نے کیا ہے۔ بہر حال نادر مجموعہ بن گیا تھا جو کہ اب بارہ ہزار میں فروخت ہوتا ہے۔ اس طرح صادقین کی پینٹنگز کا مجموعہ جو کہ حمید ہارون نے کیا ہے وہ بھی اِسی قیمت کا ہے۔

چغتائی صاحب نے مجھ سے پوچھا ''تم نے اپنا کوئی مجموعہ بنایا۔'' میں نے کہا ''جی مرتب کر رہی ہوں۔ نام ہے لبِ گویا۔'' چغتائی صاحب نے بیٹھے بیٹھے ایک ڈرائنگ بنائی اور کہا لو اس پر مولانا نفیس رقم سے عنوان لکھوا لینا۔ یہ تحفہ میری طرف سے تمہارے لیے ہے۔ اس وقت جلال صاحب کو بھی ایک ڈرائنگ پکڑائی۔ ابھی ہم سیڑھیوں سے نیچے ہنستے کھیلتے اتر رہے تھے۔ سامنے سے رحیم صاحب آ گئے۔ نہ سلام نہ دعا۔ ہمارے ہاتھوں سے کاغذ چھینتے ہوئے کہا ''یہ کیا لے جا رہے ہو۔ وہ تو فضول میں چیزیں بانٹتے رہتے ہیں۔''

جلال صاحب اور میں ایک دوسرے کو پھٹی پھٹی آنکھوں سے دیکھتے باہر نکل آئے۔ میری بہت سی کتابوں کے سرورق پہ تحریر مولانا نفیس رقم ہی کی ہے البتہ چغتائی صاحب کے تحفے سے ہم محروم رہے۔ چغتائی صاحب کے مرنے کے بعد بھی ان کی بے شمار پینٹنگز اسی طرح بنتی اور فروخت ہوتی رہیں جیسے صادقین اور احمد پرویز کے ساتھ ہوا۔ سب جانتے تھے کہ کس کے نام سے کون پینٹنگز بنا رہا ہے مگر سب فروخت ہوتی رہیں۔

آج بھی ہو رہا ہے کہ جن لوگوں نے اپنے گھروں میں رکھنے کے لیے ان تمام بڑے مصوروں کی پینٹنگز مفت لی تھیں۔ آج وہی پینٹنگز فروخت ہونے کے لیے گیلریوں میں آ رہے ہیں۔

اب تو کلرڈ فوٹو کاپنگ کا زمانہ، انلارجمنٹ کا ایسا زمانہ آیا ہے کہ لوگ سینریوں اور پہاڑوں کی چوٹیوں کی تصویروں کی انلارجڈ فوٹو کاپی پہ چارکول اور مارکر سے کام کر کے، نہ صرف تصویریں بیچتے ہیں بلکہ مشہور بھی ہوتے ہیں۔

یہ میری نوکری کا بہت خوبصورت زمانے کا آغاز تھا۔ حبیب اللہ اوج میرے چیف ایڈیٹر تھے، باری علیگ کی بیوی بطور مترجم کام کرتی تھیں۔ جلال صاحب کے ساتھ کراچی سے کبھی شان الحق حقی آتے اور کبھی خلیق ابراہیم آتے۔ فلمساز ولی صاحب کا بیٹا ظفر ہمارے فلم سیکشن کا انچارج تھا۔ احمد علی خاں کے بھائی صبا صاحب میرے ساتھ کام کرتے تھے۔ البتہ ایک اسسٹنٹ ایڈیٹر جماعتی اور ایک پاگل تھا۔ بس دفتر کا ماحول اکثر انہی کے باعث خراب رہتا مگر کچھ بزرگ آنے والے اس ذائقے کو مندمل کر دیتے تھے۔ سبب یہ کہ ہماری وزارتِ اطلاعات، حکومت کے حق میں مضامین لکھنے والوں کو دو سو روپے فی مضمون دیا کرتی تھی۔ اس لیے دفتر میں کبھی وقار انبالوی، کبھی کوثر نیازی، کبھی رفعت اور کبھی چھوٹے چھوٹے اخباروں میں کام کرنے والے بے شمار جرنلسٹ اپنے شائع شدہ مضمون کی کاپی دیتے اور پیسے لینے کے علاوہ، ہم سب کے ساتھ چائے اور گفتگو میں شامل ہوتے۔ یہ روایت انفرمیشن کے ڈائریکٹر مجاہد کاظمی نے ڈالی تھی۔

اِسی رو میں کبھی اشرف صبوحی سے گفتگو کا موقع مل جاتا۔ گنگا جمنی میں ڈھلی اردو۔ ایسے ایسے خوبصورت اور فراموش شدہ محاورے بولتے، اتنے میٹھے انداز میں بولتے، سر پہ گول سفید ٹوپی۔ کرتہ پاجامہ وہ بھی اکثر سفید ہوتا تھا۔ ان کے مقابلے میں بہت بڑے عالم اور اقبالیات کے مفسر غلام رسول مہر صاحب، اتنے اکھڑ لہجے میں اردو بولتے کہ حیرت ہوتی تھی۔ ایک دفعہ ٹی۔وی انٹرویو میں، میں نے ان سے پوچھا "آپ نے سب سے پہلے غالب کی شرح کیوں لکھی۔" بولے "میں کشمیر گیا ہوا تھا۔ وہاں مجھے آشوبِ چشم ہو گیا۔ پڑھنے کی اجازت نہیں تھی۔ میرے پاس دیوانِ غالب تھا۔ میں نے شرح لکھنا شروع کر دی۔"

بہت اچھی اور محتاط اردو حکیم حبیب اشعر بھی بولتے تھے۔ ہم تو صرف ان کا بولنا سننے کے لیے روزنامہ "مشرق" کے دفتر جاتے تھے۔ حبیب اشعر صاحب نے خلیل جبران کے تراجم کیے تھے۔ لوگ ان سے علاج بھی کرواتے تھے۔ سنا تھا کہ شادی سے پہلے، انتظار حسین صاحب بھی ان سے مشورے کرتے رہے، ویسے سچی بات یہ ہے کہ یہ دونوں ایک ہی کمرے میں بیٹھتے تھے۔

فراموش شدہ محاورے اور حروف پر تو احسان دانش صاحب نے مکمل کتاب مرتب کی تھی۔

ان کا گھر انار کلی میں اس جگہ تھا جہاں بڑی سی گھڑی لگی ہوئی تھی۔ جو بھی مرشد کے پاس آتا، نیچے چائے والے کو ایک سیٹ چائے کا آرڈر دیتا آتا۔ احسان دانش صاحب کے بہت سے شاگرد تھے۔ جب میں نے 1960ء میں مشاعرے پڑھنے شروع کیے تو میں بھی ان کی پلٹن میں شامل ہوگئی (کہ گھر کا خرچ چلانا تھا)۔ لوگ دوسرے شہروں سے آتے، احسان دانش کے ساتھ ٹھیکہ کر جاتے کہ لو بھئی یہ دس ہزار ہیں، کچھ معروف اور کچھ غیر معروف شاعر جس میں ایک دو شاعرات بھی شامل ہوں، لے کر آجایئے گا۔ کلیم عثمانی، سیف زلفی اور نجانے کتنے ہی ایسے لوگ تھے جو اس قبیلے میں شامل تھے۔ احسان دانش صاحب نے ڈائجسٹوں تک کے سیٹ بنا کر اپنے گھر میں رکھے ہوئے تھے۔ ایک دفعہ ہمیں پتہ چلا کہ کشمیری بازار میں ایک ٹال کی دیوار گری ہے۔ اس کے پیچھے سے منشی نول کشور کی کتابوں کا سٹور نکلا ہے۔ یوسف نے ایک دن کی دیر کردی۔ اگلے دن جب ہم کشمیری بازار پہنچے تو ٹال والے نے بتایا کہ گھڑی والے گھر والے ساری کتابیں، ٹال کے ترازو میں تلوا کر لے جا چکے ہیں۔ ہم پلٹ کر احسان صاحب کے گھر آئے تو انہوں نے ہماری فرمائش کہ کتابیں دکھا دیں اس کو ہنس کر ٹال دیا۔

احسان دانش صاحب، محققین اور ڈاکٹریٹ کرنے والے لوگوں سے کسی مخطوطہ کے ایک صفحے کی نقل کی اجازت ایک روپیہ لے کر دیتے تھے کہ اس زمانے میں فوٹو کاپیئر تو نہیں ہوتا تھا۔ احسان دانش صاحب نے وہ تمام رسالے، کتابیں ممتاز حسن صاحب کو اس زمانے کے ایک لاکھ روپے میں فروخت کی تھیں۔ یہ کتابیں انہوں نے نیشنل بینک کی لائبریری کے لیے خریدی تھیں۔

احسان دانش کے علاوہ، طفیل ہوشیار پوری بھی اپنا وفد بنا کر مشاعرے پڑھتے تھے بلکہ وہ خود کہتے تھے کہ بس کے روٹ کے مطابق، مشاعروں کی تاریخیں مقرر کرواتے تھے۔

بہت کم لوگ، صوفی صاحب کے ذمہ اس طرح کے مشاعرے لگاتے تھے۔ البتہ قاسمی صاحب کا قبیلہ، فنون کے ساتھ ساتھ پھیلتا چلا گیا، جو آج تک رواں دواں ہے۔ میں کہتی ہوں اگر گینز بک آف ورلڈ ریکارڈ میں کوئی بھیجے کہ سب سے زیادہ فلیپ اور دیباچے، کس نے لکھے ہیں تو قاسمی صاحب کا نام ورلڈ ریکارڈ میں آئے گا۔

جو لوگ مشاعرے میں ناکام رہتے تھے، ان میں، میں خود، ناصر کاظمی، حفیظ ہوشیار پوری، قیوم نظر، مختار صدیقی اور یوسف ظفر کو دیکھا ہے۔ مجھے بھی کبھی بہت اچھی داد نہیں ملی مگر جس طرح ٹنوں کے حساب سے پروین شاکر داد وصول کرتی تھی۔ وہ بات کسی اور کے نصیب میں نہیں آئی۔

ترنم سے پڑھنے والوں میں جمیل الدین عالی، ادیب سہارنپوری، قمر جلالوی، کلیم عثمانی،

قتیل شفائی' ماہر القادری' حمایت علی شاعر' حفیظ جالندھری' زہرہ نگاہ' سحاب قزلباش اور حبیب جالب ان لوگوں میں ہیں جن کا ترنم بہت دل پذیر ہوتا تھا۔ البتہ خدا کی پناہ کہ جو لوگ طفیل ہوشیار پوری یا منور سلطانہ لکھنوی کا ترنم برداشت کر لیتے تھے۔

نرم گفتاری اور بڑھاپے کو بڑے سلیقے سے آراستہ کرنے کا ہنر' سید وقار عظیم اور ڈاکٹر عبادت بریلوی کو خوب آتا تھا۔ شاہد احمد دہلوی کی تحریر بڑی ہی شائستہ تھی۔ ہم جیسے نئے لکھنے والوں کی حوصلہ افزائی بہت کی۔

حوصلہ افزائی کی توصیف کرنے کے لیے کس کس کا ذکر کروں۔ عابد علی عابد' ہمیشہ ہی مہربان رہے حتیٰ کہ جب میں نے پہلی نعت لکھی جس کی ردیف تنن آ ہو یا ہو" آئی تو میں ٹانگہ کر کے سیدھی عابد صاحب کے گھر صدر پہنچی۔ حیران ہوئے مجھے دیکھ کر' مگر جب نعت سنا کر توثیق بھی چاہی اور تفصیلاً اس ردیف کا مطلب بھی پوچھا تو انہوں نے بتایا کہ ستار کی تار کا سب سے اونچا سر تننا ہوتا ہے اور معرفت میں منہ سے یا ہو نکلتا ہے۔ گویا سر اور وجدان کو ملا کر سوچا یا سمجھا جائے تو اسی طرح کے لفظ منہ سے نکلتے ہیں۔ شاباش بھی بہت دی اور داد بھی بہت دی۔

یہ وہ زمانہ تھا جب لاہور ریڈیو سٹیشن پر نعتیہ مشاعرے میں کسی خاتون کو مدعو نہیں کیا جاتا ہے۔ اسی طرح سلام اور مرثیے کے موقع پر بھی تخصیص برتی جاتی۔ وزیر اطلاعات تھے کوثر نیازی۔ میں نے ایک دن ان سے کہا "مجھے وہ حدیث دکھا دیں جس میں خواتین کو نعت پڑھنے سے منع کیا گیا ہے۔" بولے "سمجھ گیا۔ ڈائریکٹر صاحب! ان سے اگلے نعتیہ مشاعرے میں ضرور پڑھوایئے گا۔" بس اس طرح یہ گرہ کھل گئی اور اب آپ کو ہر نعتیہ مشاعرے میں بے شمار شاعرات نظر آئیں گی۔ بھٹو صاحب کے زمانے کے بعد' نعت لکھنا گویا فیشن ہو گیا۔ اب ہر شخص نعتیہ مجموعے شائع کرانے اور ضیاء الحق کی خدمت میں پیش کرنے لگا۔

کچھ لوگ تھے جن سے بہت ملاقات نہیں رہی مگر چند یا صرف ایک ملاقات نقش ہو گئی۔ مجھے مختار صدیقی نے عطیہ فیضی کے اتنے خوابناک قصے سنائے تھے کہ ایک دفعہ کراچی گئی تو شان الحق حقی کے توسط' ان کے گھر گئی۔ واقعی مسحور کن ماحول اور گفتگو بس سنتی رہی' ہم آدھے گھنٹے میں واپس آ گئے مگر آج بھی وہ یاد خوشبو دے رہی ہے۔ اسی طرح شہریار خاں کی والدہ بیگم عابدہ سے ٹی۔ وی ریکارڈنگ کے لیے ملاقات کی۔ ان کی شخصیت کہ گھڑ سواری سے نیزہ بازی تک' سب کچھ انہوں نے ہنر آزمائی میں زندگی گزاری تھی۔ اس طرح جینیفر موسیٰ سے ملاقات پشین میں ہوئی۔ اس انگریز خاتون نے

اشرف جہانگیر قاضی جیسے بیٹے کو جنم دیا اور پشین میں بقیہ عمر گزارنے میں سرخوشی محسوس کی۔
بیگم لیاقت علی خاں سے اپوا کے توسط اکثر ملاقات ہوئی مگر گفتگو کی نوبت نہیں آئی کہ اس ملاقات میں اجنبیت حائل رہی۔ البتہ بیگم بھٹو سے جتنی بھی ملاقاتیں ہوئیں، وہ بہت ذاتی نوعیت کی محبت کی۔ ایک دوسرے کا دکھ درد بانٹنے اور عورت مرد کے رویوں پہ گفتگو کرنے کا مرحلہ ضرور آتا تھا۔ ان سے ملاقات چاہے چھپ کر بیگم خاکوانی کے گھر ہوئی کہ میاں محمود علی قصوری کے گھر، بہت بھرپور ہوئی۔
اسی طرح دو دفعہ حفیظ ہوشیارپوری سے ملاقات ہوئی۔ ایک دفعہ ناصر کاظمی کے ساتھ اور ایک دفعہ صوفی صاحب کے گھر، بہت حدِ ادب میں رہ کر، دونوں ملاقاتیں بہت سوکھی رہیں جبکہ عزیز حامد مدنی سے بھی گرچہ صرف دو ملاقاتیں ہوئیں مگر یہ ملاقاتیں گفتگو اور کئی گھنٹے کے غزل کے حوالے سے مذاکرات جو کہ ان کے گھر پر اور ریڈیو سٹیشن کراچی میں ہوئے، بہت پرلطف رہیں۔
پطرس بخاری سے صرف ایک ملاقات، وہ بھی صوفی صاحب کے یہاں ہوئی۔ ایسے ہوئی کہ صوفی صاحب نے کہا "یہ شعر کہتی ہے۔" اور وہ کہیں کام سے باہر نکل گئے۔ اب بخاری صاحب کمرے میں ٹہل رہے ہیں۔ خاموشی طاری ہے۔ ایک دم بولے "اپنی غزل سناؤ۔" ابھی میری غزل "کچھ اوڑھنی کا رنگ بھی کھلتا ہوا نہ تھا" مشہور ہوئی تھی۔ وہ ہی فرفر پہاڑے کی طرح سنا دی۔ سن کر تھوڑی دیر بعد بولے "اتنی اچھی غزل، اتنے برے طریقے سے سنائی ہے۔" اب صوفی صاحب واپس آچکے تھے۔ بولے "ابھی نئی نئی آئی ہے۔ ٹھیک ہو جائے گی۔" بخاری صاحب مسکرائے اور میں نے رخصت چاہی۔
سخنور کے حوالے سے اہم نام جن سے ملنے کے لیے میں بھی ساہیوال گئی، وہ تھا مجید امجد کا۔ ایک گدلا سا کمرہ جس کے اندر ان کی سائیکل بھی کھڑی تھی۔ آنکھوں پہ چشمہ اور جسم پہ پینٹ اور شرٹ۔ مل کر وہ پتہ نہیں کتنے خوش ہوئے کہ انہوں نے میری بڑی تعریف کی، مگر میں بہت خوش ہوئی کہ دنیا سے بے خبر، یہ شاعر کتنی عمدہ شاعری کر رہا ہے۔
نیشنل سنٹر کی نوکری کے دوران سارے سیاست دانوں، علمی ادبی شخصیات اور تمام علماء سے بہت ملاقاتیں رہیں۔ مولانا جعفر شاہ پھلواروی نے "اسلام میں موسیقی کا جواز" سنہ ساٹھ کی دہائی میں پوری کتاب لکھی تھی۔ اسی طرح خاندانی منصوبہ بندی پر بھی اسلام میں جواز، کتابی صورت میں پیش کیا تھا۔ اِسی زمانے میں میں نے تمام دینی مدرسوں کا دورہ کیا۔ ان کا نصاب، رہن سہن کا طریقہ دیکھا۔ یہ سارے مدارس آج کل کے مذہبی جنونی مدارس سے مختلف تھے۔ منطق، فلسفہ اور احادیث سبھی کچھ

پڑھایا جاتا تھا مگر اس میں وقت کے مطابق تبدیلیاں نہیں کی گئی تھیں۔

جب میں نے شروع شروع میں نیشنل سنٹر میں علماء کو بلانے کی دعوت دی تو وہ جھجکے کہ ایک خاتون کے بلاوے پہ کیسے چلے جائیں۔ میں سمجھ گئی۔ تڑی دی کہ وزیر موصوف مولانا کوثر نیازی کا حکم ہے۔ پھر آپس میں مشورے ہوئے اور جب میں موضوع کے تعارف میں کچھ باتیں کرتی تو ان کو احساس ہوتا کہ اس خاتون کے بال کٹے ہیں۔ سر نہیں ڈھکا مگر قرآن شریف کے معانی جانتی ہے۔

نیشنل سنٹر میں کوئی جلسہ جس کی صدارت پروفیسر حمید احمد خاں نے کرنی ہو، کبھی بھی تاخیر سے یعنی دس منٹ لیٹ بھی شروع نہیں ہوسکتا تھا۔ وہ کہتے تھے۔ تم سامنے بیٹھ جاؤ، میں تمہیں اپنی تقریر سنادوں گا اور چلا جاؤں گا مگر جو سہج طبیعت کے مالک تھے وہ جسٹس عطاء اللہ سجاد تھے۔ اکثر سفید شارک سکن کی پینٹ اور بوشرٹ کے ساتھ سفید جوتے پہنے ہوتے اور ہمیشہ لکھ کر مضمون لاتے تھے۔

نیشنل سنٹر کس کس نابغہ روزگار شخصیت کے ساتھ شام نہیں منائی گئی اور کس کس بڑے موسیقار نے وہاں محفل برپا نہیں کی۔ نیشنل سنٹر کی لائبریری میں، میں نے زاہد ڈار کے مشورے سے اس قدر کتابیں جمع کی تھیں کہ لائبریریوں سے استفادہ کے لیے کسی کونے میں ڈاکٹر عبدالسلام خورشید بیٹھے ہوتے، کسی کونے میں م۔ش آ کر اپنا مضمون تیار کر رہے ہوتے۔ کبھی کبھی فیض صاحب بھی آ کر پڑھنے میں مصروف ہو جاتے۔ ان سب کے لیے الگ الگ کونوں میں میز کرسیاں لگی ہوتیں۔ یہ اپنی مخصوص جگہوں پر آ کر بیٹھتے، چپراسی کو ہدایت تھی کہ ان لوگوں کو وہیں چائے اور پانی دے دیا جائے۔ مجھے بس خبر کر دی جائے کہ فلاں شخصیت بیٹھی ہوئی ہے۔

مولانا کوثر نیازی کے دوبارہ اشاعت پذیر، مجموعے کی صدارت جوش صاحب نے کی۔ یہ مجموعہ جن مدارج اور اصلاحات سے گزرا، وہ تو چونکہ میرے ذریعہ سے لاہور سے اسلام آباد چکر کاٹتا تھا تو میں نے جوش صاحب کی اس مسودے پہ اصلاحات بھی دیکھی تھیں اور جوش صاحب نے جب اپنے سفر کا بل دیا، کاش یہ محفوظ ہوا ہوتا اس میں ٹانگے کے کرائے کے علاوہ پاندان کا خرچ بھی لکھا تھا۔ امانت علی خاں، فریدہ خانم اور مہدی حسن، سب نے ہی کوثر نیازی کا کلام گایا تھا۔ یہ الگ بات ہے کہ اس پروگرام کے کچھ عرصہ بعد ہی امانت علی خاں کا انتقال ہوگیا تھا۔ اس زمانے میں السر پھٹنے سے اکثر اموات واقع ہوتی تھیں۔ ناصر کاظمی اور امانت علی، دونوں اِسی سبب فوت ہوئے۔

جیسے ہی مارشل لاء آیا، اول تو میری تنزلی ہوئی اور دوسرے یہ کہ میں بطور سزا، لاہور بھیج دی گئی مگر خوشی یہ تھی کہ اپنے گھر واپس آ گئی تھی۔ اب میرے پاس ماہ نو کی تجدید اور مقبول بنانے کی ذمہ داری

تھی۔ سنسر شپ کا سخت ترین زمانہ، نام لکھتی زبیدہ ریاض، سنسر سے واپس پرچے میں زبیدہ کی چیپی اتار کر فہمیدہ کی چیپی لگا دیتی۔ پاکستان کی صورتِ حال کے مطابق کہانیاں ترجمہ کروالیتی۔ بہر حال ایک تو ہندوستان، پاکستان کے بڑے چھوٹے سارے ادیبوں سے رشتے مستحکم ہوئے۔ ان کو کبھی دلار سے اور کبھی غصہ دلا کر نت نئے موضوعات پر لکھنے کی ترغیب دی۔ بہت سے بند توڑے، خالدہ حسین کو بارہ برس بعد، کہانی لکھنے پہ مائل کیا۔ خالدہ کی اس طرح لکھی گئی پہلی کہانی، ان کے شوہر کے دفتر کے لفافے میں ارسال کی گئی۔ کہا گیا جواب بھی اِسی پتے پر آئے۔ حکم کی تعمیل ہوئی مگر جمود ختم ہوا۔ اِسی زمانے میں 6 ماہ کے لیے سراج منیر نے بھی میرے ساتھ کام کیا۔ وہ ذہین، محنتی اور کام کے لیے غرض مند تھا ورنہ سارا دن اس کے پاس جماعتی مولوی اور دیگر لوگ آتے رہتے تھے۔ ماہِ نو کا اقبال نمبر۔ ہم دونوں نے مل کر مرتب کیا تھا جو بعد ازاں کتابی صورت میں ایک ادیب نے مرتب کر کے، ڈاکٹریٹ بھی لے لی تھی۔

ماہِ نو کے زمانے میں فیض صاحب بیروت میں تھے۔ ان کے ہاتھ کی لکھی تازہ نظم کبھی سلیمٰی کے ذریعہ اور کبھی براہ راست مجھے مل جاتی۔ ''مرے دل مرے مسافر'' ماہِ نو میں پہلی مرتبہ شائع ہوئی تھی۔

اس زمانے میں کراچی جانا ہوتا تو سلیم احمد کے گھر نشست لازمہ ہوتی۔ عبیداللہ علیم، جمال احسانی، اجمل سراج، احمد ہمدانی۔ یہ لوگ ضرور اکٹھے ہوتے۔ مذاق بھی ہوتا کہ سلیم بھائی جماعت کے ساتھ ہمدردی رکھتے تھے اور میں ان کی بیری تھی مگر مجھے وہ بہت مان دیتے تھے۔ بہت محبت کرتے تھے۔ ہم سب پلنگوں پہ بیٹھا کرتے تھے۔ ایک کمرے میں سلیم بھائی کے پلنگ کے علاوہ دو اور پلنگ ہوتے تھے۔ ارسطو سے لے کر ثروت حسین اور صغیر ملال کی تازہ تخلیقات بھی زیرِ بحث آتیں۔

سلیم بھائی کے یہاں سے اُٹھتے تو جنگ میں اطہر نفیس کے کمرے میں جا کر بیٹھ جاتے، جس زمانے میں یوسف کامران ''سخنور'' پروگرام کر رہے تھے تو اطہر نفیس کی غزل ''وہ عشق جو ہم سے روٹھ گیا'' بے پناہ مقبول ہوئی اور آج بھی ہے۔ ایک دفعہ کراچی جم خانہ میں فریدہ خانم گا رہی تھیں۔ میں نے فریدہ کے کان میں کہا کہ اطہر نفیس کی غزل گانے سے پہلے انہیں کہنا کہ سامنے آ کر بیٹھیں۔ فریدہ نے اسی طرح اعلان کیا۔ اطہر بھائی کا شرم کے مارے برا حال۔ سامنے آ کر نہیں دیئے، جبکہ ان کے مقابلے میں جب مہدی حسن نے پروین شاکر کی غزل ''کو بہ کو پھیل گئی بات شناسائی کی'' گائی تو پروین نے یہ غزل سامنے بیٹھ کر سنی اور ٹی۔وی نے ٹیلی کاسٹ بھی کی۔

وہ سب لوگ یا تو میرے ہم عمر تھے یا مجھ سے بڑے تھے چلے گئے۔ ان کا احوال کیا لکھوں۔ عبیداللہ علیم ایک اچھا شاعر جو نا معلوم کیسے قادیانی مبلغ بن گیا۔ ملکوں ملکوں دورہ کرتا اور ایک دن اپنے ہی گھر میں باتھ روم سے واپس نہ آسکا۔

ثروت حسین نے سندھ میں پہلے اپنی پوسٹنگ کروائی۔ پھر طبیعت ایسے گھبرائی کہ ٹرین کی سیٹی کی محبت میں پیر کٹا بیٹھا۔ طرح بہ طرح کی دوائیوں کا تجربہ کرتا رہتا یہی زندگی کا رویہ صغیر ملال کا تھا۔ ثروت کو ریل کی سیٹی شکیب جلالی کی طرح بلاتی تھی اور صغیر ملال جو کہ مری کے علاقے کا کوہستانی تھا، زمینیں تھیں، اُسے قبرستان بالکل جون ایلیا کی طرح مسحور کرتا تھا۔ جون بھائی تو دو ایک دفعہ قبر میں جا کر لیٹ بھی گئے تھے یہ دیکھنے کہ کیسا لگتا ہے قبر میں اترنا، سنا ہے لاہور میں عمر فیضی کو بھی قبرستان بہت پسند آتا تھا۔ ثروت جب آخری دفعہ اسلام آباد آیا، کسی ٹی۔وی کے مشاعرے کے لیے اور میں مشاعرہ نہیں پڑھتی اس لیے الگ سے ملنے کے لیے آیا۔ مصنوعی پیر فٹ ہو گئے تھے اور بڑا خوش ہو کر دکھا رہا تھا۔ تھوڑے ہی دن اس کے بعد گزرے۔ وہ پھر خبر آئی جو پہلے ایک دفعہ آئی تھی مگر اس دفعہ فاتحہ پڑھنے والی خبر تھی۔

اِسی طرح خواب آور گولیوں کی مقدار کچھ اتنی لے لی صغیر ملال نے کہ جب تک بیوی ڈاکٹر کو لے کر آئی۔ وہ کہیں نہ واپس آنے کے لیے جا چکا تھا۔

جمال احسانی کو خوش گفتاری کے علاوہ، سیاسی طور پر ایم۔ کیو۔ ایم ہو گیا تھا۔ نوکری چھوڑ کر پراپرٹی ڈیلری شروع کر دی تھی مگر دن رات شراب نوشی، جب اتنی ہوئی کہ جگر نے کام کرنا چھوڑ دیا مگر جمال نے جالب صاحب کی طرح مے نوشی سے منہ نہ موڑا۔ البتہ زندگی سے منہ موڑ لیا تھا۔ جاتے جاتے اس نے بس اتنا کرم کیا تھا کہ اپنے بچوں کے لیے ایک فلیٹ بنا کر دے دیا تھا۔

ان لوگوں کی طرح کہ یہ تو ہم سے چھوٹے تھے۔ رضی اختر شوق تو ہمارے ہم عصر تھے۔ اچانک چلے گئے۔ حمید نسیم بہت سینئر تھے۔ اِسی طرح ضمیر علی تو ماہِ نو کے پرانے لکھنے والے تھے۔ حمید نسیم کو چونکہ آخر عمر میں بہت مذہب ہو گیا تھا۔ میں نہیں ملتی تھی مگر ادا بہن، جب کبھی ملک میں ہوں تو زہرہ آپا، مشفق خواجہ اور یوسفی صاحب سے کراچی میں گنڈے دار ملاقاتیں ہوتی تھیں۔ سبب میری کم وقتی اور کم مائیگی کہ میرے ٹھہرنے کے دو ہی گھر تھے۔ ایک ش فرخ کا اور دوسرا علی امام کا۔

ہم سے چھوٹے ادیبوں سے زیادہ ملاقاتیں رہیں۔ آصف فرخی، فاطمہ حسن، شاہدہ حسن اور عطیہ داؤد کے علاوہ عذرا عباس اور انور سن رائے سے بے تکلفی کی ایسی منزلیں طے ہوئیں کہ کبھی یہ

خیال بھی نہیں گزرتا ہے کہ ملاقات نہیں ہوگی۔

اِسی طرح سبط حسن کی بیٹی نوشابہ اور ذکیہ سرور، یہ دونوں میری کلاس فیلو ہیں۔ فردوس حیدر بھی کلاس فیلو کے علاوہ عزیز دوست تھی مگر موسم کی طرح وہ بدل گئی۔ سنا ہے معرفت کی منزلوں میں ہے۔ ہم گنہگار لوگ یہ راہیں کب جانے ہیں۔

فہمیدہ ریاض سے دوستی گزشتہ چالیس برس سے قائم ہے۔ اس میں بہت سے اتار چڑھاؤ آئے اور آنے بھی چاہئیں۔ سیاسی طور پر جتنا فہمیدہ کو ستایا گیا، اتنا کسی کو نہیں ستایا گیا۔ اس کے پاس بھی پیسے ہوتے تو وہ بھی لندن یا امریکہ چلی جاتی۔ غریب تھی اس لیے ہندوستان چلی گئی۔ ادھر ہندوستان کے مسلمان ادیب، بہت ہی کم اس سے خلوص سے ملتے تھے۔ پاکستان کا سفارتخانہ بھی خوب دشمنی نبھا رہا تھا۔ میں ہندوستان گئی۔ فہمیدہ بھاگی بھاگی مجھے ملنے اور یوسف کی موت کی تعزیت کرنے آئی۔ فوراً ہمارے سفارتخانے نے میری شکایت لگائی کہ میں پاکستان دشمن خاتون سے ملی ہوں۔ شکایت لگانے والے بھی بریگیڈیئر عسکری تھے جو ہمارے پریس منسٹر لگے ہوئے تھے۔

فہمیدہ بہت پڑھی لکھی اور ذہین خاتون ہے۔ یہ الگ بات ہے کہ گھر اور زندگی میں ڈسپلن رکھنا نہ اُسے آیا اور نہ کبھی اس نے یہ Claim بھی کیا۔ نظم کے علاوہ جب اس نے نثر اور ناولٹ لکھنے شروع کیے، کہانیاں لکھیں تو کمال اسلوب کا مظاہرہ کیا۔ رومی اور فروغ فرخ زاد کے فارسی سے براہ راست تراجم کیے مگر زندگی میں خوشیاں نہ بہت اس نے مانگیں اور نہ خدا کو اس پر مہربان ہونا اس طرح آیا کہ گھر میں روپے پیسے کی ریل پیل ہو۔ زندگی جیسی بھی گزری فہمیدہ نے اس کو بسر وچشم قبول کیا۔ اس کی معصومیت کو اجاڑنے کے لیے بہت سے طوفان اُمڈے مگر دیوار پہ کندہ نقش کی طرح، فہمیدہ ہمیشہ چھکتی ہوئی ملتی ہے۔

میں نغمہ گر ہوں۔ نور جہاں

1960ء میں رائل پارک میں بیاہ کر آئی۔ یہاں مجھے فلمی دنیا کی سچی کہانیوں اور شخصیتوں سے بیک وقت واسطہ پڑا۔ کبھی کبھی تو یوں ہوتا کہ ادبی، فلمی اور صحافت سے متعلق شخصیات بیک وقت موجود ہوتیں اور کبھی یوں ہوتا کہ بخاری صاحب کہہ جاتے ''یہ لڑکا محمد علی مجھے بہت پیارا ہے۔ یہ تمہارے گھر بیٹھے گا۔ فلمی لوگ اس سے رابطہ کرنے آئیں گے۔'' اور بے چارے محمد علی بھائی، کبھی کبھی تو سارا دن اِسی انتظار میں گزار دیتے۔ چونکہ میرا گھر ریڈیو اور نئے نئے قائم ہوئے ٹیلیویژن سنٹر کے علاوہ فلم سنسر بورڈ کے دفتر سے بھی بہت قریب تھا۔ تو جس کو پیاس لگتی کہ بھوک، میرے گھر کے دروازے، میری غیر موجودگی میں بھی کھلے ہوتے تھے۔ کئی دوست تو کھانا کھانے کے بعد شکریے کی چٹ چھوڑ جاتے تو ان کے آنے کا علم ہوتا۔ اس زمانے میں شہزاد احمد نسبت روڈ پر رہتے تھے۔ اکثر شام کو ہم لوگ اکٹھے ہوتے، ٹی ہاؤس سے احمد مشتاق، زاہد ڈار، جاوید شاہین اور سلیم شاہد گھر آ کر خوب شور وغوغا کرتے تھے۔

اب آ گیا 1965ء کا زمانہ، صدر ایوب نے ہم سب کو جنگی جنون میں مبتلا کر دیا۔ ریڈیو سٹیشن میں اس شخصیت سے بھی ملاقات ہوئی، جس کے بارے میں تصور بھی کبھی نہیں کیا تھا۔ یہ تھیں میڈم نور جہاں۔ راجہ تجمل حسین نے الطاف گوہر کے کہنے پر محمد علی اور نور جہاں کو بلا کر، ریڈیو کو ان کے حوالے کیا۔ طے پایا کہ روز شام کو ساڑھے پانچ بجے فوجی بھائیوں کے پروگرام میں، میڈم ایک گانا گائیں گی جسے صوفی تبسم لکھا کریں گے۔

اب دن شروع ہوتا یوں کہ ہر روز بارہ بجے کے قریب میڈم آتیں۔ صوفی صاحب سے لاڈیاں کرتیں کہ جلدی سے مجھے مکھڑا لکھ دیں تاکہ میں گنگناؤں اور دھن بناؤں۔ میڈم کے گھر سے

ریڈیو سٹیشن کے پورے خاندان کے لیے کھانا آتا تھا۔ صوفی صاحب سر کھجا کر کہتے "ذرا کھانے کے بعد لکھوں گا۔" کبھی کہتے "میرے ول تکی جاتے میں لکھی جاواں گا۔" میڈم مسکرا کر کہتی جاتیں "چلو ہٹو! اے کم تے جوانی اچ نئیں کیتے۔" اُسی زمانے میں میڈم کے اعجاز سے تعلقات خراب ہونے شروع ہوگئے تھے کہ ہم نے ریڈیو پر ہی اعجاز کے والد سے میڈم کی کچھ تلخ گفتگو بھی سنی۔ ہم لوگ بھی اپنے دفتروں میں حاضری لگا کر ریڈیو سٹیشن آجاتے تھے اور یوں کبھی خندقوں میں چھپتے اور کبھی سٹوڈیو میں ریکارڈنگ کرتے۔ آل انڈیا ریڈیو مانیٹر کرکے، ان کی تقریروں کے جواب لکھتے ہوئے وقت گزرتا تھا۔ شام کو فوجی بھائیوں کے پروگرام میں میڈم نیا ترانہ پیش کرتی تھیں۔ چونکہ پروگرام لائیو ہوتا تھا، اس لیے ریکارڈنگ سٹوڈیو میں، ہم سب جمع ہوتے تھے اور میڈم سازندوں کے ساتھ گا رہی ہوتی تھیں۔ مجھے یاد ہے جب انہوں نے گایا "اے پتر ہٹاں تے نئیں وکدے" تو ماحول ایسا تھا کہ سٹوڈیو میں موجود ہر شخص رو رہا تھا، خود میڈم کے آنکھوں سے آنسو رواں تھے۔

دن کی ہماہمی اور جنگ کے سترہ دنوں کے بعد بھی، یہ روش جاری رہی کہ ہم سب گلبرگ میں راجہ تجمل حسین اور دوستوں کی مشترکہ "بیٹھک" میں جمع ہوتے تھے۔ اس بیٹھک کا نام ہم نے "قعرِ مذلت" رکھا تھا۔ یہاں نو دس بجے رات کو محفل جمتی اور صبح تین چار بجے تک جاری رہتی۔ کبھی میڈم اپنی مرضی سے کچھ سنا رہی ہوتیں، کبھی فریدہ خانم اور کبھی ملتان سے آئی ہوئی اقبال بانو کہ 1970ء تک، بانو ملتان ہی میں رہا کرتی تھیں۔

میڈم کے اندر لوگوں کو سمجھنے کا اور گرویدگی کا عجب حسن تھا۔ وہ شاعری کرنے والوں کو بہت پسند کرتی تھیں۔ سنا ہے جب فیض صاحب "پنڈی سازش کیس" سے رہا ہو کر آئے۔ اس زمانے میں وہ شملہ پہاڑی والے گھر میں رہتے تھے۔ نور جہاں ان کے گھر مٹھائی اور پھل لے کر مبارکباد دینے پہنچیں۔ فیض صاحب کے ساتھ کسی بھی نجی نشست میں انہیں بلایا۔ انہوں نے کبھی انکار نہیں کیا بلکہ بغیر ساز کے، بغیر کسی نخرے کے، انہوں نے بہت محبت سے فیض صاحب کی چیزیں سنائیں۔

ریگل پہ جہاں ریسٹورنٹ میں انجیلا ڈانس کرتی تھی۔ وہاں ایک تقریب فیض صاحب کے اعزاز میں منعقد ہوئی۔ وجہ تقریب تو یاد نہیں۔ البتہ یہ یاد ہے کہ اس زمانے میں شوکت حسین رضوی اور نور جہاں کی طلاق ہوئی تھی مگر اس نشست میں دونوں موجود تھے۔ حسب روایت میڈم سے کچھ سنانے کے لیے کہا گیا تو انہوں نے باقاعدہ ہاتھ کا اشارہ رضوی صاحب کی طرف کیا اور گانا شروع کیا "مجھ سے پہلی سی محبت مرے محبوب نہ مانگ۔" سب لوگ اسی طرزِ تخاطب سے بہت محظوظ ہوئے اور یہ

بات کئی دن تک شہر کا موضوعِ گفتگو رہی۔

یہ وہ زمانہ تھا جب لاہور میں خاص کر مال روڈ پر شوقین لوگ بغیر پردے کے سجا ہوا ٹانگہ لے کر، مال روڈ کی سیر کو نکلتے تھے۔ پڑھے لکھے نوجوان یا تو شیزان اورینٹل جاتے تھے یا کانٹی نینٹل، امیر زادے اور منظور قادر جیسے ثقہ لوگ، الگ کونوں میں بیٹھے ہوتے۔ گورنمنٹ کالج اور لاء کالج کے لڑکے کھڑکی کی جانب بیٹھتے کہ سڑک سے گزرتی لڑکیوں کو بھی دیکھ لیں۔ ان ریسٹورنٹ میں لڑکیاں بہت کم بلکہ خال خال ہی نظر آتی تھی۔ البتہ سڑک پہ یعنی مال روڈ پر گاڑی تیز تیز چلاتی ہوئی فریدہ خانم گزرتیں اور اکثر ان کے ساتھ نور جہاں بیٹھی ہوتیں۔ اس زمانے میں ان دونوں کی بہت گاڑھی چھنتی تھی۔ دروغ بر گردنِ راوی مگر گاڑی کی رفتار، بہت شوخ اور خوش لباس نوجوانوں کے قریب آ کر کچھ مدہم پڑ جاتی تھی مگر یہ زمانہ 1965ء سے پہلے کا ہے۔

1965ء کے بعد، میڈم سے ملاقاتوں کے سلسلے میں تواتر سے واقعات بھی شامل ہوتے گئے۔ 1976ء میں فراز نے فوج کے خلاف نظم لکھی۔ جس پر اس کو پکڑ کر اٹک قلعے میں بند کر دیا گیا۔ کئی روز تک یہ معلوم نہ ہو سکا کہ وہ کس حال میں ہے اور کہاں ہے۔ سیف الدین سیف احمد فراز کی گرفتاری کے وقت اکٹھے تھے۔ اس لیے سیف صاحب اور میں نے مل کر ہیبس کارپس میں رٹ داخل کی۔ جسٹس ظلہ کی کورٹ میں لگائی گئی۔ عابد منٹو ہمارے وکیل تھے۔ جج صاحب نے جب دوسری دفعہ ڈانٹ کر فوجیوں سے کہا (اس وقت یہ ممکن تھا) کہ بہر حال فلاں تاریخ کو احمد فراز کو عدالت میں پیش کیا جائے اور ہمیں پیغام ملا کہ اس دن تمام شہر کے ادیبوں کو عدالت میں جمع کر لیا جائے۔ یہ بھی اُسی زمانے میں ممکن تھا کہ احمد ندیم قاسمی صاحب سے لے کر تمام قابلِ ذکر ادیب، عدالت میں احمد فراز کی پیشی سے پہلے موجود تھے۔ جس وقت احمد فراز کو سامنے لایا گیا، میں ابھی عدالت سے باہر ہی کھڑی تھی۔ فراز کی ہیئت کذائی دیکھ کر میری چیخ نکل گئی اور میں بے تحاشا رونے لگی۔ احمد فراز اتنا دبلا اور زرد سا ہو رہا تھا کہ دیکھا نہ جا سکتا تھا۔ یوسف کامران مجھے پکڑ کر عدالت میں لے گئے کہ ہمیں فراز سے بات تک کرنے نہیں دی گئی تھی۔

اب پیشی تھی فراز کی۔ جج صاحب نے پوچھا ''آپ کو پکڑتے ہوئے کوئی وارنٹ، کوئی کاغذ دکھایا گیا تھا۔'' فراز نے جواب دیا ''نہیں سر، بلکہ جو نظم مجھ سے منسوب کی گئی ہے، میں نے وہ بھی نہیں لکھی ہے۔'' جج صاحب نے کہا ''یہ معاملہ تو بعد کا ہے کہ وہ نظم آپ کی ہے یا نہیں۔ البتہ عدالت حکم دیتی ہے کہ احمد فراز کو ضروری کارروائی کے بعد رہا کیا جائے اور اگر مقدمہ چلانا ہے تو باقاعدہ مقدمہ چلایا جائے۔''

اب ہم نے بیگم بھٹو کے ذریعہ سے بھٹو صاحب سے سفارش کروائی کہ معاملہ کو رفع دفع کریں مگر بھٹو صاحب تو اور بھی ناراض ہوئے اور بولے "سوال ہی پیدا نہیں ہوتا' یہ کوئی وقت تھا اس طرح کی نظم لکھنے کا۔ مجھے پہلے تھوڑے عذابوں کا سامنا ہے۔" جب بیگم بھٹو نے قطعی طور پر کسی قسم کی مدد کرنے سے معذرت کی تو اب میڈم کے پاس ہم لوگ گئے کہ میڈم کی بہت دوستی تھی اسی خاتون سے جس کے گھر ہائٹ لائن لگنے اور بھٹو صاحب کے تعلقات کی باتیں فضا میں تیر رہی تھیں۔ اب یہ بات تین مرحلوں پر مشتمل تھی۔ اول میڈم کو راضی کرنا' دوسرے پھر اس پری زاد کے دل کو موم کرنا اور پھر بھٹو صاحب کو تیار کرنا کہ وہ ایک دفعہ تو معافی دے دیں۔

میڈم جیسے گائیکی میں مرکیاں نکالتی ہیں بالکل اُسی انداز میں وہ حامی بھرنے سے قطعی گریزاں تو نہیں تھیں البتہ گلہ مند تھیں کہ یہ شخص احمد فراز کو میں بار بار بلاتی ہوں' میرے پاس آتا ہی نہیں۔ میں کیوں کروں اس کی سفارش۔ میرے ساتھ اس وقت مسعود اشعر بھی تھے۔ ہم نے وعدہ کیا کہ اب کہ ہم خود فراز کو پکڑ کر لائیں گے۔ پہلے آپ اُسے چھڑوائیں تو سہی۔ کئی دن ایسا ہوا' ہم روز شام کو جاتے' سارے جہان کی باتیں ہوتیں مگر فراز کے سلسلے میں کوئی حتمی بات کرنے سے گریزاں تھیں۔ ایک شام ہم پہنچے تو پتہ چلا کراچی گئی ہیں۔ ہم نے سوچا کہ فراز کے معاملے کو سلجھانے گئی ہیں۔ ہمارا قیاس سچ تھا۔ وہ واقعی بلیک کوئین کے پاس گئی تھیں۔ پھر ایک شام پہنچے تو پتہ چلا شاہ جمال کے مزار پر منت ماننے گئی ہیں۔ آخر آخر اطلاع پہنچی فراز کو پنڈی لایا گیا ہے اور ضیاء الحق کے سامنے پیش کیا جائے گا۔ مسعود اشعر کو اس لیے روانہ کیا گیا کہ مسعود اشعر جب ملتان میں تھے تو ایڈیٹر امروز تھے اور اس زمانے میں یہی اخبار ملتان میں بہت معروف تھا۔ اکثر ضیاء الحق' مسعود اشعر کے دفتر' کبھی اپنی تصویر چھپوانے اور کبھی مودودی صاحب کی تفسیر کے حوالے سے گفتگو کرنے آتے رہتے تھے۔ ہم نے گزشتہ یاد اللہ کے حوالے سے مسعود کو فراز کی اعانت کرنے کو بھیجا۔ ضیاء الحق نے فراز اور مسعود کو بڑے مدلل طریقے پر تفصیلاً' بھٹو صاحب کی حکومت قائم رکھنے کی اہمیت سمجھائی۔ یہ تاریخ تھی 28 جون' بعدازاں 5 جولائی کو بھٹو صاحب کا تختہ الٹا جا چکا تھا۔

اب فراز کو لاہور لاکر' میڈم کے حضور پیش کرنے کی ہماری باری تھی کہ یہ وعدہ تو پورا کرنا تھا۔ میڈم' فراز کو لے کر شاہ جمال گئیں۔ اس کے بعد کیا ہوا' نہیں معلوم البتہ رات ساڑھے گیارہ بجے' احمد فراز نے ہمارے گھر کا دروازہ کھٹکھٹایا اور بولا "لو گو میں واپس آ گیا ہوں۔"

اتفاقیہ اور لمحاتی محبتوں کی دین کو ہمارے بہت سے لکھنے والوں اور فلم کے لوگوں نے' اپنے

لیے داستان بنا کر حرزِ جاں کی طرح عزیز بھی نہیں رکھا، لوگوں کے سامنے بیان بھی کیا۔ باتیں جب میڈم تک پہنچیں تو سوائے فیض صاحب کے، وہ ہر اس شاعر، موسیقار اور فلمی شخصیت پہ جس طرح برسیں وہ عالم کئی دفعہ تو ہم نے دیکھا، کئی دفعہ اس منظر سے گریز کر گئے۔

وہ شوکت حسین رضوی کو آخری لمحوں تک ''صاحب جی'' کہہ کر بلاتی تھیں۔ ایک دفعہ میڈم کے گھر دعوت تھی۔ یہ شاہ جی کے ساتھ صلح ہونے کے بعد ان کے اعزاز میں دعوت تھی جس میں یاسمین بھی شریک تھیں۔ وہ شاہ صاحب کے سامنے کھانا لا کر رکھ رہی ہیں اور بار بار کہہ رہی ہیں ''صاحب جی! یہ تو چکھیے۔'' کچھ دنوں بعد، میں نے پوچھا آپ شاہ صاحب کو صاحب جی کیوں کہتی ہیں۔ بولیں ''جب میں بمبئی شاہ صاحب کے سٹوڈیو میں گئی تو میری عمر بارہ، تیرہ برس تھی۔ سب لوگ سٹوڈیو میں شاہ صاحب کو ''صاحب جی'' کہا کرتے تھے۔ میں نے بھی کہنا شروع کر دیا۔ ایسا منہ پر چڑھا کہ آج تک میں شاہ صاحب کو ''صاحب جی'' ہی کہتی ہوں۔ میں نے بے ساختہ پوچھ لیا ''کیا ان دنوں میں بھی صاحب جی کہتی تھیں جب شاہ صاحب نے آپ کے خلاف کتاب لکھی یا لکھوائی۔ فوراً بولیں ''اتنا قصور صاحب جی کا نہیں جتنا لکھنے والے کے ذہن کی گندگی ہے۔''

ایک دفعہ اخبار میں ان کا بیان آیا کہ ''میرے لیے تو موسیقی ہی نماز اور موسیقی ہی عبادت ہے۔'' زمانہ وہی ضیاء الحق کا تھا۔ مولویوں کو تو بہانہ مل گیا بولنے کا۔ سب نے مشورہ دیا کہ ان مولویوں کو گھر بلائیں، کھانا کھلائیں، محبت سے باتیں کریں پھر دیکھیں یہ کیا بولتے ہیں۔ کمال ہو گیا۔ وہ لوگ کھانا کھا کر گئے تو گن گا رہے تھے نور جہاں کی خوش سیرتی کے۔

وہ شخص جوان کی تین بیٹیوں کا باپ تھا۔ وہ جلد امیر ہونے کے چکر میں جیل، وہ بھی لندن کی جیل میں تھا۔ میڈم نے اس کے مقدمے پر سارا خرچ اٹھایا۔ ہر چند اس قضیئے کو ختم کرنے میں چار سال لگے مگر میڈم نے بے توجہی نہیں برتی۔

ایک دن ہم صوفی تبسم کے گھر بیٹھے تھے۔ میڈم نے صوفی صاحب کی والدہ سے ملاقات کی خواہش کی۔ وہ اور دونوں آپائیں باورچی خانے میں بیٹھی تھیں۔ میڈم بھی وہیں پیڑھی پر بیٹھ گئیں۔ کہنے لگیں ''اماں میں صوفی صاحب سے شادی کر لوں تو بڑا مزا آئے گا۔'' وہ بہت چاؤ اور پیار سے خاطر کریں گے، اپنے ہاتھ سے نوالے بنا بنا کر کھلائیں گے۔ جب سونے کا وقت آئے گا تو کہیں گے ''جا اپنے کمرے میں جا کر سو جا۔''

میڈم نے کبھی اپنی پاکبازی کی نہ قسم کھائی اور نہ کوئی صفائی پیش کی اور نہ کبھی سچ کو قبول

کرنے میں تامل کیا۔ البتہ جن لوگوں نے ان کے پیچھے یہ اعلان کیا کہ میڈم ان کے عشق میں مبتلا ہیں۔ بس یہ کافی ہوتا تھا، میڈم کو جوتی اتار جی بھر کے مغلظات سنانے میں چاہے وہ کوئی خوبصورت شاعر ہو کہ سیاست دان۔ چاہے وہ کہتا ہو کہ ''کیسے کیسے لوگ.....''

لوگوں کو بہت شوق تھا یہ کہنے کا کہ ہم تو آپ کو بچپن سے سنتے آئے ہیں۔ برے نصیب صلاح الدین محمود کے، جمیلہ ہاشمی کے گھر ہر سال کی طرح آم پارٹی تھی۔ چھت پر سارے مہمان موجود تھے۔ نور جہاں بھی تھیں۔ صلاح الدین محمود ہمیشہ کلف لگے کپڑے اور اپنا بدن بھی اسی طرح استری شدہ رکھتے تھے۔ نور جہاں نے مجھ سے پوچھا کہ یہ اکڑا ہوا آدمی کون ہے۔ میں نے کہا آپ ایک دفعہ خود ان سے ان کا نام پوچھیں وہ فوراً اس توجہ پر بدحواس ہو کر بے ہوش ہو جائیں گے۔ کہنے لگیں ''اچھا چل میں کھانے کے بعد پوچھتی ہوں۔'' کھانے کے بعد آم کا دور چلا۔ میں نے نور جہاں کو اشارۃً یاد دلایا۔ کہنے لگیں ''دفع کر۔ آم بہت اچھے ہیں۔'' جب وہ واپس جانے لگیں تو صلاح الدین محمود کو خیال آیا کہ ان کا تو تعارف ہی نہیں ہوا۔ وہ ہر بات کھنگارنے کے بعد اور منہ صاف کر کے کرتے تھے۔ نور جہاں کو مخاطب کر کے بولے ''میڈم! ویسے تو میں بچپن سے آپ کو سنتا آیا تھا مگر یہ شرف ملاقات آج نصیب ہوا۔'' نور جہاں نے تفنن کے انداز میں کہا ''بڑی بڑی سفید داڑھیوں والے بھی مجھے یہی کہتے ہیں۔'' اور سیڑھیاں اتر گئیں۔ اگلے دن جب میں دفتر پہنچی تو ٹیلیفون کی گھنٹی بج رہی تھی۔ مجھے یقین تھا کہ صلاح الدین محمود کو رات بھر نیند نہیں آئی ہو گی۔

شوق منیر شیخ کو بھی بہت تھا نور جہاں سے ملنے کا۔ جب میڈم نے دل کے آپریشن کے بعد ایک بہت بڑی پارٹی کی۔ منیر شیخ لاہور آئے ہوئے تھے۔ میں انہیں ساتھ لے گئی۔ اتفاق سے میڈم کے ساتھ والی کرسی بھی انہیں مل گئی۔ منیر نے بتایا کہ میرا بھی دل کا آپریشن ہوا ہے۔ میڈم نے پوچھا ''ڈاکٹروں نے کیا کیا احتیاطیں بتائی ہیں۔'' منیر نے کہا ''پہلے تو یہ کہا ہے کہ کسی سے جپھی ڈال کے مت ملنا۔'' میڈم نے کہا ''پھر ملنے کا فائدہ ہی کیا ہوا۔''

میڈم نے عمر کے آخری دس سالوں میں کچھ شاعری بھی کرنی شروع کر دی تھی۔ مجھے کبھی کبھی سنا دیتی تھیں مگر عموماً وہ اپنی شاعری کو چھپاتی تھیں۔

اولاد کے علاوہ، زندگی میں دوستیوں کے رشتے بہت سلیقے سے نبھائے۔ حجاب امتیاز علی سے ان کی اور طرح کی دوستی تھی۔ نعیم طاہر اور یاسمین سے اور طرح کی۔ خواجہ نجم اور فرخ بشیر سے اور طرح کی۔ وہی فردوس جس کے عشق کے باعث، اعجاز سے رشتہ ٹوٹا تھا۔ اُسی فردوس کی دلجوئی اس زمانے میں

کرتی تھیں جب وہ نشہ آور ادویات کی مریض ہو کر، کالی سیاہ ہو گئی تھی۔

ان کے پراپرٹی کے معاملات میں حمیدہ جبیں (مرحومہ) کوئی پندرہ برس تک بہت قریب رہیں۔ مصطفیٰ قریشی اور روبینہ کی ہر پارٹی میں بالعموم شریک رہتیں۔ البتہ محمد علی کبھی اکیلے اور کبھی زیبا کے ساتھ ان سے ملا کرتے تھے۔

موسیقاروں میں چاہے نذیر علی ہوں کہ بابا چشتی کہ حسن لطیف سبھی نے ان کے در کی غلامی بخوشی کی اور لطف بھی خوب اٹھایا۔

میڈم نور جہاں نے سید شوکت حسین رضوی سے شادی کر کے اور پھر علیحدگی اختیار کر کے، ایک ہنر سیکھا تھا کہ خود کو مالی طور پر مستحکم کرو۔ انہوں نے سینما ہاؤس بھی خریدا اور چلایا۔ شاہ نور میں بھی اپنے بچوں کے حوالے ہی سے سہی، اپنا حصہ رکھا۔ بقول میڈم کے ہاتھ میں نوالہ اٹھاتی تو خیال آتا کہ اصغر یا اکبر نے بھی کچھ کھایا ہو گا کہ نہیں اور ہنڈیا اٹھا کر، وہاں دے آتیں۔ معصوم اور سادہ دل اتنی کہ صرف مسور کی دال پسند کرتی تھیں۔ دریا دل اتنی کہ جو آیا چاہے عاشق ہو کہ بوالہوس، ان کے در سے کچھ لے کر ہی گیا۔ میانہ روا تنی کہ اولاد کی جس میں بیٹیاں ہی بیٹیاں گھر پہ ہیں مگر ماں پنے کی توجہ بھی ہے اور دلداری کی رنگت ان کے لیے جوان کے گھر کے گھومتے زینے کے اوپر پہنچ جاتے تھے۔

بابا چشتی ہوں کہ حسن لطیف، ہارمونیم پہ بیٹھے، ملکۂ ترنم کی توجہ کے طالب ہیں۔ بہت کم صبح کو ورنہ شام کو گانا ریکارڈ کرواتی تھیں۔ ایک دفعہ موسیقار کی دھن سن کر، ایک لمحہ توقف کرتیں پھر کہتیں "چلو ریکارڈ کرو۔" مجال تھی جو کوئی ٹوک سکتا یا بول جاتا۔ سوال ہی پیدا نہیں ہوتا تھا کہ کبھی کنگھار نے یا گلہ صاف کرنے کی آواز آئے۔ اچار کی پھانک کھا کر بھی کبھی گلا صاف نہیں کیا تھا۔

یوسف کے انتقال کے دو ماہ بعد عید آئی۔ میں اپنے کمرے میں بیٹھی پڑھ رہی تھی۔ آخر مئی کی سخت گرمی تھی۔ انٹر کام بجا۔ میں نے اٹھایا "عقیل بول رہا ہوں۔ دروازہ کھولیں میڈم آئی ہیں۔" میں حیران بھاگی بھاگی دروازے پہ گئی۔ عقیل ٹوکرا لیے کھڑا تھا۔ پھل ہی پھل تھے۔ میڈم بالکل سادہ ساڑھی میں ملبوس میرے گھر میں میرے کندھے پہ ہاتھ رکھ کر اندر آئیں۔ عقیل سے کہا "دو گھنٹے بعد آ کر لے جانا۔" میں نے کہا "آپ بغیر اطلاع کیے کیسے آ گئیں۔" بولیں "مینوں پتہ سی تو کلی بیٹھی ہوئے گیں۔" آنکھیں چھلک پڑیں۔ بہت باتیں کیں۔ زمانے کے ستم کی کہانیاں اتنی سنائیں کہ لگا میں دوسرے جنم میں لوہے کی ہڈیوں کے ساتھ پیدا ہو گئی ہوں۔

یوسف کے انتقال کے 6 ماہ بعد، خواجہ خورشید انور کا انتقال ہو گیا۔ میں ایک کونے میں چپ

چاپ کھڑی تھی۔ میڈم آئیں، میرا ہاتھ پکڑ کر خود بھی صوفے پہ بیٹھیں اور مجھے بھی بٹھایا۔ بولیں ''باپ کے مرنے کے بعد، بیٹے تو تنگ نہیں کرتے۔'' میری آنکھیں پھر چھلک پڑیں۔ میرا ہاتھ دباتے ہوئے بولیں ''لوگ کہتے ہیں میں ابھی تک مسلسل کیوں گائے جا رہی ہوں۔ انہیں کیا خبر کہ ہر پہلی کو ساری اولادوں کے حصے کے پیسے بانٹنے کے لیے مجھے کتنی رقم چاہیے۔''

1996ء میں میں نے ایشین میوزک فیسٹیول کیا۔ سرکار کی ضد تھی کہ اس کا افتتاح، وزیر اعظم قسم کے شخص سے کرایا جائے۔ میری ضد تھی کہ اس کا افتتاح میڈم نور جہاں کریں گی۔ جواب تھا کہ وہ قابلِ اعتبار نہیں۔ مجھے یہ زعم کہ میرا کہا نہیں ٹالیں گی۔ جب میں نے اس فیسٹیول کی اہمیت کے ساتھ ان کے آنے کی ضرورت بیان کی۔ انہوں نے کہا ''چاہے کچھ ہو جائے میں تو سارے فنکشن اٹینڈ کروں گی۔''

خاص فنکشن والے دن فون کیا تو پتہ چلا ہسپتال میں ہیں۔ میری جان نکل گئی۔ بھاگی بھاگی ہسپتال پہنچی۔ ہنس پڑیں۔ ''ارے یہ میں رات بھر جاگنے کے لیے گلوکوز لگوا رہی ہوں۔''

میں مطمئن واپس کام پہ لگ گئی۔ لاہور قلعہ کے دیوانِ خاص میں ضیا محی الدین کھڑے کہہ رہے تھے ''مجھے یقین نہیں کہ نصرت فتح علی خاں اور میڈم آئیں گے۔'' کہ اتنی دیر میں بھرے مجمع میں شور مچا ''راستہ دو گاڑی کو قریب لانا ہے۔ میڈم آئی ہیں۔'' صبح 3 بجے تک وہ نہال ہوتی رہیں۔ جب نصرت فتح علی نے گانا ختم کیا تو بے ساختہ سٹیج پر خود ہی آ گئیں۔ مجمع میں وزیر، کبیر، افسر، امیر زادے، سب زمین پر بیٹھے تھے۔ بے شمار نوجوان سارا انتظام سنبھالے تھے۔ تل دھرنے کو جگہ نہیں تھی مگر مجال ہے کہ ذرا سی بھی بدنظمی ہوئی ہو۔ اگلے دن غزل گائیکی کا پروگرام تھا۔ پھر مقررہ وقت پر شور مچا ''میڈم آ گئیں۔'' میڈم نے نہ صرف سب کا گانا سنا بلکہ جب کوئی سازندہ بے تالا ہوتا تو وہیں بیٹھے بیٹھے ٹوک دیتیں۔ فرمائش کر کے، مہدی حسن، اقبال بانو اور غلام علی سے بہت سی چیزیں سنیں۔

پھر یوں ہوا کہ آل انڈیا ریڈیو اردو سروس کے ڈائریکٹر کے۔ کے نیر، پاکستان آئے۔ فرمائش کی ''میڈم سے انٹرویو کروا دو۔'' میں نے فون کیا ردوکد کے بعد وقت طے ہوا۔ مجھے اس وقت فلم سنسر کرنے کے لیے جانا تھا۔ میں نے انہیں میڈم کے پاس بھیج دیا۔ فلم سنسر کے دوران کے۔ کے نیر میرے پاس پہنچ گئے۔ بولے اٹھو میرے ساتھ چلو، میڈم نے کہا ہے کہ کشور ہو گی تو انٹرویو دوں گی۔ آل انڈیا ریڈیو کی تاریخ میں یہ پہلا اور آخری دو گھنٹے کا انٹرویو ہے جس میں میڈم نے بغیر ساز کے گایا بھی ہے۔ زندگی کے ہر پہلو پہ بولیں بھی ہیں اور اپنے ہاتھ کے بنائے ہوئے پکوڑے بھی کھلائے تھے۔

چونکہ مجھے کریلے بہت پسند ہیں، میڈم نور جہاں اور استاد دامن خاص فون کر کے کہتے "آج تیرے لیے چکن کریلے بنائے ہیں۔" میں کتنی دولت مند ہو جاتی تھی ان بلاووں سے!

زندگی نے پینترے بدلنے شروع کیے۔ اب آواز نے ساتھ نہیں چھوڑا مگر گردوں نے بھی تنگ کرنا شروع کر دیا۔ پہلے پنڈی کا سینما فروخت کیا۔ پھر لاہور کا گھر بیچا۔ گویا لاہور کو چھوڑ کر کراچی میں بیٹیوں کے پاس چلی گئیں۔ میں رات کو گیارہ بجے کے بعد فون نہیں اٹھاتی مگر اب ان کے کراچی جانے کے بعد مجھے اندازہ ہوا کہ رات کو ساڑھے گیارہ بجے، اگر گھنٹی بجے گی تو یہ دل سے چاہنے والی نور جہاں کی ہوگی۔ کبھی کسی شعر کی فرمائش، کبھی اپنی پسند کا شعر سنانا۔ کبھی احمد فراز کا فون نمبر مانگنا، کبھی افتخار عارف کا حال پوچھنا، کبھی یہ تشویش، ٹی وی پہ مشاعرہ ہو رہا ہے۔ میں اس میں شامل کیوں نہیں ہوں۔ طبیعت تو ٹھیک ہے۔

ادبی محفلوں میں جو ذاتی نوعیت کی گھروں پر ہوں۔ اس میں ضرور شامل ہوتیں۔ جمیلہ ہاشمی کے گھر، حجاب امتیاز علی، میرے بھائی جان (جن کو وہ بھی بھائی جان کہتی تھیں) اور پھر میرے گھر۔ اب اگر ان کا موڈ آ گیا تو سارے گانے والوں کی نقلیں اتار اتار کر سب کو بری طرح ہنساتی تھیں۔ ان نشستوں میں ان سے گانے کے لیے کبھی نہیں کہا گیا۔ ان کا جی ہوا، تو چاہے فیض کا کلام یا گانا، یا کوئی انترا گنگنا اٹھیں تو ان کی مرضی۔

ایسا ہی نازک مقام اس وقت آیا جب سرکار نے فیض صاحب کا تعزیتی ریفرنس کیا۔ ہم لوگوں نے بھی ایک دن بعد، غیر سرکاری ریفرنس کا اہتمام کیا تھا جس میں مزدو یونینوں اور سارے انقلابیوں کو خراجِ تحسین کے لیے مدعو کیا تھا۔ اُسی میں ہم نے میڈم سے بھی وعدہ لیا تھا کہ وہ بولیں گی۔ چونکہ سرکاری تقریب میں بھی وہ شریک تھیں۔ اس وقت کے سیکرٹری کلچر مسعود نبی نور نے اپنا پورا زور لگا لیا مگر میڈم نے گانے یا بولنے سے صاف انکار کر دیا۔ اگلے دن جب ہماری جانب سے پروگرام تھا تو میڈم نے کہا "لوگ فیض صاحب کو بھائی کہہ کر بلا رہے ہیں (کہ ان سے پہلے ملکہ پکھراج بول کر گئی تھیں) میرے تو وہ دوست تھے۔ مجھے اس دوستی پہ فخر ہے اور اسی دوستی کی نشانی "آ کہ وابستہ ہیں" اس طرح سنائی کہ ہر آنکھ نے ٹپ ٹپ کر داد دی۔

ان کی وفات سے چند ماہ پہلے، میں کراچی گئی۔ معلوم تھا وہ ہسپتال میں ہیں۔ فون کیا کہ میں چار بجے آؤں گی۔ اگر وہ مل سکیں تو۔ میرے ساتھ ش۔ فرخ بھی تھیں۔ ڈاکٹر نے معذرت کرتے ہوئے کہا کہ کسی سے ملنے کی اجازت نہیں ہے۔ میں نے پھول پکڑاتے ہوئے کہا "بتایئے گا کشور ناہید

آئی تھیں۔'' ابھی چند قدم گئی تھی کہ ان کی سب سے چھوٹی بیٹی نازیہ جو کہ پینٹر ہے۔ بھاگی بھاگی آئی ''آنٹی آپ کو ممی بلا رہی ہیں۔'' ڈاکٹر حیران کھڑا تھا۔ میں نے خود ہی آدھے گھنٹے بعد جانے کی اجازت چاہی۔'' بہت پیار کیا۔ نازیہ لفٹ تک چھوڑنے آئی۔

آج بھی جب نازیہ کسی پینٹنگ کی نمائش میں نظر پڑتی ہے تو بے ساختہ پوچھ لیتی ہوں ''ممی نے بلایا ہے۔''

مجھے یاد ہے جب علامہ اقبال کی صد سالہ تقریبات منائی جا رہی تھیں تو کسی نے یہ باریک نکتہ اٹھایا کہ کیوں نا شکوہ اور جواب شکوہ ام کلثوم اور نور جہاں سے گوایا جائے۔ تحریک کو تعاون کا ست لڑا پہنایا گیا۔ معجزہ ہو گیا۔ علامہ اقبال کا کلام اِم کلثوم نے بھی گایا اور نور جہاں نے بھی۔ محنت تھی آغا ناصر کی۔

مجھے یاد یہ بھی ہے کہ 1975ء میں جب اِم کلثوم کا انتقال ہوا تھا تو سرکاری سطح پر تدفین کا اہتمام کیا گیا تھا۔ دنیا بھر کے موسیقار، متعدد سربراہانِ مملکت اور عوام کا جم غفیر تھا۔ باقاعدہ سرکاری بینڈ اور سلامی کے ساتھ اِم کلثوم کا جنازہ اٹھایا گیا تھا مگر ہم نے اپنی نور جہاں کے ساتھ کیا کیا۔ اس کی اپنی اولاد نے کراچی کی غیر زمین پر اس کو ایسے پردہ پوش کیا جیسے وہ کوئی عیب تھی۔ نہ حکومت.....اور نہ اولاد کو توفیق ہوئی کہ وہ شہر لاہور جہاں وہ آباد رہی اس کے لوگوں کا حوصلہ اور محبت کو تو آزماتے۔ لاہور میں دفنانے کے لیے جنازہ تو لاتے۔

اور تو اور یہ بھی کسی کو توفیق نہ ہوئی کہ اتنی فنی دولت چھوڑنے والی خاتون اور اتنی نامور شخصیت کا اِم کلثوم کی طرح میوزیم ہی بنا دیا جاتا۔ جس گھر میں اس کے نغمے گونجتے تھے۔ وہ کب کا ڈھیر ہو چکا۔ اس کی جگہ بیسیوں منزلہ عمارت تعمیر ہو گئی ہے۔

مگر کیا کبھی ہم نور جہاں کو بھلا سکیں گے!

بہت قریب سے دیکھا۔ مختلف ادیبوں کے بارے

کچھ لوگ کہانیوں کی طرح یاد رہتے ہیں اور کچھ لوگوں کی جھلکیاں کبھی بھی دھندلی نہیں ہوتی ہیں اور کچھ لوگ بلیک بورڈ پر مٹائے جانے والے مضمون کی طرح ہوتے ہیں۔

رائل پارک ایسا علاقہ تھا جہاں فلم سے لے کر ادیبوں تک سب سے بے تکلفی سے ملاقات رہتی تھی۔ میں سب سے چھوٹی تھی مگر سب کی بھابی تھی۔ وہ لوگ جن کے نام ریڈیو کے مشاعروں میں سنے تھے' وہ جب گھر آتے' یا پھر نیچے غفور بٹ کے سکرین لائٹ کے دفتر میں آتے تو میری بھی ملاقات ہوتی۔ کبھی کبھی کہ میں نیچے اتر کر نہیں جاتی تھی۔ یہ لوگ سمجھ سے ملنے اوپر آ جاتے تھے۔

شہزاد احمد سے اکثر گھریلو ملاقات ہوتی تھی کہ وہ قریب ہی نسبت روڈ پر رہتے تھے۔ ہم لوگ دلی گیٹ میں ان کی بارات لے کر بھی گئے اور شاعرانہ سمجھ بوجھ اور نئی کتابیں پڑھنے کی جانب مائل کرنے میں انہوں نے میرا بہت ساتھ دیا۔ جب وہ پنڈی میں ٹی وی پر گئے تب بھی' میں جب بھی پنڈی جاتی' ان کے یہاں ہی قیام رہتا۔ جب وہ کراچی چلے گئے اور آناً فاناً ہارٹ اٹیک میں مبتلا ہوئے' تب بھی ان کا احوال پوچھنے گئی۔ جس طرح زندگی پینترے بدلتی ہے۔ اسی طرح کبھی کبھی دوست بھی سلوک کرتے ہیں۔ سرد مہریاں ہی اگر جگہ لے لیں تو خاموشی اور درگزر' بہت مناسب رہتی ہے۔ البتہ' گفتگو جب مغلظات میں ملبوس ہو جائے تو آنکھ اٹھا کر' اس شخص کی جانب دیکھا بھی نہیں جاتا۔ بس یہی حال اب شہزاد احمد کے ساتھ رشتے کا ہے۔

شاد امرتسری' بہت خوبصورت' بہت عمدہ ترنم میں گھلا ہوا' بہت ہی معصوم شخص تھا۔ میں نے تو اس کی بہت شائستہ اور بہت بے ساختہ گفتگو سنی تھی۔ نسبت روڈ پر ہی رہتے تھے۔ پیدل چل کر ریڈیو پہ نوکری کے لیے جاتے اور پیدل ہی واپس راستے میں غفور بٹ کے دفتر ٹھہر کر دیسی شراب پینے بیٹھ

جاتے۔ بہت کم ہوتا تھا' وہ بھی آ جاتے' شروع شروع میں نشہ کم ہوتا' گفتگو پرلطف رہتی' جیسے نشہ بڑھتا' گفتگو میں کڑواہٹ شروع ہو جاتی۔

پھر یوں ہوا کہ شاد امرتسری کا تبادلہ ڈائریکٹر ریڈیو سٹیشن حیدر آباد ہو گیا۔ اب میرا رابطہ کم کم تھا۔ میں مشاعرے کم پڑھتی تھی۔ یہ ضرور خبریں ملتی رہیں کہ شراب ڈاکٹروں نے بند کر دی ہے۔ جگر خراب ہو گیا ہے۔ لاہور آنا اور محفلوں میں بیٹھنا بھی کم کم ہو گیا ہے اور آخر کو ایک دن اس وقت خبر ملی جب لوگ میانی صاحب ان کو دفنا کر واپس آ رہے تھے۔ میں اور فریدہ خانم' شام ڈھلے قبرستان گئیں اور فاتحہ پڑھ کر آ گئیں۔

اسلامیہ کالج کوپر روڈ کی بغل میں احمد راہی کا حجرہ تھا۔ یہاں پر فلمی لوگوں کے علاوہ قتیل شفائی تو کبھی اے حمید' نواز اور کبھی خواجہ خورشید انور اور مسعود پرویز بھی ہوتے تھے۔ رائل پارک سے پائے' ہریسہ' دال چاول' جو چاہو بیٹھے بیٹھے آرڈر دو' گرما گرما کھانا حاضر' مگر بہت کم لوگ کھانے کے لیے رکا کرتے تھے' گرتے پڑتے کوئی دیوار کو پکڑے شور مچا رہا ہوتا تھا۔ ٹیکسی خالی ہے اور کوئی گھر پہنچتے ہی جھڑکیاں کھا رہا ہوتا تھا کہ آج پھر بے حال ہو کر آئے ہو۔

عدم صاحب تو ڈپٹی آڈیٹر جنرل ہونے کے باوجود' پہلی کو اپنی پوری تنخواہ چیلے شراب نوشوں میں تقسیم کر کے' دفتر سے قرض لے کر گھر والوں کو دیا کرتے تھے۔ بالکل اس طرح جیسے ساغر صدیقی کو دس روپے دے کر' روز' آئینہ ادب والے' غزل لکھوا لیا کرتے تھے۔ پچاس غزلیں ہو جانے پہ کتاب شائع کر دیتے تھے۔ ساغر صدیقی اپنے کمبل میں کبھی داتا صاحب کے کنارے اور کبھی بھاٹی گیٹ پڑے ہوتے تھے۔ ایک دن یونہی ٹھنڈ میں' احمد پرویز کی طرح اکڑ کر مرے ہوئے ملے۔ آجکل لوگ بلکہ جب تک یونس ادیب زندہ تھا تو لوگ ساغر صدیقی کا عرس کرتے تھے۔ وہ جسے روٹی میسر نہیں تھی' اس کی روح کو ثواب پہنچانے کے لیے دیسی گھی کی دیگیں چڑھاتے تھے۔

اوراق پلٹتے ہوئے دیکھتی ہوں تو کہیں اقبال ساجد بھی کھڑا ہوا نظر آتا ہے۔ جب تک زندہ رہا ''میں بھوک پہنوں' میں پیاس بیچوں'' والا شاعر' نہ معلوم کتنے غیر شاعر یا نیم شاعر لوگوں کو صاحب دیوان بنا گیا۔ اپنے بچوں کے لیے غزلیں بیچ کر روٹی کماتا اور جو بچتا وہ شراب پی کر بیہوش ہو جانے پر خرچ کرتا۔

ہم لوگوں نے کچھ دریا دل لوگوں سے پیسے لے کر' ریواز گارڈن میں اس کو گھر لے کر دیا۔ کئی دفعہ میں نے پیش کش کی کہ تم میرے دفتر نیشنل سنٹر میں' کتابیں لینے اور دینے کی ٹیبل پہ بیٹھنے کی نوکری

کرلو۔ چار پانچ ہزار روپے ماہانہ گھر میں آئیں گے اور پھر تمہارا کتابوں اور پڑھے لکھے لوگوں سے رابطہ رہے گا۔ علاوہ ازیں، تم جن کے لیے شعر لکھ کر روزی کماتے ہو، وہ بھی جاری رکھنا، مشاعرے بھی پڑھنا۔ بولا: ''نوکری ہی دینی ہے تو اپنی جیسی دو''۔ میں ہنس پڑی کہ یہ روزی تو میری 12 سال کی نوکری کے بعد اور اعلیٰ تعلیم کے باوصف ملی ہے اور تم تو میٹرک پاس بھی نہیں ہو۔ مگر میں نے یہ ساری باتیں دل ہی میں رکھیں۔ اسے کچھ نہیں کہا۔ بس اتنا کہا: ''تم گزارو پھر اپنے طرز کی زندگی''۔

واقعی وہ چپل پہنے صبح سے شام تک، سگریٹ چائے پیتا رات کو ٹھرّا پی کر یا کپی پی کر گھر جاتا، لڑتا جھگڑتا سو جاتا۔ جب جی میں آتا اور جس سے جی میں آتا، بے دھڑک پیسے مانگ لیتا۔ آخر اس زمانے میں پوا بھی تو پانچ روپے کا آتا تھا۔

پھر ایک دن وہ خبر ملی جو کسی بھی دن مل سکتی تھی۔ وہی ہوا کہ ہم سب نے مل کر نہ صرف قبرستان تک پہنچایا بلکہ ان ساری رسومات کو پورا کیا جو خاندان والے کیا کرتے ہیں۔ آخر وہ ہمارے خاندان کا فرد تھا۔

احمد راہی نے پکی عمر میں اچانک عشق کیا اور شادی بھی کرلی۔ وہ لڑکی، ٹیلی ویژن لاہور پہ ٹیلی فون آپریٹر تھی۔ ایک بوہیمئین شخص نے ایک نارمل انسان کی طرح زندگی گزارتے ہوئے بچے بھی پیدا کیے۔ اسی ریواز گارڈن میں اقبال ساجد جیسا فلیٹ لیا۔ کبھی برتن ٹوٹتے، کبھی دل میں دراز پڑتی۔ خود کو اکیلا کر کے دوبارہ جینے کی کوششیں بھی کیں۔ فلم کا چلن اور موضوعات بدل گئے تھے۔ احمد راہی کی ٹیم میں خواجہ خورشید انور اور مسعود پرویز ہوتے تھے، ان میں سے ایک مر چکا تھا اور دوسرا الگزائم کے مرض میں مبتلا تھا۔ اب تو زمانہ تھا ''میری ویل دی قمیص کدرے پاٹ گئی اے، کدرے ٹٹ گئی اے''۔ احمد راہی جیسا ''سن ونجلی دی مٹھری تان'' لکھنے والا لہجے اور زبان میں ابتذال برداشت نہیں کرسکتا تھا۔ فاقوں کی نوبت بھی آئی مگر غیرت کو کبھی طاق پر نہیں رکھا۔

یہ وہی احمد راہی تھا، جس کا احوال ہمیشہ امرتا پریتم پوچھا کرتی تھیں۔ پہلے پہل وہ سجاد حیدر کا حال بھی پوچھا کرتی تھیں مگر جب سے انہوں نے خط لکھ کر امرتا کی خودنوشت میں سے اپنا نام نکالنے کی بزدلی دکھائی تھی، وہ اب ان کا حال نہیں پوچھتی تھیں۔ احمد راہی کو جب میں واپس آ کر امرتا کا سلام اور محبت پہنچاتی، وہ ہنستے، کھلکھلا کر ہنستے اور بس، نہ کوئی سوال، نہ جواب، نہ تبصرہ، حالانکہ وہ اپنے زمانے کے بڑے فقرہ باز شخص تھے۔

ان کی مدد کے طریقے تلاش کیے جاتے تھے۔ میں نے پی این سی اے کی جانب سے ان کے

پرانے گانوں کے پروگرام کیے ان کو پیسے دلوائے۔ سمجھ تو گئے تھے مگر لاچاری نے کچھ کہنے سے روک دیا۔ زندگی کے اسی داؤ پیچ میں، جب بچوں نے باپ کا بھی بڑا بننے کی کوشش کی تو الگ ہو گئے اور پھر بالکل ہی الگ چلے گئے۔

مختار صدیقی نے مجھے نظم لکھنے پہ مائل کیا۔ کچھ اس طرح کہ جس کو چاہتے تھے اور اس سے مزید کام کروانا چاہتے تھے، اس کو وہ اپنے سامنے والے آغا بشیر کے کمرے میں بند کر دیتے تھے۔ حکم ہوتا تھا کہ اب جو میں نے کہا ہے وہ لکھو تب ہی باہر آ سکتے ہو۔ یہی حال انہوں نے انور سجاد کا کیا۔ صفدر میر سے ''آخر شب'' ڈراموں کا سلسلہ اسی طرح لکھوایا۔

انہیں افلاطونی قوتوں پر بڑا ایمان تھا۔ ان کے ذہن کی اختراع ایک عورت تھی جو ان کے خواب میں آتی۔ انہیں ''چندا'' کہہ کر بلاتی۔ ان کو جگاتی، ان کو سلاتی، ان سے باتیں کرتی اور پھر وہ یہ ساری باتیں، صرف ہم نیم جوان عورتوں کو سنایا کرتے تھے۔ اب تجزیہ کرتی ہوں تو اندازہ ہوتا ہے کہ وہ ایسے ہی الفاظ اپنے لیے اختیار کرتے تھے۔ ہر جمعرات کو وہ داتا صاحب جاتے، وہاں سے پھول اور ہار لے کر آتے، مجھ جیسی بے یقین عورت کو بھی دیتے، میرے گھر بھی آتے، مصیبت یہ تھی کہ جو شخص گھر آنے لگتا، وہ یوسف سے تہمتیں وصول کر کے جاتا، چاہے اس کا نام مختار صدیقی ہو کہ افتخار جالب کہ زاہد ڈار۔

علم کے معاملے میں مختار صدیقی کی سند سب بزرگ بھی مانتے تھے۔ یادداشت ایسی کہ مثال مانگو تو سینکڑوں شعر سن لو۔ جب میں کہتی کہ آپ نے خود کوئی زیادہ کام نہیں کیا۔ تو ہمیشہ کہتے ''جلدی کیا ہے، بہت وقت پڑا ہے۔''

بھٹو صاحب کے آنے کے بعد ان پر بھی برا وقت یوں پڑا کہ سوشلزم کا لفظ نیا نیا سرکاری طور پر رائج ہوا تھا۔ ان کے افسر نے بھی کہا کہ اب کلاسیکی شاعری نہیں، سوشلزم چلے گا اور کیا آپ نے اس کے بارے میں کچھ پڑھا ہے۔ اس دلیر شخص نے افسر کو چڑانے کے لیے کہہ دیا ''نہیں''۔ پھر دفتری چپقلش شروع ہوئی۔ اس زمانے میں ناصر کاظمی میو ہسپتال میں تھے۔ وہی سوال مدد کرنے کا اٹھا، مختار صدیقی نے کہا ایک مشاعرہ کرتے ہیں اور تم سب لوگ چیک پہ سائن کر کے مجھے واپس کر دینا اور یوں کل رقم ناصر کو پہنچا دیں گے۔ شاید ایک آدھ شاعر نے چیک واپس نہیں کیا، باقی سب نے چیک مختار صدیقی کو دے دیئے۔ وہ تو ناصر کاظمی کا ہسپتال سے اٹھ کر کرشن نگر کے کباب اور پان کھانے کا شوق لے ڈوبا اور یوں بہت بڑائی شاعری کا چراغ گل ہوا۔ مختار صدیقی بھی اس کے بعد بہت دن نہیں

جیے۔ مجھے یاد ہے ایک دن جمیلہ شاہین، راولپنڈی سے لاہور آئی تھیں اور ایمپیسڈ رہوٹل میں ٹھہری تھیں۔ وہاں میں نے ان کی ''چنداوالی'' داستان کے بیچ میں ٹوک دیا۔ ناراض ہو گئے اس قدر ناراض کہ کمرے سے نکل گئے۔ باہر گر پڑے۔ ہسپتال لے جایا گیا۔ دل کا دورہ ایسا تھا کہ ایک ہفتے تک اسی عالم میں پڑے رہے۔ میں ہسپتال جاتی مگر ان کے سامنے نہ ہوتی کہ کہیں پھر ناراض نہ ہو جائیں۔

بچوں اور بیوی سے اتنی محبت تھی کہ جب بیوی پہ جوڑوں کے درد کا حملہ ہوتا تو گھر پہ روٹیاں تک پکاتے مگر مجھ سے کیا ناراض ہوئے، سب سے ہی ناراض ہو کر چلے گئے۔

ناصر کاظمی کے بارے میں سنا تھا کہ وہ بھری دوپہر میں ٹی ہاؤس کے سامنے والی اور کمرشل بلڈنگ کے سامنے فٹ پاتھ پر ٹہلا کرتے ہیں۔ میں بس میں کالج سے واپس آ رہی تھی۔ کمرشل بلڈنگ پہ بس رکی۔ سامنے وہ منظر تھا جو سنا تھا۔ بھاگ کر گاڑی سے اتری۔ سڑک کراس کی۔ ''میں کشور ناہید ہوں۔ شاعری کرتی ہوں۔ آپ سے ملنے کا بہت شوق تھا''۔ ''ہاں میں نے آجکل تمہارا نام سنا ہے'' میں برقعہ میں اور ناصر کاظمی سر پر رومال ڈالے تھوڑی دور تک ٹہلتے رہے۔

اب ملاقات کی نئی منزلیں آئیں۔ میں نے دیہات سدھار کا ماہنامہ ''دوست'' جوائن کیا۔ ڈائریکٹر جنرل میر نسیم محمود تھے بلکہ مجھے یہاں لانے والے وہی تھے۔ کچھ ہی دنوں بعد اسی دفتر میں جاوید شاہین کا تقرر ہو گیا۔ وہ میرے باس تھے۔ واقعی اکثر دفعہ باس ہی کی طرح پیش آتے تھے مگر جب اسی دفتر میں دن کے گیارہ بجے کے قریب ناصر کاظمی آ جاتے کہ ان کا دفتر بھی چند قدم کے فاصلے پر تھا اور منیر نیازی بلا مبالغہ ناشتہ کرنے پیدل گھر سے چل کر آتے۔ ہمیشہ سلیٹی شرٹ اور سلیٹی پینٹ پہنے ہوتے۔ وہ ہمارے دفتر بیٹھ کر گفتگو کرتے اور چائے پیتے۔ اسی دوران ہم ٹیلی فون پر محبوب خزاں اور جمیلہ ہاشمی سے گفتگو کیا کرتے تھے۔

پھر یوں ہوا کہ میں بھی ایبٹ روڈ سے اٹھ کر کرشن نگر آ گئی۔ یہاں ادیبوں کا ایک قافلہ تھا جو بستا تھا۔ ایک گلی میں ناصر کاظمی کا گھر تھا، دوسری گلی میں نذیر ناجی آگے جاؤ تو احمد بشیر اور پروین عاطف کا گھر تھا۔ تھوڑی دور پہ احمد مشتاق کا گھر تھا۔ ذرا سا آگے انجم رومانی کا گھر تھا اور پھر کچھ ہی دن بعد منو بھائی بھی یہیں آ کر کرایہ دار بن گئے تھے۔ کرشن نگر سے مڑو تو جاوید شاہین کا گھر تھا اور اس سے بہت پہلے، زاہد ڈار کا گھر تھا۔ ویسے تو مرزا منور بھی وہیں رہتے تھے اور مرزا ادیب بھی، مگر ان سے اس طرح کی سلام دعا نہیں تھی۔

ناصر کاظمی کو اپنی گلی کی نکڑ پر کبابیے کے ہاتھ کے کباب اور پھر دوسری نکڑ پر پان والے

کے پان بہت پسند تھے۔

کرشن نگر رہنے کے زمانے میں میرے ان سارے سینئر دوستوں خاص کر ناصر کاظمی اور نذیر ناجی کو جب گھر لوٹتے ہوئے دیر ہو جاتی تو میرے گھر سے گزرتے ہوئے مجھے اپنے بچاؤ کے لیے ساتھ لے لیتے کہ ان کی بیویوں کو میرے اوپر اتنا اعتماد تھا کہ میرا ہر بہانہ وہ قبول کر لیتی تھیں ورنہ گھروں میں برتن بہت ٹوٹتے تھے۔

ناصر کاظمی سے روز ملاقاتوں کا سلسلہ اس طرح چلا کہ میں ریڈیو پہ کوئی نہ کوئی پروگرام کرتی تھی۔ اس زمانے میں بڑے تخلیقی جوہر ریڈیو پر موجود تھے۔ فہیم جوزی نے کوئی نہ کوئی نیا خیال ڈھونڈ لیا۔ افتخار جالب اور مجھے لگا دیا کہ ہم فرانسیسی اور انگریزی ادب کے ریفرنسز نکال کر رکھیں۔ پھر وہ سمبلاز بنتا تھا جو ہم لوگ خود ہی پیش کرتے تھے۔

ناصر کاظمی ہفتہ میں ایک بار غنائیہ پیش کرتے تھے۔ انتخاب ہوتا تھا کلاسیکی شاعری کا اور مکمل تدوین ناصر کاظمی خود کرتے تھے۔ یہاں ہر ملاقات میں تازہ اشعار، کبھی نظیر کے، کبھی سودا کے اور کبھی مصحفی کے، کمال لطف آتا تھا۔ پھر مجھے شعر سنانے کے لیے کہتے۔ یہیں بے تکلفی سے گفتگو شروع ہوئی۔ انتظار حسین سے، شہرت بخاری، انجم رومانی اور یوسف ظفر سے۔

وہ لوگ جو کبھی ریڈیو پر نہیں آئے مگر جن سے دوستی پھر ناصر کاظمی کے توسط ہوئی۔ ان میں احمد مشتاق، شیخ صلاح الدین، غالب احمد اور زاہد ڈار تھے۔ ان لوگوں سے ملاقات کا سبب حلقہ اربابِ ذوق میں شمولیت بھی تھی۔ یہاں ایک معرکتہ الآرا شخصیت قیوم نظر کی بھی تھی۔ حلقہ اربابِ ذوق کے الیکشن میں مجھے آجکل کے ناظموں کی طرح، باقاعدہ اٹھا کر نصیر انور کے گھر سے ووٹ ڈالنے کے لیے لایا گیا اور یوں میں اسی دن سے انتظار حسین کے حلقے میں شمار ہونے لگی۔

محلے دار ہونے کی حیثیت سے ناصر کاظمی سے صبح شام ملاقاتوں میں اضافہ ہو گیا۔ شام کی محفلوں میں ابھی تک میں شامل نہیں ہوئی تھی۔ یوسف کامران کبھی احمد بشیر کے ساتھ، کبھی نذیر ناجی کے ساتھ کبھی احمد مشتاق کے ساتھ، سرِ شام روانہ ہو جاتے اور رات گئے یہ مسافر گھروں کو لوٹتے۔

اسی دوران ناصر کاظمی کا السر بہت تکلیف دینے لگا۔ میو ہسپتال تک لے آیا۔ دن میں ہسپتال میں دیکھ کر آئی ہوں۔ شام کو کیا دیکھتی ہوں کہ پھر کرشن نگر والے کبابیئے کے پاس کھڑے ہیں۔ میں ناراض ہوئی تو بولے "ارے کباب دھلوا کر کھا رہا ہوں۔ ہسپتال میں لیٹے لیٹے جی گھبرا گیا تھا۔ اجازت لے کر آیا ہوں۔" بس اسی طرح اجازتیں لیتے لیتے اگلے چند دن میں زندگی سے اجازت لے کر چلے گئے۔

مرزا ادیب نے سب سے پہلے میری نظم، جو میں نے شمع تاثیر کے مشاعرے میں پڑھی تھی اور اول انعام لیا تھا، وہ گھر آ کر مانگ کو شائع کی تھی۔ مرزا ادیب کا گھر آنا اور یہ کہنا کہ کشور ناہید سے ملنا چاہتا ہوں۔ بس غضب ہو گیا۔ میں نے لاکھ بتایا کہ میں نے تو انہیں صرف مشاعرے میں دیکھا تھا مگر غضب جو نازل ہونا تھا اس نے مجھے بھی ضد کرنے پر مجبور کیا۔ ایک دن میں اے حمید کے ساتھ ادبِ لطیف کی سیڑھیاں چڑھ گئی۔ ابھی پوری سیڑھیاں نہیں چڑھی تھیں کہ سامنے ایک برقعہ اوڑھے خاتون کی کمر نظر آئی۔ دوسری طرف مرزا ادیب بیٹھے تھے۔ نیچے دودھ والے کی دکان تھی۔ وہاں سے پیالے میں دودھ آیا ہوا تھا۔ دونوں کے ہاتھ میں بند تھے۔ دونوں ایک پیالہ دودھ میں بند ڈبو ڈبو کر کھا رہے تھے۔ ہم دونوں ہنسی ضبط کر کے، خاموشی سے لوٹ آئے۔ یہ تھی میری مرزا ادیب سے ملاقات۔

مگر اے حمید سے اتنی بے تکلفی کیسے ہوئی۔ اے حمید کے دڑبے کے سارے کردار، میری سسرال سے متعلق تھے۔ ان کا گھر بھی موچی دروازے میں میری سسرال کے قریب تھا۔ ایبٹ روڈ والے گھر میں جو لوگ بلا تکلف اپنے گھر کی طرح آ جا سکتے تھے، ان میں اے حمید کا شمار بھی ہوتا تھا۔ اے حمید سے یہ رشتہ گزشتہ 45 برس سے قائم ہے۔ اس میں ملاقات کی شرط نہیں ہے۔ لاہور میں رہتے ہوئے کبھی نہر کے کنارے ڈرائیو کرتے ہوئے ثریا کے پرانے گانے سننا، کبھی نیشنل سنٹر میں میرے دفتر گلاب کا پھول لیے ہوئے داخل ہونا، میں نے پوچھا: ''کس نے دیا؟'' بولے: ''میری محبوبہ کی پوتی نے۔''

گھر کے آگے جمعدار صفائی کر کے جاتا، تو باہر نکل کر سوکھے پتے کوڑے میں سے چن کر پھر گیٹ کے سامنے ڈال دیتے۔ سبب پوچھتی تو کہتے: ''مجھے اچھے لگتے ہیں۔''

ریڈیو پہ نواز کے ساتھ اے حمید کی گاڑی چھنتی تھی۔ جب یہ دونوں رشتے یعنی ریڈیو اور نواز، زندگی سے خارج ہوئے تو اے حمید نے ابن صفی کی جگہ جاسوسی کتابیں لکھنا، ڈائجسٹوں کے لیے لکھنا، اپنی زندگی کا شعار بنا لیا۔ اے حمید نے خود اپنے لکھنے کے لیے شیڈول کا بتایا۔ صبح سات بجے ناشتہ، آٹھ بجے تک اخبار، نو بجے سے ایک بجے تک جاسوسی کتابیں لکھنا، ایک بجے کھانا کھا کر تین بجے تک آرام کرنا، پھر تین بجے سے چھ بجے تک ڈائجسٹوں کے لیے لکھنا، شام کی سیر پھر بچوں بیوی کے ساتھ گپ اور ٹی وی دیکھنا۔

ان ساری تحریروں پر اے حمید نے اپنا نام کبھی نہیں لکھا۔ قلمی نام سے لکھنے کا یہ سلسلہ میری یادداشت میں 1960ء سے جاری ہے۔ اس وقت تو بہت غربت تھی۔ عورتوں کے نام سے بہت ہی

رومانوی ناول لکھنے کا دور شروع ہوا تھا۔ اے حمید، ایک ہفتے میں سستا رومانوی ناول لکھتے۔ ناول کا پہلا حصہ ایک پبلشر کو دیتے، دوسرا حصہ دوسرے پبلشر کے حوالے کرتے اور پوری رائلٹی وصول کر لیتے مگر شرط یہ تھی کہ یہ دونوں ناول کسی خاتون کے نام سے شائع ہوں گے۔ اب جس پبلشر کو پہلا حصہ ملا تھا وہ ناول کا بقیہ اور جس کو آخری حصہ ملا تھا وہ ناول کا ابتدائیہ مانگتا رہتا۔ اے حمید، اس کا بھی صاف صاف حساب رکھتا تھا۔ اس نے کتنے ہی ایسے ناول اسی طرح دوسرے ناموں سے لکھے جیسے گزشتہ پندرہ برس سے وہ ابن صفی کے انداز میں قسط وار ناول لکھ رہا ہے اور روزی کما رہا ہے۔

نواز کے مرنے کے بعد اے حمید نے شاید، لوگوں سے ملنا بھی بند کر دیا مگر اس کی فطری شگفتگی اب بھی قائم ہے۔ خدا کرے سدا قائم رہے۔

اے حمید کی طرح، نصیر انور کا بھی میرے گھر میں دو طرح سے بے تکلفی کا آنا جانا تھا۔ ایک تو نصیر انور کی بیوی کشور نصیر اور منیر شیخ کی بیوی نصرت دونوں سگی بہنیں ہونے کے علاوہ، میری رشتے کی نندیں بھی لگتی تھیں۔ نصیر انور لکشمی مینشن رہتے تھے اور جب تک ہم لوگ رائل پارک رہے۔ ہر اتوار کو عموماً صبح کا ناشتہ وہ ہمارے ساتھ کرتے تھے۔ انہوں نے ایک بیٹا بہت ہی پیارا بیٹا لے کر پالا تھا جو میرے بیٹے کا کلاس فیلو تھا۔ ان کا ٹیلی ویژن پلے ''ہم فقیر ہیں'' ایک زمانے میں بہت مقبول ہوا تھا۔ حس مزاح کمال کا تھا۔ ہر دفعہ جب گھر آتے کوئی نہ کوئی حلیہ بنایا ہوتا۔ ایسا کہ پہچانا نہیں جاتا تھا۔ زندگی کا ذائقہ دونوں میاں بیوی سے چھن گیا کہ کینسر جیسے موذی مرض نے دونوں کو گھول کے رکھ دیا۔

نصیر انور سے دوستی کی ایک وجہ یہ بھی تھی کہ سعادت حسن منٹو کی بیگم صفیہ بھابی ان کی ہمسائی تھیں۔ منٹو صاحب سے میں صرف ایک دفعہ ملی تھی، جب میں بے دھڑک ان کے گھر آٹوگراف لینے گئی تھی اور منٹو صاحب نے آواز دے کر کہا تھا ''صفیہ ادھر آؤ، یہ لڑکی شاعری کرتی ہے اور آٹوگراف لینے آئی ہے۔'' چند ماہ بعد، انگلش کی کلاس میں ٹیچر نے میرا نام لے کر کہا ''پتہ ہے آج تمہارا محبوب افسانہ نگار منٹو مر گیا ہے''۔ میں وہیں ڈھیر ہوگئی۔ اس دن کے بعد، میں صفیہ بھابی کے پاس ملنے جاتی رہی۔ جب میں نیشنل سنٹر کی ڈائریکٹر ہوئی تو بھی ہر پروگرام میں صفیہ بھابی شمولیت کرتیں۔ ان کی تینوں بچیوں سے بھی اسی زمانے سے محبت اور تعلق قائم ہے۔ بالکل ایک خاندان کی طرح۔ یہ خاندان اور بھی وسیع ہوگیا کہ حامد جلال، وزارتِ اطلاعات میں ہمارے افسر تھے۔ وہ منٹو صاحب کے بھانجے تھے۔ ان کی بیگم ذکیہ آپا، صفیہ آپا کی بہن تھیں۔ شاہد جلال، جو معروف مصور ہیں۔ ان کے بیٹے تھے جو بعد میں صفیہ آپا کے داماد بھی ہوئے۔ ڈاکٹر عائشہ جلال، ان کی بیٹی میری دوست ہے۔ یہ بھی سارا کشمیری

خاندان، میری سسرال سے کچھ قرابت رکھتا تھا۔ صفیہ آپا جب تک زندہ رہیں۔ لکشمی مینشن کے گھر میں ہی رہیں۔

ان کے ہمسائے میں زاہد چودھری، جو نوائے وقت کے نیوز ایڈیٹر تھے اور ان کے بھی ہمسائے میں خورشید شاہد رہتی تھیں۔ دونوں کی گہری دوستی تھی۔ تھوڑے سے فاصلے پہ ملک معراج خالد کا فلیٹ تھا جو ان کی وزیر اعلیٰ پنجاب کی تقرری کے زمانے میں خالی ہوا۔ بعد میں پھر آباد ہو گیا۔ ان کی وفات تک یہ گھر آباد تھا۔ ایک اور شخص جو بعد میں بہت مشہور سفر نامہ نگار اور سب سے زیادہ پڑھا جانے والا ادیب بنا، وہ مستنصر تارڑ تھا۔ وہ بھی لکشمی مینشن میں رہتا تھا۔

جس طرح لکشمی مینشن کا سارا علاقہ ادیبوں، صحافیوں اور سیاست دانوں کے باعث شاد آباد تھا، بالکل اسی طرح کرشن نگر اور سنت نگر کا علاقہ بھی آباد تھا۔ یہ بات ہے 1970ء اور 1980ء تک کے زمانے کی۔ سنت نگر میں حبیب جالب کا مکان تھا اور دیو سماج روڈ پر تبسم کاشمیری اور پروفیسر اسرار کا (یہ ویسے تو فزکس کے استاد تھے مگر انہوں نے نیرّہ نور کو گانا سکھایا اور فیض صاحب کی مشہور نظم ''لازم ہے کہ ہم بھی دیکھیں گے''، جس کو اقبال بانو نے گایا، یہ انہوں نے ایک گھنٹے میں کمپوز کی)۔ کرشن نگر میں رہنے والے ادیبوں کے تو نام ہی لکھوں اور محفلوں کا احوال نہ لکھوں تو زیادتی ہو گی۔ احمد مشتاق، جن کے بارے میں زاہد ڈار کہتا تھا کہ جی پی او سے آگے کا علاقہ اس شخص نے دیکھا نہیں اور باتیں کرتا ہے دنیا بھر کی۔ مذکورہ دہائی میں احمد مشتاق کی بیوی نے پیپلز پارٹی کے لیے بہت کام کیا۔ اس کی سزا بھی پائی، جیل بھی گئی اور پھر باہر نکلی تو احمد مشتاق کے نہ ماننے کے باوجود اس نے امریکہ معہ فیملی منتقل ہونے کا پروگرام بنا لیا۔ ہم سب کو اس وقت پتہ چلا جب وہ ملک چھوڑ گئے۔ احمد مشتاق بہت صاحب اسلوب شاعر رہا ہے۔ ایک زمانے میں امریکہ جانے کے بعد، شعر، شاعروں سب سے ملنے سے گریزاں رہا۔ امریکی کسی بینک میں نوکری کرتا رہا۔ پھر مدت بعد اس کی چند غزلوں نے دوبارہ احمد مشتاق کو ہم سے ملا دیا۔ اب وہ امریکہ جانے والوں کو ٹیلی فون پر بھی دستیاب ہو جاتا ہے۔ احمد مشتاق کے بولنے میں ہکلاہٹ تھی مگر جب تین پیگ کے بعد وہ ترنم سے اپنے یا کسی اور کے شعر سنانے لگتا تو اس کی ہکلاہٹ قطعی غائب ہو جاتی تھی۔

ہکلاہٹ نے جاوید شاہین کو بہت کمپلیکس میں مبتلا کیا۔ وہ اپنی طرز کا انوکھا شاعر ہے مگر اسے احساس تھا کہ جو شہرت دیگر شاعروں کو مشاعرے پڑھ کر اور ٹی وی پر آ کر ملی ہے، اس سے زیادہ شہرت کا وہ حقدار تھا۔ بات غلط بھی نہیں ہے مگر ایک زمانے میں بیک وقت اچھے شعر کہنے والے بہت

سے شاعر پیدا ہوئے۔ ایک طرف منیر نیازی، ادھر پشاور میں احمد فراز، اوکاڑہ میں ظفر اقبال، لاہور میں شہزاد احمد اور کراچی میں سلیم احمد۔ یہ لوگ ناصر کاظمی کے بعد آنے والی نسل سے تعلق رکھتے تھے بلکہ یہ کہا جائے کہ جاوید شاہین کے ہم عصر تھے تو غلط نہ ہوگا مگر جس تسلسل سے اچھی غزل جاوید شاہین نے کہی ہے، اتنی اچھی مسلسل غزل ہمارے دوسرے شاعروں نے نہیں کہی۔ یہ الگ بات ہے کہ اس قبیل میں منیر نیازی اور سلیم احمد اس لیے شامل نہیں ہیں کہ جون ایلیا کی طرح، یہ سب سینئر صاحب اسلوب شاعر رہے ہیں۔

مگر جاوید شاہین تو راج گڑھ میں رہتے رہے ہیں جس کا پچھلا در منو بھائی کے گھر کے پاس اس وقت بھی کھلتا تھا جب منو بھائی کرشن نگر میں کرائے کے مکان میں آ کر رہے تھے اور اب بھی گزشتہ تیس برس سے وہ راستہ جاری ہے کہ منو بھائی ریواز گارڈن میں رہتے ہیں۔ ان دونوں ہنسوں کی جوڑی پہ سلیم شاہد نے فقرہ لگایا تھا کہ وہ دیکھو ''تھتھوڑا گروپ'' آ رہا ہے۔ (کہ اس زمانے میں ایک ہتھوڑا گروپ لاہور میں مشہور ہوا تھا کہ جو لوگوں بلکہ خاندانوں کے خاندان، سر پہ ہتھوڑا مار کر ختم کر دیا کرتا تھا)۔

منو بھائی کے ریواز گارڈن میں رہنے سے ہماری ٹیلی ویژن کی دوست تنویر مسعود کے ساتھ، ہر شام کے لیے ایک تکون بن گئی تھی۔ ہم سب مل کر ریگل سینما کے سامنے اگلو آئس کریم خرید کر فٹ پاتھ پر بیٹھ کر باتیں کرتے، ہنستے (یہ اس زمانے میں ممکن تھا) اور ہم سب کے بچے سائیڈ لین میں کھیلتے رہتے۔

یہ تکون کبھی پھیل کر شش جہات بن جاتی کہ سخت گرمیوں کے دنوں میں میرے شوہر یوسف، منو بھائی، جاوید شاہین، حبیب جالب، زاہد ڈار، امانت علی خاں اور حسن لطیف، سب مل کر نہر کے کنارے پٹڑی پر بیٹھ جاتے۔ یہ سب لوگ اپنی بیئر کی بوتلیں رسی سے باندھ کر نہر میں ٹھنڈی ہونے کو چھوڑ دیتے۔ حبیب جالب غزل سنا رہا ہوتا۔ امانت علی خان گنگنا رہا ہوتا۔ حسن لطیف دھن بنا رہا ہوتا۔ (یہ وہی حسن لطیف ہیں جنھوں نے ''کیسے کیسے لوگ ہمارے جی کو جلانے آ جاتے ہیں اور آنسو بہا کے سوجا'' کمپوز کیا تھا)۔ رات گئے تک شعر و شاعری، گائیکی اور گفتگو کا یہ سلسلہ جاری رہتا۔ نہ کوئی روکنے والا ہوتا نہ کوئی ٹوکنے والا۔ ہر چند گھوڑوں پہ سوار پولیس بھی وہاں سے گزرتی مگر کبھی کچھ نہ پوچھا نہ کہا۔ سوائے اس کے کہ ''چیف منسٹر صاحب گزر رہے ہیں۔ ذرا اولے پر جاؤ۔''

منو بھائی اور میرا گھر اس زمانے میں مرجع خلائق اس لیے تھا کہ یہ زمانہ ٹیلی ویژن کے عروج کا تھا۔ منو بھائی کے گھر روحی بانو سے لے کر عظمیٰ گیلانی تک سب بڑے سلیقے سے اپنے اگلے سکرپٹ یہ

بات کرتی نظر آتیں۔ میرے گھر یوسف کامران کے داستان گو اور سخنور پروگراموں کے علاوہ ادیبوں کی Refrence لائبریری کے لیے نہ صرف سکریننگ ہو رہی تھی بلکہ بہت سی ریکارڈنگ اور بھلا ہو خواجہ نجم الحسن اور اختر وقار عظیم کا، کہ بڑی بے تکلفی اور اپنائیت سے آ کر، میری الماری سے کپڑے بھی نکال کر لیجاتے اور جو میسر ہوتا، اپنے گھر کی طرح کھا کر چلے جاتے۔

کرشن نگر میں ذرا آگے ناصر کاظمی اور ان کے مشہور کبابیٔ سے گزر کر ایک تو نذیر ناجی کا گھر آتا تھا۔ یہ زمانہ نذیر ناجی کی مساوات کی ایڈیٹری کا بھی تھا۔ اس لیے بہت اہمیت تھی۔ نذیر ناجی نے میرے کرشن نگر کے گھر اور میرے بچوں کو ہمیشہ اپنا گھر سمجھا اور رات کو دیر سے لوٹنے کے بعد، میرا ساتھ جا کر گھر چھوڑنا، یہ علامت ہوتی تھی کہ آج لڑائی نہیں ہوگی۔ برتن نہیں ٹوٹیں گے۔

کرشن نگر ہی میں مرزا منور جیسے بہت پڑھے لکھے مگر ہم جیسوں سے سخت ناراض بھی رہتے تھے۔ اب تو انجم رومانی نے بھی یہیں گھر بنالیا تھا اور قریب ہی احمد بشیر اور پروین عاطف کا گھر تھا۔ اس دہائی کے ختم ہوتے ہوتے اصغر ندیم سید بھی کرشن نگر اور ساندے کی نکڑ پہ آباد ہو گئے تھے اور اسی زمانے میں میرزا ادیب بھی اپنا موہنی روڈ کا گھر چھوڑ کر نیا گھر آباد کر چکے تھے مگر وہ صاحب سلام مرزا ادیب سے نہیں تھی یا پھر انجم رومانی سے نہیں تھی جو کہ اصغر ندیم سید سے تھی۔ اس کی برات میں ہم سب تھے اور ہم سب ادیبوں کو اصغر نے کبھی اپنے خاندان سے باہر نہیں کیا تھا۔ ہر چند اس کی زندگی سے اس کی پہلی بیوی فرزانہ راہیٔ عدم ہوئی اور بمشکل تمام شیبا اس کی دوسری ہمسفر ہوئی۔ زندگی اپنے اسلوب سالہا سال ایک سے نہیں رکھتی۔ یہی حسن زندگی ہے۔

کرشن نگر، ساندہ، راج گڑھ اور ریواز گارڈن کے ساتھ ایک گھر لگتا تھا جو ہم سب لکھنے پڑھنے والوں اور مصوروں کا اپنا گھر تھا۔ یہ گھر شاکر علی کا تھا۔

مگر شاکر علی کا ذکر الگ باب کا متقاضی ہے۔

دل کی چڑیا

شاکر علی کی یادیں مربوط ہیں۔ سید سبط حسن سے۔ وہ دونوں بہت پرانے دوست تھے۔ ایوب کے خلاف شورش کے دنوں میں باقاعدہ طریقے پر سید صاحب سے ملاقاتیں ہوئیں۔ ویسے تو ان سے ملاقات اس طرح جاری رہتی تھی کہ ہماری دوست اور کلاس فیلو ذکیہ حسن کے گھر ان کی بیٹی نوشابہ اور خود سید صاحب تقریباً روز آتے تھے کہ سید صاحب ذکیہ کے بڑے بھائی جو سینئر صحافی بھی تھے زوار حسن کے دوستوں میں تھے۔ ہم سب چونکہ فرسٹ ایئر کی طالبات تھیں، اس لیے بچیاں سمجھ کر ہمیں نظرانداز کر دیا جاتا تھا۔ اس زمانے میں سید صاحب فیروز سنز میں کام کرتے تھے۔ پھر فیض صاحب کراچی میں کالج کے پرنسپل تھے۔ سید صاحب بھی کراچی، روشن علی بھیم جی کے بلاوے پر چلے گئے اور ایسٹرن فیڈرل انشورنس کمپنی میں ڈائریکٹر پبلک ریلیشنز مقرر ہوئے۔ یہیں پر دوبارہ لیل و نہار کا اجرا ہوا۔ جس میں فیض صاحب اور سبط حسن دونوں کام کرتے تھے۔ بعدازاں سید صاحب نے ای ایف یو کے دفتر کے ایک کونے کے کمرے میں پاکستانی ادب رسالے کا دفتر بنایا۔ اس وقت مالی نقصانات کے باعث کراچی والا لیل و نہار بند ہو گیا تھا اور اب ترقی پسند فکر کا نقیب بن کر پاکستانی ادب شائع ہو رہا تھا۔

لکھتے ہوئے میں بہت دور نکل گئی۔ ابھی ہم ایبٹ آباد روڈ پر ہی رہ رہے تھے کہ سید صاحب نے شاکر علی سے میری ملاقات کروائی۔ یوں تو میں نے شاکر علی کو پاک ٹی ہاؤس میں اس میز پر بیٹھا ہوا دیکھا تھا جہاں ناصر کاظمی اور انتظار حسین کا گروپ بیٹھا ہوتا تھا مگر میں چھوٹی تھی۔ ہم لوگ یعنی سلیم شاہد، جاوید شاہین، الطاف قریشی، افتخار جالب، انیس ناگی، عزیز الحق الگ میز پر ہی بیٹھتے تھے، اس زمانے میں انیس ناگی اور افتخار جالب کی نئی نظم کی تحریک کے پیروکار بھی تھے۔

شاکرعلی، سید سبط حسن کے ساتھ میرے گھر آئے۔ ابھی میری ایک کتاب لب گویا شائع ہوئی تھی۔ اس کو مانگ کر پڑھا۔ سید صاحب نے اس کتاب پر مضمون بھی لکھا تھا جو کہ فنون میں شائع ہوا تھا۔ شاکرعلی نے وہ بھی پڑھا۔ اب ہمارا ایک دوسرے کے گھر آنا جانا ہوگیا۔ اسی زمانے میں شاکرعلی سنسر بورڈ کے ممبر تھے، جو میرے گھر سے کچھ فاصلے پر تھا۔ اس لیے جب فلم سنسر کرنے جاتے، تو واپسی پہ میرے گھر ٹھہر جاتے۔ باتیں ہوتیں، ان کی فرمائش پہ چائے کے ساتھ میں کباب یا پکوڑے بنا دیتی۔ گفتگو ہمیشہ مختصر رہتی کہ شاکرعلی کو نہ بہت بات کرنے کا شوق تھا اور نہ میری ابھی ان سے بے تکلفی ہوئی تھی۔

1970ء کے زمانے میں جب یحییٰ خاں کا مارشل لاء لگا، میرے شوہر یوسف اور سسر کو مارشل لاء والوں نے اس لیے پکڑ لیا تھا کہ ہمارے گھر کا مالک، بدنام زمانہ جنرل نیازی کا سیکرٹری تھا اور اس نے تحریراً شکایت کی تھی کہ میں ان لوگوں سے کرایہ لینے گیا تھا اور ان لوگوں نے گالی دیتے ہوئے کہا ''فوجی گدھے ہوتے ہیں، یہ ملک چلانا کیا جانیں''۔ باقاعدہ فوجی عدالت میں مقدمہ چلا۔ ان دونوں کو ایک سال کی سزا بھی ہوئی۔ اس زمانے میں ایک طرف مجھے کن پیڑے نکلے ہوئے تھے۔ دوسرے اس مقدمے کی پیروی کرنا، تیسرے نقل مکانی کرنا، یہ سارے عذاب میرے سر تھے مگر سارے ادیبوں، صحافیوں اور وکیلوں نے میرا بہت ہمیشہ کی طرح ساتھ دیا۔ اعجاز بٹالوی نے مقدمے کی پیروی کی۔ جنرل ٹکا خاں نے مداخلت کی اور یوں یوسف اور ان کے باپ کی سزا معطل کی گئی۔ اس دوران ہم لوگ کرشن نگر منتقل ہوگئے۔

شاکر کا ہمارے گھر آنا جانا اور زیادہ ہوگیا۔ ایک دفعہ ن۔ م۔ راشد صاحب آئے ہوئے تھے۔ شاکر صاحب کو بھی بلایا تھا اور اتفاق سے جمیلہ شاہین راولپنڈی سے آئی ہوئی تھیں۔ جمیلہ نے تنقید میں اپنا اسلوب دکھانا شروع کیا تھا۔ افتخار جالب، منیر نیازی، سعادت سعید اور جیلانی کامران بھی موجود تھے۔ تھوڑی دیر بعد، میں نے دیکھا شاکرعلی غائب ہیں۔ اگلے دن میں نے سبب پوچھا تو شاکر نے کہا کہ تمہارے گھر جو خاتون آئی ہوئی تھیں، انہوں نے اتنا برا اور تیز پرفیوم لگایا ہوا تھا کہ مجھ سے برداشت نہیں ہوا اور میں چلا گیا۔

شاکرعلی کو میرے بچے ماموں کہتے تھے۔ وہ بالکل ان کے ساتھ ماموؤں کی طرح ہی پیش آتے تھے۔ ہر عید پر دس دس روپے عیدی دیتے تھے اور سویاں میرے گھر آ کر ہی کھاتے تھے۔

شاکرعلی کے گھر کے دروازے بھی سب آرٹسٹوں اور ملنے والوں کے لیے کھلے تھے۔ شاکر

علی نے دو شادیاں کی تھیں۔ میرے بچے جب ان سے پوچھتے کہ وہ کیوں چلی گئیں تو شاکر جواب دیتے: ''یار ہمیں انگریزی کھانا اور انگریزوں کی طرح ٹیبل لگانی اچھی لگتی تھی۔ پر ہمارا دل کرتا تھا کہ کھائیں ہاتھ سے دال چاول۔ بس اسی طرح لڑائی ہو جاتی تھی اور وہ چلی گئیں''۔

شاکر علی کو خطاطی کے لیے ایک بڑے میورل کا آرڈر ملا۔ شاکر اپنی ہر پینٹنگ کی پنسل ڈرائنگ بنایا کرتے تھے۔ پھر اس کو کینوس پر منتقل کرتے تھے۔ بقول علی امام وہ سستے رنگ لگا دیتے تھے، اس لیے ان کی پینٹنگز میں سے اکثر چپ آف ہونے لگی تھیں۔ شاکر علی کو پائے کھانے کا بہت شوق تھا۔ وہ میورل بنا رہے تھے تو میں نے کہا اتوار کی صبح پائے کا ناشتہ میں بنا کر لاؤں گی۔ ہم لوگ جب اگلے دن صبح ناشتہ لے کر پہنچے تو شاکر علی کو دیکھا۔ وہ تمام رات سٹوڈیو میں اس میورل پہ کام کرتے رہے تھے۔ ان کو یہ خبر بھی نہیں ہوئی تھی کہ صبح ہو چکی ہے۔ ہماری آمد نے ان کو چونکا دیا۔

اس زمانے میں ان کے پاس ظہور الاخلاق رہتے تھے۔ وہ نئے نئے انگلینڈ سے واپس آئے تھے۔ ظہور کی خوبصورت پینٹنگز کے وہ عاشق تھے۔ شاکر نے ظہور کو بیٹا بنایا ہوا تھا۔ ظہور کا عشق شہرزاد سے ہو گیا۔ ایسا ہوا کہ شاکر علی کو بتائے بنا وہ شہرزاد سے شادی کر کے، شاکر علی کے گھر میں لے آئے تھے۔ شاکر کچھ ناراض اور کچھ پریشان بھی تھے مگر ہمیشہ کی طرح بس ایک چپ اختیار کیے ہوئے تھے۔

شاکر علی کے مداحوں میں ذوالفقار علی بھٹو بھی تھے۔ جب وہ لاہور آتے تو شاکر علی کو چائے پینے کے لیے بلواتے۔ اس دن شاکر علی ہم سب سے بات بھی نہیں کرتے تھے۔ شیخی میں کہتے: ''بس آج ہم بھٹو صاحب سے بات کریں گے''۔

ان کی پرنسپلی کا زمانہ اور ان کے گھر کا بننا..... دونوں عذاب تھے۔ شاکر صاحب کا شاگردوں سے تعلق، محبت اور ان کے کام کے توسط سے تھا۔ چاہے کولن ڈیوڈ ہوں کہ سعید اختر یا احمد خاں، شاکر علی ان کے کمرے میں جا کر دیکھتے کہ وہ کیا پینٹ کر رہے ہیں۔ کبھی کبھی تو ان لوگوں کو مصروف دیکھ کر خاموش پلٹ آتے اور کبھی کھڑے ہو کر گفتگو بھی کرتے۔

شاکر علی کی پرنسپلی کے زمانے میں نیشنل کالج آف آرٹس میں بہت سنسنی خیز اور دھماکے دار واقعات اس طرح گھڑے گئے کہ اخباروں اور اسمبلیوں میں ان کی بازگشت سنائی دی۔ شاکر علی کے بارے میں مذموم پوسٹرز بھی بنائے گئے۔ شاکر علی، کالج کی فضا سے بددل ہو گئے اور ریٹائرمنٹ لے لی۔

اس دوران وہ بھی جو نئی پینٹنگ بناتے، مجھے کہتے: ''یہ پینٹنگ تم اپنے گھر لے جاؤ''۔ میں

جواباً کہتی: ''شاکر بھائی! یہ پینٹنگ بیچ کر آپ کے ایک غسل خانے کی ٹائلز آجائیں گی۔ میں آپ کے گھر میں بعد میں بننے والی پینٹنگز میں سے ایک لے لوں گی۔''

شاکر علی کا گھر بنانے کا انداز بھی عجب تھا۔ اینٹوں کے بھٹے پر جا کر جلی ہوئی ٹیڑھی میڑھی اینٹیں نکال کر الگ کرنا۔ پھر بھٹے والے کو کہنا کہ اس طرح کی ہزاروں اینٹیں بنا دو۔ نیر علی دادا کے ساتھ بیٹھ کر نقشے کو فائنل کرنا۔ میرا خیال ہے لاہور شہر میں اتنی لمبی کھڑکیاں اور جس انداز سے بنی ہیں وہ صرف شاکر علی کے گھر کی ہیں۔

گھر کی اینٹیں ہی نہیں۔ گھر کے دروازوں اور لائٹوں کا بھی انوکھا سٹائل نکالا گیا۔ کتنے ہی سالوں میں یہ گھر مکمل ہو گیا اور شاکر علی ریٹائرمنٹ لے کر اس گھر میں منتقل ہوئے مگر خاموشی سے تو نہیں، اس رات بہت ہنگامہ ہوا۔ سب دوست اکٹھے ہوئے، قہقہے اور گفتگو پر مبنی، سلیما ہاشمی اور مسعود احمد نے ویڈیو بھی بنائی۔ یہ زمانہ عام ویڈیو بنانے کا نہیں تھا۔ 36 ملی میٹر پہ بننے والی یہ فلم بعد میں شاکر علی کی زندگی پر بننے والی فلم میں کام آئی۔ سلیما ہاشمی اور مسعود احمد نے اس فلم کو ڈائریکٹ کیا۔ میں نے فلم کا سکرپٹ لکھا اور مہناز رفیع نے اس دستاویزی فلم میں صدابندی کروائی۔

شاکر علی کو موسیقی اور شاعری بھی بہت پسند تھی۔ فیض صاحب تو خیر ان کے گھر اکثر آتے تھے۔ اس زمانے میں ڈاکٹر اجمل سیکرٹری ایجوکیشن تھے۔ وہ جب شاکر کے گھر آتے یا کوئی اور افسر شاکر کے گھر آ رہا ہوتا تو شاکر جھوٹ بولنے کی کوشش کرتے مگر باورچی خانے سے آنے والی خوشبو پتہ دیتی تھی کہ کوئی آنے والا ہے۔ ہم لوگ بھی جان بوجھ کر انجان بن جاتے۔ شام کو کبھی کبھی جب بہت شرارت کرنے کو جی چاہتا تو ہم کھانا لگنے سے پہلے آن دھمکتے۔ یہاں موجود سب مہمان پہچانتے تھے۔ بڑی خوشی سے سلام دعا ہوتی۔ شاکر صاحب منہ پھلا لیتے مگر ہم کوئی کھانا کھانے کو تھوڑا ہی جاتے تھے۔ ہم تو بس غل غپاڑہ کر کے لوٹ آتے تھے۔ اس بات پر شاکر صاحب روٹھنے کی کوشش کرتے۔ میں بچوں کے ساتھ ان کے گھر چلی جاتی۔ ان کی ناراضگی ختم ہو جاتی۔ نوکر کو حکم ملتا، بچوں کے لیے پکوڑے بناؤ۔ ویسے اگر ہم دوست اکٹھے ہو کر شاکر علی کے گھر جا کر کہتے کہ آج ہمیں کھانا کھلائیں تو نوکر کو آواز دے کر کہتے: ''ارے یار دو انڈوں کا آملیٹ اور بنا لو۔'' ہم لوگ کتنا بھی چیختے، شاکر صاحب مسکراتے رہتے۔

شاکر کے گھر ہم لوگ یعنی انتظار حسین، احمد مشتاق، یوسف، جاوید شاہین اور میں اکٹھے جاتے، گفتگو کے دوران ایسے لمحے بھی آتے کہ سب خاموش بیٹھے ہیں۔ کوئی کسی سے بات نہیں کر رہا۔ شاکر

صاحب بستر پر لیٹے ہوئے ہیں۔ پندرہ بیس منٹ اسی طرح گزر جاتے ہیں۔ پھر شاکر صاحب آواز لگاتے ہیں: ''ارے بھئی چائے لاؤ۔'' اور یوں سکوت ٹوٹتا تھا۔

کالج کی چھٹیاں ہوتے ہی وہ کراچی کا رخ کرتے تھے۔ علی امام ان کے لیے کینوس اور رنگ کے علاوہ پینٹ کے لیے کمرہ تیار رکھتے تھے۔ شاکر صاحب جو کچھ وہاں پینٹ کرتے، علی امام گیلری میں ان کی نمائش کرتے۔ ساری پینٹنگز ہاتھوں ہاتھ بک جاتیں مگر اس زمانے میں قیمتیں تین چار ہزار سے زیادہ نہیں لگتی تھیں۔ شاکر صاحب نے کچھ پینٹنگز ہارڈ بورڈ پر بنائیں اور کچھ کینوس پر۔ آخر زمانے کی پینٹنگز میں سٹل لائف ایک بوتل اور لمبی لائنیں۔ عورت کا ننگا بدن، جس کے پیٹ سے اندازہ ہوتا ہے کہ عورت چند ماہ کے حمل سے ہے۔ ممکن ہے شاکر صاحب کو بچے کی حسرت رہی ہو اور اس کا اظہار ان پینٹنگز کے ذریعہ کیا ہے۔

چیکوسلاواکیہ کے جنگی حالات پر انہوں نے جو پینٹنگ بنائی اس کا نام "Lida & Swan" رکھا۔ یہ پینٹنگ عالمی نمائش میں پیش کی گئی۔ ہمارے کرمافرما، جنہوں نے سول ملٹری گزٹ کی بلڈنگ معہ فائلوں کے خریدی تھی انہوں نے یہ پینٹنگ پہلی دفعہ خریدی تھی۔ میں جب ان کے گھر گئی تو دیکھا کہ اس پینٹنگ پر کپڑا پڑا ہوا ہے۔ سبب پوچھا تو کہا کہ اس گھر میں بچے بھی ہیں۔ ان پر برا اثر پڑتا۔ اس لیے کپڑا ڈال دیا ہے۔

1965ء کی جنگ میں ہم میں سے بیشتر ادیبوں نے ترانے لکھے اور ہندوستان کی جنگی تقاریر کا جواب دینے کے لیے خود ہی ذمہ داریاں لے لی تھیں۔ علی سردار جعفری نے ہندوستان کے حق میں بڑی زوردار نظم پڑھی تھی۔ ہم لوگوں نے اس کا جواب بھی دیا تھا۔ اعجاز بٹالوی اور تجمل حسین ایسے جوابات تیار کرتے تھے، اس وقت شاکر علی کا روّیہ بالکل مختلف تھا۔ وہ ہم سے ناراض ہو کر کہتے تھے کہ ''مجھے تو چاند کی چاندنی، سرحد کے دونوں جانب نظر آتی ہے۔ چڑیا بھی سرحد کے دونوں جانب ایک جیسا بولتی ہے۔ مجھے لڑائی میں کوئی دانشمندی نظر نہیں آتی ہے۔'' بعد میں ہم سب کو اندازہ ہوا کہ واقعی لڑائی میں کسی دور میں بھی دانشمندی نہیں ہوتی ہے۔

شاکر علی کی فوکس ویگن بہت مشہور تھی۔ وہ گاڑی اتنی تیز چلاتے تھے کہ ٹانگہ ان کی گاڑی سے آگے نکل جاتا تھا۔ وہ اسی گاڑی پر سنسر بورڈ کی میٹنگ پر جاتے اور واپسی پہ میرے گھر ایبٹ روڈ رک کر چائے پیتے۔ ایک دفعہ شاکر صاحب پنجابی فلم سنسر کر کے آئے۔ بچوں نے پوچھا: ''ماموں فلم کا نام کیا تھا؟'' بولے: ''دھی رانی'' (پنجابی کے نام کو اردو میں ادا کیا) ہم سب ہنس پڑے کہ جس فلم کا نام

ہی انہیں صحیح نہیں معلوم، وہ خاک سمجھ میں آئی ہوگی۔

ایک دفعہ چاندرات کو کوئی فلم ساز، ان کے گھر ایک ٹوکرا چھوڑ گیا۔ اس میں پھل، مٹھائی کا ڈبہ، ایک سکاچ کی بوتل اور ہزار روپے تھے۔ عید کی صبح سویرے شاکر صاحب میرے گھر موجود تھے۔ اب ہم کرشن نگر منتقل ہو چکے تھے۔ ہم لوگوں کو ٹوکرا دکھایا اور غصے میں آ گئے۔ یوسف سے بولے: ''جاؤ ابھی جا کر اسے واپس کر کے آؤ کہ وہ شخص اپنا کارڈ بھی اسی ٹوکرے میں چھوڑ گیا تھا۔ یوسف ٹوکرا واپس کرنے گئے۔ شاکر صاحب نے بچوں کو دس دس کے نوٹ دیے۔ اطمینان سے سوئیاں کھائیں جب تک یوسف واپس نہ آئے وہ مسلسل خاموش رہے۔ پھر خوب ہنسے، خوب باتیں کیں۔

شاکر علی کو بچوں کا بہت شوق تھا۔ شاید بچہ پیدا کرنے کا شوق بھی تھا کہ جب آپ ان کی پینٹنگز میں عورتوں کے وجود کو دیکھیں تو عورت کے پیٹ میں چند ماہ کا حمل نظر آئیگا۔ اس کی توجیہہ تخلیقی صلاحیت کے حوالے سے بھی کی جاتی ہے اور اس نقطہ نظر سے بھی ان کے اندر ایک بچے کی خواہش نامعلوم طریقے پر عورت کے وجود میں منتقل ہو جاتی تھی۔

جیسے جیسے زندگی کا سفر آگے رواں ہوا، ویسے ویسے شاکر کی پینٹنگز میں سٹل لائف، سفید رنگ، ایک شاخِ نہالِ غم، حاوی آتی گئی۔

چغتائی صاحب، مشرقی انداز کے منفرد پینٹر تھے۔ شاکر علی جدید اسلوب کے بانی مانے جاتے تھے۔ اس زمانے میں باہمی مخاصمت بھی سلیقے سے ہوتی تھی۔ دونوں ایک دوسرے کو دل سے نہیں مانتے تھے مگر اس کا برملا اظہار بھی نہیں کرتے تھے۔ چغتائی صاحب کا انتقال ہوا تو اگلے ہفتے حلقہ ارباب ذوق میں ان کا ریفرنس رکھا گیا۔ بڑی مشکل سے شاکر صاحب کو منایا کہ وہ صدارت کریں۔ آخر بولے: ''تم پائے اور مکئی کی روٹی بناؤ گی تو میں صدارت کروں گا۔'' میں نے فوراً حامی بھر لی۔ میں کھانا تیار کر رہی تھی اس لیے یوسف شاکر صاحب کو گاڑی میں حلقہ میں لے کر آئے اور وہاں سے فارغ ہو کر سیدھے میرے گھر کرشن نگر پہنچے۔ ابھی پونے سات بجے تھے۔ اس زمانے میں انڈیا سے دور درشن میں اتوار کے اتوار، فلمی گانے دکھائے جاتے تھے۔ میں نے آتے ہی پوچھا: ''کھانا لگاؤں؟'' بولے: ''ابھی نہیں، یہ گانے دیکھ لیں پھر لگانا۔ ویسے تم نے میرے ساتھ زیادتی کی۔ چغتائی سوچ رہے ہوں گے کہ دیکھو یہ میرے پیچھے چلا آ رہا ہے۔'' بات ہنسی میں اڑ گئی۔ ابھی پروگرام شروع ہوئے کوئی پندرہ منٹ ہوئے ہوں گے کہ میرا بڑا بیٹا بولا: ''لو امی، سلائی چھوڑ، کھانا لگاؤ، ماموں تو میری طرف گر رہے ہیں۔ سو گئے ہیں۔'' یوسف نے اٹھ کر آواز دی اور سیدھا کیا تو ہم لوگ حیران رہ گئے۔

آنکھیں بالکل سفید، منہ سے رال نکل رہی تھی اور دائیں جانب کا پورا حصہ فالج زدہ تھا۔ فوراً ڈاکٹر انور سجاد کو فون کیا۔ وہ جلدی سے کلینک سے اٹھا۔ ہم اتنی دیر ان کے ہاتھ پیر سہلاتے رہے۔ انور سجاد کے ساتھ مل کر انہیں اٹھایا۔ گاڑی میں ڈالا اور کرسچین ہاسپٹل نیا نیا بنا تھا وہاں لے کر گئے۔ انہوں نے داخلے کے لیے ڈھائی ہزار روپے مانگے۔ ہم تینوں نے اپنے اپنے بیگ کھولے 1900 روپے ہوئے۔ باقی پیسے کہاں سے لائیں؟ وہیں قریب ہی مصطفیٰ قریشی کرائے کے مکان میں رہتے تھے۔ میری دونوں میاں بیوی سے بہت اچھی دوستی تھی۔ میں ان کے گھر گئی اور قرض کا مطالبہ کیا۔ انہوں نے ہنس کر بقایا پیسے دیتے ہوئے کہا: ''شاکر علی ہم سب کا سرمایہ ہیں اور رقم بھی چاہیے تو لے لیں اور انہوں نے ایک ہزار روپے دوائیوں کے لیے بھی زبردستی پکڑا دیئے۔

شاکر علی کوئی ایک ہفتہ یوسی ایچ میں رہے اور ایک ہفتہ بعد میو ہسپتال منتقل کر دیئے گئے۔ سلیما ہاشمی نے کمرے کو خوب سجایا، جس کو دیکھ کر شاکر کے چہرے پہ مسکراہٹ آ جاتی۔ سید سبط حسن کراچی سے آئے۔ ایک ہفتہ بھر اپنے دوست کو ٹکر ٹکر خاموش دیکھتے رہے۔ آزردہ ہو کر باہر نکل جاتے۔ علی امام بھی کراچی ہی سے آئے۔ ان کے پاس بیٹھے رہے۔ شاید وہ سن سکتے تھے کہ نظریں گھما کر سب کو دیکھتے تھے مگر جسم تھا کہ پہلے ہی میت کا روپ لے بیٹھا تھا۔

اسی عالم میں میو ہسپتال میں ایک ہفتہ اور گزرا، دوپہر کا وقت تھا۔ ڈاکٹر ان کو دیکھ کر یہ کہہ کر پلٹا ''اب یہ اچھے ہو رہے ہیں۔'' میں نے بڑا شکریہ ادا کیا۔ پلٹی تو شاکر صاحب کی آنکھیں عجب طرح کھلی تھیں۔ بھاگ کر سلیما ڈاکٹر کو بلا کر لائی۔ ڈاکٹر نے بس اتنا کہا: ''O God what a loss."

ہم شاکر صاحب کو شام پڑے گھر لائے۔ ان کی بہن اور ایک کزن جو بلائے جان کی طرح ان کے ساتھ چمٹے ہوئے تھے۔ ان کے درمیان کچھ سرگوشیاں سن کر ہم نے ایک دوسرے سے پریشانی کے عالم میں بات کی۔ اس زمانے میں حنیف رامے وزیراعلیٰ پنجاب تھے۔ اوّل تو ان کو اس المیے کی اطلاع دی اور کہا کہ ہم لوگ فوراً ملنا چاہتے ہیں۔ انہوں نے فوراً بلا لیا۔ میں جب وہاں پہنچی تو احساس ہوا کہ ننگے پیر ہی آ گئی تھی۔ ہم نے کہا کہ اس سے پہلے خاندان کوئی فیصلہ کرے، آپ لوگ شاکر علی کے گھر کو سرکاری تحویل میں لے لیں اور اس کو میوزیم بنا دیں۔ ان دنوں حفیظ پیرزادہ، کلچر کے وزیر تھے۔ حنیف رامے اور حفیظ پیرزادہ نے تدفین کے وقت اعلان کر دیا کہ سرکار نے شاکر علی کے گھر کو میوزیم بنانے کا فیصلہ کیا ہے، اس لیے کوئی چیز کہیں منتقل نہ کی جائے۔

شاکر علی اپنی لائبریری پہلے ہی کراچی، اپنی بہن کے گھر منتقل کر چکے تھے۔ ان کی ادھوری

پینٹنگز تھیں، ان کے استعمال کے برتن تھے، کچھ کپڑے اور بہت ہی بڑھیا سواتی چادریں تھیں۔ سارا فرنیچر اپنے سامنے کارونگ کروا کر، خود ڈیزائن کر کے بنایا تھا۔ ابھی ان صوفوں کو گدیاں بھی نصیب نہیں ہوئی تھیں کہ شاکر نے جانے کا ارادہ کرلیا۔

شاکر علی کو پرانے برتن جمع کرنے کا بہت شوق تھا۔ یہ شوق مجھے بھی تھا۔ میں اور شاکر علی، مہینے میں ایک اتوار، کسیرے بازار جا کر، پرانے ڈونگے، سماوار، پاندان تلاش کرتے۔ ہمارے اس شوق پر سب لوگ ہنستے مگر آج اس پرانے پاندان میں الائچی تلاش کرتا ہوا، شاکر علی کو پاتی ہوں تو مجھے سبط بھائی مسکراتے ہوئے دکھائی دیتے ہیں۔ وہ اکثر کہا کرتے تھے: ''یار! ہم اکیلے رہ گئے۔'' ان کو خبر نہیں تھی کہ ان کے جانے کے بعد، ہم لوگ کیسے اکیلے ہو جائیں گے۔

شاکر علی میوزیم بڑے بڑے مراحل سے گزرنے کے باوجود ابھی قائم ہے۔ مجھے یاد ہے کہ تعمیر کے دوران اتنے اتنے لمبے شیشے کھڑکیوں میں لٹکائے جا رہے تھے کہ ایک دن دوپہر کو بہت سخت آندھی آئی۔ کوئی کھڑکی شاید کھلی رہ گئی یا ہوا کا زور ایسا تھا کہ ایک شیشہ ٹوٹ گیا۔ شاکر نے کہا: ''یار اب ایک اور پینٹنگ بنانی پڑے گی۔'' اب بھی جب کبھی شاکر میوزیم میں کوئی چیز خراب ہوتی ہے۔ مجھے لگتا ہے شاکر پوچھ رہے ہیں: ''اب ایک اور پینٹنگ کون بنائے گا؟''

شاکر علی کی پہلی برسی پر کولن ڈیوڈ نے اتنی خوبصورت پینٹنگ بنائی کہ وہ فنی پختگی کا نمونہ ہے اور آج بھی نیشنل کالج آف آرٹس کے پرنسپل کے کمرے میں لگی ہوئی ہے۔ جمیل نقش نے بھی شاکر کے ساتھ رشتہ نبھایا، میورل بنایا۔ یہ بھی شاکر میوزیم میں ہے مگر نہ معلوم وہ فلم کہاں گئی جو ہم نے شاکر کے مرنے کے بعد، اسی طرح ہنگامہ خیزی کی تھی، جیسے ان کی زندگی میں کیا کرتے تھے۔ شاکر علی کو اپنی زندگی کے آخری لمحے تک علی امام نے یاد کیا۔ ہم سب یاد کرتے ہیں۔ ہم لوگ یادوں کے کتنے خزانوں کے امین ہیں۔

میرے بھی صنم خانے۔ قرۃ العین حیدر

سب کی قرۃ العین حیدر، میرے لیے عینی آپا ہیں۔ سکول اور کالج کے زمانے کی سب سے مسحور کن شخصیت جس کی آنکھوں کا کاجل، گھنگھریالے بال، بڑی بڑی شوخ آنکھیں، جن کی کہانیوں کے کردار ہمیں تو اس لیے خوابناک لگتے تھے کہ ہم تو دالانوں میں بیٹھنے والے، فرشی پنکھوں کو کھینچنے والیوں کو زمین پر بیٹھے دیکھنے والے لوگ تھے۔ عینی آپا کی والدہ تک کموڈ استعمال کرتی تھیں۔ لکھنؤ میں گریجویٹ ہوئی تھیں۔ پاکستان میں تھیں تو ہم ابھی چھوٹے تھے، جس سال میں نے انفرمیشن منسٹری میں شمولیت کی، 1967ء میں عینی آپا پاکستان سے دلبرداشتہ ہو کر ہندوستان واپس چلی گئی تھیں کہ ان کے ناول پر رجعت پسند اخبار اور نقاد بے پناہ آپ شناپ لکھ رہے تھے مگر ہم تو ان کی تحریریں پڑھ کر ہی نہال ہوتے رہتے۔

آخر وہ ہوا جو سوچا ہی نہ تھا۔ عینی آپا کی ایک کزن اچھو جو لاہور کے کالج میں پڑھاتی تھیں اور سرکاری کوارٹر میں رہتی تھیں جو کہ شادمان میں تھا۔ اطلاع یہ دی کہ عینی آپا فلاں تاریخ کو ٹرین کے ذریعے اسلام آباد سے لاہور آ رہی ہیں۔ گھی کے چراغ جلانے کے محاورے کو چھوڑ کر بالکل ایسا ہی عالم تھا ہر ادیب کے گھر میں۔ میں اچھو کے ساتھ ریلوے اسٹیشن پر ان کے استقبال کے لیے گئی۔ یہ تھا پہلا باقاعدہ تعارف اور سند شاید 1985ء۔

گھر پہنچ کر میں نے تفصیلاً ان کی مصروفیات کا خاکہ پیش کیا تو فوراً جھلّا کر بولیں: ''تم کون ہوتی ہو مجھے یوں سب کے سامنے پیش کرنے والی۔ میں کسی سے ملنے نہیں آئی۔'' میں نے خود سے کہا: ''اگر ابھی چوک ہوگئی تو ماری جاؤ گی'، فوراً پٹاخ سے بولی: ''پھر آپ نے لکھا کیوں۔ جن لوگوں کی عمر گزری ہے، وہ آپ کو مسلسل پڑھتے رہے ہیں۔ ان کا کیا قصور ہے اور کس بنا پر آپ ان سے نہیں ملنا

چاہتیں۔ آپ پاکستان آتیں برقع اوڑھ کر، نام بدل کر جیسے شمشاد بیگم پاکستان آئی تھیں۔ آپ کو کوئی پوچھتا بھی نہیں۔"

میں نے دیکھا ترکش کام کر گیا۔ بولی: "چلو کھانا کھاؤ۔ صبح پروگرام بنالینا۔" میں خوشی سے اچھل پڑی اور یوں کوئی ایک ماہ کے قریب، عینی آپا، لاہور میں رہیں، دعوتیں، ملاقاتیں، باتیں حتیٰ کہ عینی آپا کو ہم لوگ ٹی ہاؤس تک لے گئے۔ ان کی دعوت جہاں کہیں بھی ہوا، چھوا اور میں تو ان کے ساتھ نتھی تھے۔ ہر اخبار، عینی آپا کا انٹرویو کرنے کے لیے سفارشیں، ہماری طرف سے انکار کہ وہ انٹرویو نہیں دیں گی، البتہ اخباروں میں یہاں وہاں جو گئیں تو ایک آدھ تصویر شائع ہوتی رہی۔

آج کی بات تو چھوڑیں کہ اب تو انہیں یہ بھی یاد نہیں رہتا کہ وہ دلی میں ہیں کہ اسلام آباد میں۔ اس زمانے میں یعنی آج سے 22 برس برس پہلے۔ جیسے ہی کوئی تصویر اتارنے لگتا، عینی آپا، ساڑھی کا پلو گردن کے گرد لپیٹ کر بیٹھ جاتیں۔ مونالیزا مسکراہٹ تو ان کے چہرے پہ مرتسم ہی ہے۔ چشمہ بھی ان کی آنکھوں کی خوبصورتی نہیں چھپا سکتا ہے۔

ان کی بچپن کی ننھیالی بہن سنا رہی تھیں کہ چھٹپن میں جب مالی کی دلہن بیاہ کر آئی تو کسی نے سوال کیا: "بولو! تم بھی ایسی ہی دلہنیا بنوگی۔" عینی آپا نے تڑاخ سے جواب دیا: "ہمیں نہیں چاہیے ایسا مرودا۔" واقعی بہت مشہور وکیلوں، ججوں، مصنّفین اور سرکاری ملازمین کو میں جانتی ہوں جن میں سے بیشتر اللہ کو پیارے ہو چکے ہیں کہ وہ سب ان کے سامنے کبھی خود، کبھی دوست کے توسط، پیغام بھجواتے، واپسی پر لٹکے ہوئے منہ داستانِ محرومی سنا دیتے تھے۔

یہ قصہ، پاکستان ہی میں تمام نہیں ہوا۔ ہندوستان واپس جا کر السٹریٹڈ ویکلی میں ملازمت کے دوران، سنسر بورڈ کی چیئرمینی کے درمیان، بمبئی اور دلی میں قیام کے دوران، اپنا مقدر جگانے کی خواہش رکھنے والوں نے بہت بہت Name dropping کی کوشش کی مگر بڑے دل والی اس خاتون نے اپنے اندر کے دروازے کسی پر وا نہیں کیے۔

لاہور میں ملاقات کے بعد، اب چاہے میں دلی جاؤں یا پھر وہ پاکستان آئیں، ملاقات تو لازمی باب رہا۔ اس میں ایک سیشن سکینڈل کا ہم سب چسکے لے کر بیان کرتے اور پھر کہتے یہ بات بس یہیں تک تھی۔ اس سے آگے نہیں۔

عینی آپا کو میری طرح دعوتیں کرنے کا اب تک شوق ہے۔ ان کو کوئی دس بارہ برس ہوئے۔ فالج کا سامنا کرنا پڑا۔ سیدھی جانب تھا۔ چلنے میں تھوڑی دقت اور کھاتی تو اب الٹے ہاتھ سے

ہی ہیں مگر دعوتیں جاری ہیں۔ پھر ہر دعوت کا نیا عنوان۔ اس دفعہ دعوت ہے تو1960ء کے لباس پہن کر آؤ۔ اس دفعہ دعوت ہے تو اپنی اماں کے زمانے کا لباس پہن کر آؤ۔ یہ تاکید‘ عورتوں مردوں‘ سب کو ہے۔ مجھے آکر اگر زیادہ فرصت نہیں ہے اور کہا ہے کہ آپ کے ساتھ ناشتہ کروں گی تو ناشتے پہ بھی بیس لوگ اکٹھے ملیں گے۔

فالج کے بعد‘ لکھنا بند نہیں ہوا۔ ہاں یہ ہوا کہ اب پوسٹ گریجوایٹ کرنے والے طلبہ کو ملازم رکھ لیا گیا۔ ایک صبح 9 بجے سے ایک بجے تک آتا۔ آپا بولتی جاتیں‘ وہ لکھتا جاتا۔ دوسرا دوپہر تین بجے سے 6 بجے شام تک کے لیے آتا۔ ’’کارِ جہان دراز ہے‘‘ کا تیسرا حصہ اسی طرح مکمل ہوا۔ دامانِ باغباں اور کفِ گل فروش اسی دوران مرتب کی گئیں۔

عینی آپا‘ علمی سطح پر کیے جانے والے‘ سارے اچھے سوالوں کا جواب بہت تفصیل سے اور مزے لے کر دیتی تھیں۔ جس لمحے کسی نے بدتمیزی کا سوال کیا یا پھر ذاتی قسم کا لغو سوال: ’’آپ نے شادی کیوں نہیں کی؟‘‘ بس اب جو اس شخص کی شامت آتی‘ میں تو اس جگہ سے اٹھ کر دوسرے کمرے میں چلی جاتی۔

ایک دن بڑے موڈ میں عینی آپا سنا رہی تھیں کہ میں نے 6 سال کی عمر سے لکھنا شروع کیا تھا۔ بچوں کی کہانیاں لکھتی تھیں۔

اچھے دنوں میں جب صحت ٹھیک تھی۔ اپنے ناول کے مواد کی توثیق کے لیے‘ خدا بخش لائبریری سے لے کر‘ ہندوستان کا ساری لائبریریوں میں بیٹھ کر انہوں نے مواد جمع کیا۔ جب صحت ٹھیک تھی تو ہر سال دو مہینے کے لیے لندن میں اپنی پرانی دوست فیروز کے گھر قیام کیا۔ سحاب قزلباش بھی یہاں روز ہی ملنے آجاتی تھیں۔

سحاب نے اولڈ پیپلز ہوم میں رہتے ہوئے بھی‘ جب میں تین سال ہوئے لندن‘ ساقی کے گھر ٹھہری تو اپنے ہاتھ سے بنا کر پراٹھے بھجوائے تھے۔

عینی آپا نے کبھی خود کھانا نہیں پکایا۔ آیا‘ ماما اور ڈرائیور‘ یہ تین افراد‘ ان کی خاندانی روایت کا تسلسل تھے۔

چند سال پہلے‘ ان کی بیماری کے باوجود‘ حالات نے خوشگوار رخ اختیار کیا۔ ان کے پاکستان آنے کے سبب‘ جو جائیداد سجاد حیدر یلدرم کی تھی۔ وہ ضبط بحق سرکار ہوگئی تھی۔ کتنے ہی سالوں کے مقدمے کی پیروی کے بعد‘ وہ جائیداد یا اس کا معاوضہ عینی آپا کو مل گیا۔

اب زندگی میں ایک اور آسانی، موٹر، ڈرائیور اور ماما کا پورا خاندان، اس اکیلی عورت کے باعث بر سر روزگار تھا۔

عینی آپا کو پاکستانی پریس سے اب تک بہت ڈر لگتا ہے۔ وہ کبھی کہیں انٹرویو دینے کو تیار نہیں ہوتی ہیں۔ اب تو باتیں بھول بھول کر پھر دہراتی ہیں۔ بار بار پوچھتی ہیں تم کون ہو مگر بھیا کا احوال نہیں بھولتی ہیں۔ جن لوگوں نے ''گردشِ رنگ چمن'' پڑھا ہے، اس میں بھیا کا تفصیلی تعارف ہے۔ یہ نوجوان، عینی آپا کے پیر اور بھیا ہیں۔ اس سلسلے میں البتہ آپ مزید کریدنا چاہیں تو شامت اعمال آپ کا مقدر ہوگا۔

اپنے زمانے کی آزاد خیال عورت نے جب عذرا عباس کی نظمیں سنیں تو ناراض ہو گئیں۔ اتنی بے باک شاعری بھئی مجھے پسند نہیں۔ اسی طرح اپنے اوپر حدیں نافذ کیں۔ سگریٹ، شراب کسی چیز کو ہاتھ نہیں لگایا، مگر آج بھی کوئی ادبی جلسہ ہو، چاہے صدارت نہیں کرنی، صرف سننے کے لیے وہاں پہنچ جاتی ہیں اور پھر اپنی نشست پر بیٹھی ہوئی فقرے بازی بھی کرتی ہیں۔ وائس چانسلر کی بیوی بڑے شوخ رنگ کی ساڑھی اور زیور پہنے ہوئے آئیں۔ جانتی تھیں کہ وہ کون ہیں مگر زور سے بولیں: ''یہ چھمک چھلو کون ہیں؟''

لاہور میں قیام کے دوران ایک اخبار میں مستنصر تارڑ کے ساتھ ان کی فوٹو شائع ہو گئی یا مستنصر نے خود جا کر لگوا دی۔ بس صبح سویرے رونا دھونا شروع ہو گیا۔ یہ تصویر آخر کیوں چھپی۔ میں نے مذاق میں اڑانے کی کوشش کی اور کہا: ''کہاں لکھا ہے نو بیاہتا جوڑے کی تصویر ہے۔'' اب تو اور بھی سیخ پا ہو گئیں۔ ''تم بے حد نالائق ہو۔ فضول باتیں مجھے پسند نہیں ہیں۔''

اب جبکہ یادداشت کبھی کبھی ضعف کھا جاتی ہے۔ پھر بھی اپنے بارے میں ساری باتیں یاد رہتی ہیں۔ 2006ء میں پاکستان آئیں، باتیں کرتے ہوئے اچانک بولیں: ''ارے بھئی سنا ہے ہماری دوست نثار عزیز کے میاں اصغر بٹ نے میرے خلاف مضمون لکھ دیا ہے۔'' میں نے کہا: ''ارے عینی آپا! آپ بیکار سے مضامین کی کیوں پروا کرتی ہیں۔ اس مضمون میں کوئی کام کی بات بھی نہیں تھی۔'' بولیں: ''اچھا تو پھر دفع کرو۔''

عینی آپا اس عمر میں حال میں کی ہوئی بات بھول جاتی ہیں مگر گزشتہ کا احوال حرف بحرف یاد ہے۔ ایک دن مجھے بتا رہی تھیں جب بھٹو صاحب کو پھانسی دی گئی تو اس دن وہ لکھنؤ میں تھیں۔ بازار میں عزیز بانو کے ساتھ نکلیں۔ کیا دیکھتی ہیں دکانیں یا تو کھلی نہیں ہیں یا پھر ادھ کھلی ہیں۔ دکاندار گم متھان

سامنے زمین پر بیٹھے ہیں۔ افسوس یہ کر رہے ہیں کہ ایک اچھے آدمی کو پاکستان میں پھانسی دے دی گئی ہے۔ لوگ کہہ رہے تھے: "بھٹو نے انڈین لوگوں کو کتا بھی کہا تھا مگر وہ سب زبانی کلامی باتیں تھیں۔ آدمی تو ذہین تھا، کسی کو حق نہیں تھا اس کو پھانسی دینے کا۔"

شام کو عینی آپا کو لکھنؤ سے بمبئی بذریعہ ٹرین جانا تھا۔ جب وہ ویٹنگ روم میں پہنچیں تو دیکھا کہ ایک خاتون بیٹھی ہے اور ساڑھی کے پلو سے آنسو پونچھتی جاتی ہے۔ عینی آپا نے رونے کا سبب پوچھا تو بولیں: "پاکستانی کیسی قوم ہیں۔ انہوں نے اپنے راجہ کو مار دیا ہے۔"

عینی آپا، افتخار عارف کے نام رکھنے کے جوازِ کو بھی بیان کرتی ہیں جن لوگوں نے "گردشِ رنگ چمن" میں بھیا کا کردار پڑھا ہے۔ انہیں معلوم ہے کہ بھیا کا نام عارف ہے۔ بس انہی کے نام پر افتخار عارف کی والدہ نے نام رکھا تھا۔ وہ بھی عینی آپا کی طرح بھیا کی بہت معتقد تھیں۔

عینی آپا کے خاندان میں ایک دوسرے کے لیے بہت چاہت ہے۔ خالہ زاد، ماموں زاد بھی ایسے ہیں جیسے بالکل سگے بہن بھائی ہوں۔ جن ادیبوں سے وہ قرابت رکھتی ہیں ان سے بھی چاہت کے ڈانڈے اسی طرح ملتے ہیں۔

مجھے سب ہے یاد۔ ریڈیو پاکستان، لاہور

معلوم نہیں اور یاد بھی نہیں کہ یہ ابا کی گرامون پہ ریکارڈنگ سننے کا لطف تھا کہ سکول کے زمانے میں ریڈیو جانے کے باعث، میری ملاقات اور شناسائی میوزک کے لوگوں سے ہوگئی۔ اب یاد کرتی ہوں تو ریڈیو کے سارنگی نواز سراج صاحب گڑھی شاہو میں ہمارے ہمسائے تھے۔ ان سے یوں تو ملاقات کی اجازت نہیں تھی مگر ریڈیو پہ ملاقات ہو جاتی تھی۔

اس زمانے میں ڈائریکٹ براڈ کاسٹ پروگرام ہوتے تھے۔ گانا ہو کہ پکا راگ، تین منٹ میں ختم کرنا ہوتا تھا۔ ڈرامہ آدھے گھنٹے کا، ہفتے کی رات کو ساڑھے آٹھ بجے خاص ایک گھنٹے کا ڈرامہ ہوتا تھا۔ جو ہر گھر میں بڑی باقاعدگی سے سنا جاتا تھا۔ یہیں رفیع پیر کے قہقہے، دراز قد، موٹی موٹی آنکھیں اور ہم جیسے ننھے منے نئے ریڈیو پہ آنے والوں سے محبت کے ساتھ بات کرتے ہوئے، یہی حال امتیاز علی تاج کا تھا۔ وہ اپنے ڈرامے کی خود ڈائریکشن کرتے تھے۔ سو سو دفعہ موہنی حمید سے ریہرسل کرواتے۔ محمد حسین کی آواز مردوں میں اور موہنی حمید کی آواز عورتوں میں کمال شہرت رکھتی تھی۔ موہنی حمید نے تو بارہ طرح کی آوازیں نکال کر، ایک سولو ڈرامہ، ریڈیو پر بھی کیا تھا۔

ایک زمانہ تھا کہ ریڈیو آرٹسٹ جو ملازم رکھے جاتے تھے، وہ 60 سال کی عمر کو پہنچ کر ریٹائر کر دیئے جاتے تھے۔ یہ بھی المیہ تھا کہ بے چارے نوجوان قوی سے بوڑھے کی آواز نکلوائی جاتی تھی مگر عرفان کھوسٹ کے والد سے قدرتی بوڑھی آواز لگانے کا کام کم ہی ہوتا تھا۔ موہنی حمید کو ریٹائر کیا گیا اور وہ امریکہ جانے لگیں تو ان کے الوداعی پروگرام میں تمام آرٹسٹ اور ادیب شریک ہوئے۔ وہ آبدیدہ ہوگئیں اس والہانہ پن سے۔ ایک اور روایت جو ریڈیو پاکستان کی انفرادیت تھی، وہ تھی جشن بہاراں۔ ریڈیو کی نئی بلڈنگ کے لان میں سٹیج آراستہ ہوتا اور تمام رات ہم اپنے آرٹسٹوں کو سنتے۔ اب جشن

بہاراں کا لفظ کمرشلائز ہوگیا ہے۔ ہر کونے کھدرے میں جشن بہاراں منایا جارہا ہوتا ہے اور وہ بھی حسب توفیق۔

ہم ابھی چھوٹے تھے مگر ریڈیو کے سکینڈل ہمارے کانوں میں پڑنے شروع ہوگئے تھے۔ معلوم ہوا کہ ''جائیں وے کبوترا'' گانے والی مشہور گلوکارہ کا ایوب رومانی سے چکر چل رہا ہے مگر جلد ہی وہ سکینڈل ختم ہوگیا کہ ان دونوں نے شادی کرلی۔ شادی کیا کی منور سلطانہ گانے سے بھی گئیں۔ یہی حال زبیدہ خانم کا ہوا۔ پنجابی گانے کے لیے نور جہاں کے علاوہ کوئی آواز تھی وہ زبیدہ خانم کی تھی ''جھوٹی موٹی دا پالیا ای کھک وے'' جیسے ہمیشہ رہنے والے گانے اور فلمی نعتیں گانے والی خاتون کو ایک فلمی فوٹوگرافر نے ایسا مسحور کیا کہ وہی شادی کا بندھن اور پابندی گانا گانے پہ۔ البتہ مجلسیں اور میلاد پڑھنے کی اجازت تھی۔ کیسی عجیب بات ہے کہ اچھا گانے والیاں بس گھرداری کی ہوکر رہ گئیں۔ آج بھی زبیدہ خانم کے گانے مقبول ہیں۔ صرف ایک دفعہ ان کا ٹیلی ویژن پہ ابھی کوئی سال ہوا پہلا اور شاید آخری انٹرویو ٹیلی کاسٹ ہوا تھا۔

زاہدہ پروین، ملکہ موسیقی کے بعد، کلاسیکی گائیکی کی خوبصورت آواز تھی، اس نے کمال یہ کیا کہ شادی کی، اپنے پرانے گھر شاہی محلے میں ہی رہی۔ گانا نہ صرف جاری رکھا بلکہ اپنی بیٹی شاہدہ پروین کو بھی کلاسیکل گانا سکھایا۔ زاہدہ کی عمر نے لمبا ساتھ نہیں دیا۔ ماں کی طرح شاہدہ بھی 50 سال کی بھی نہیں ہوئی، رخصت ہوگئی۔ اس نے کافی گانے میں خاص نام پیدا کیا اور نہیں نکلی تو اپنے آبائی گھر سے۔ بالکل ایسے جیسے کافی سالوں تک استاد امانت علی اور فتح علی خاں کا خاندان، اسی محلے کے آبائی گھر میں رہے۔ ہم نے ان کے یہاں کافی کھانے کھائے۔ پھر امانت کے مرنے کے بعد، بچوں کے بڑے ہونے کے ساتھ ساتھ، قدرتی گھروں کے بٹوارے ہونے اور راوی روڈ کے آس پاس گھر آباد ہونے شروع ہوگئے۔

امانت علی خاں کو شاعروں کی منڈلی میں بیٹھنے کا شوق تھا۔ وہ عمر کے آخری سالوں میں میرے پاس نیشنل سنٹر میں آتا تھا۔ میں چپکے سے پانچ کا نوٹ بنا کچھ کہے اس کے ہاتھ تھما دیتی۔ وہ سیدھا ایڈلجی جاتا، ٹی ہاؤس کے باہر، ایگل سائیکل والوں کی لگائی ہوئی سبیل سے سب لوگ اپنے اپنے گلاس میں پانی لیتے، ایمانداری سے اپنا اپنا پوا، استعمال کرتے، ضرورت جن کی زیادہ ہوتی وہ پھر دوڑتے، باقی گروپوں کی شکل میں کوئی سامنے (برٹش کونسل اور گرینڈلے بینک (اس زمانے کی) دیوار پر بیٹھ کر شعرخوانی، غیبت، گالم گلوچ، حسب توفیق کرتے۔ کچھ نہر کی سمت نکل جاتے وہاں مزید غزل

خوانی اور شراب نوشی فرماتے اور کچھ بیویوں سے ڈرنے والے گھروں کی راہ لیتے۔

اسی زمانے میں تین گانے والیاں بڑی کمال کی جادوگر تھیں۔ زاہدہ سلطانہ، نور جہاں (اسے موٹی کے نام سے پہچانتے تھے) اور بلقیس خانم۔ کئی سال ان کا طنطنہ رہا۔ پھر یوں ہوا کہ زاہدہ سلطانہ قتل کر دی گئیں۔ بلقیس خانم کو کہیں سے استاد رئیس خاں مل گئے اور وہ خانم ہو گئیں۔ نور جہاں موٹی جس نے ''اچیاں لمیاں ٹاہلیاں وے'' گا کر مقبولیت حاصل کی تھی اور جس کا باپ ''آل پاکستان کنجر ایسوسی ایشن'' کا صدر بھی تھا، وہ نور جہاں اچانک مر گئی۔

ریڈیو پاکستان لاہور پہ 1950ء سے 1980ء تک فریدہ خانم کا بڑا دبدبہ رہا۔ اس زمانے میں چونکہ علم دوست لوگ ڈائریکٹرز ہوتے تھے۔ وہ گانے والوں اور ڈرامہ آرٹسٹوں کا تلفظ صحیح کرنے کے لیے، بڑے لوگ یعنی صوفی تبسم، ناصر کاظمی اور ایسے ہی دوسرے اصحاب کو چھوٹے سے مشاہرے پر ملازم رکھتے تھے۔ فریدہ خانم اپنا تلفظ درست کرواتی گئیں اور وہاں بیٹھنے والے اچھے شاعروں کی تخلیقات گاتی چلی گئیں۔ اسی زمانے میں حسن لطیف بھی ریڈیو پہ، فلم کے علاوہ بھی ہوتے تھے۔ انہوں نے ناصر کاظمی، فیض صاحب، منیر نیازی اور صوفی تبسم کی غزلوں کی خوب دھنیں بنائیں۔ علاوہ ازیں وہ مختار بیگم کی گائی ہوئی داغ اور آغا حشر کی ساری غزلیں بھی خوب گاتی تھیں۔ فریدہ گاڑی بہت تیز چلاتی تھیں۔ کبھی کبھی کیا بلکہ اکثر فٹ پاتھ پہ گاڑی چڑھا دینا ان کا معمول ہوتا تھا۔ 60ء کی دہائی میں معلوم نہیں کس طرح، مگر شہزاد احمد ان کو چاچی کہتا تھا۔ ویسے تو ہماری اور شہزاد کی نذیر بیگم سے بھی بہت دوستی تھی۔ یہ وہی نذیر بیگم ہیں جن کا گانا ''نبواں دا جوڑا'' بہت مشہور ہوا تھا۔ نذیر بیگم ریڈیو سے بہت عرصے منسلک رہیں۔ لطف کی بات یہ ہے کہ ریڈیو کی کمائی ہی سے بلقیس خانم اور نذیر بیگم نے اپنے بچے باہر پڑھنے کو بھیجے تھے۔

اللہ جنت نصیب کرے حیات احمد خاں صاحب کو کہ ان کے توسط آل پاکستان میوزک کانفرنس میں ہم لوگوں کو مختار بیگم کا گانا سننے کا موقع ملا۔ مجھے آج تک ان کا چہرہ اور گائیکی کا انداز نہیں بھولتا ہے۔

1960ء کی دہائی میں اقبال بانو ملتان سے گانے کے لیے لاہور آتی تھیں۔ 1975ء تک یہ وہیں حرم گیٹ پہ رہتی تھیں۔ فیض صاحب کی سالگرہ منائی تو ''دشت تنہائی'' گانے کے لیے خاص ملتان سے آئی تھیں۔ جس زمانے میں ملتان سے آئی تھیں تو گنپت روڈ پر ایک گلی میں گھر تھا، جہاں وہ ٹھہرا کرتی تھیں۔ ہمیں فیض صاحب کے ساتھ ان کے گھر ملتان میں بھی جانے کا اتفاق ہوا۔ وہیں میں پہلی

دفعہ ماہر القادری سے ملی تھی۔ اقبال بانو بلا کی ذہین گائیک ہیں۔ ''لازم ہے کہ ہم بھی دیکھیں گے'' یہ دھن میرے ہی گھر میں، پروفیسر اسرار (نیرہ نور کے استاد) نے ایک گھنٹے میں بنائی تھی آج چھوٹے سے چھوٹے گائیک اور چھوٹے سے چھوٹے شہر، سکول، کالج، ہر جگہ یہ نظم فوک سانگ بن چکی ہے بلکہ قومی ترانہ بن چکی ہے۔

اقبال بانو، میری ذاتی قریبی دوستوں میں سے ہیں۔ یوسف کی وفات کے بعد جو فنکار خواتین میرے بہت قریب ہوگئیں اور میرے اکیلے پن کو بانٹتی رہیں ان میں زریں سلیمان، روبینہ قریشی اور اقبال بانو، اوّلین میں شمار ہوتی ہیں۔ ہم مل کر ایک دوسرے کے دکھ بانٹتے۔ خوشیاں بھی شیئر کرتے اور آنے بہانے، شام کو بھی اکٹھے ہوتے۔ اقبال بانو کے بیٹوں نے، پڑھنے لکھنے کے بعد، اسی ماں کی گانے سے آمدنی کو ناپسند کیا، جس کے باعث وہ باعزت نوکریوں پر کھڑے ہو سکے تھے۔ ناراض ہو کر، بیویوں کو لے کر دوسرے ملکوں میں چلے گئے۔ ناراض تو وہ داماد بھی رہتا تھا، جوان کے گھر رہتا تھا، ان کی کمائی کھاتا تھا مگر ضد یہ کرتا تھا کہ اوّل تو گانا نہ گائیں اور اگر گائیں تو تصویر نہ چھپے، میری بدنامی ہوتی ہے۔

کچھ ایسا ہی مشکلات کا سامنا، ہماری پیاری فریدہ خانم کو بھی کرنا پڑا کہ وہ سسرال اور داماد جو بیٹیاں بیاہ کر لے گئے تھے، معترض ہوئے کہ فریدہ خانم گانا کیوں گاتی ہیں۔ بیٹیوں کے گھر بسے رہنے کے لیے انہوں نے کئی سال نہیں گایا مگر سالوں بعد، ہزار اذیتوں کے بعد، آواز نے جوش دکھایا۔ اب گا رہی ہیں مگر وہ انداز ''اللہ اللہ'' والے کہاں۔

اقبال بانو اور فریدہ خانم کو بھی، ملکہ ترنم کی طرح بے شمار جھلمل ساڑیوں اور لمبے لمبے آویزوں کے ساتھ گلوبند، پہننے کا ہمیشہ شوق رہا ہے۔ یہی شوق ہماری ملکہ موسیقی روشن آراء بیگم کو بھی تھا۔ یہ شوق بالکل نہیں ہے تو وہ عابدہ پروین ہے۔ آج سے تیس برس پہلے جب میں پہلی دفعہ عابدہ کو ملی تھی، اس وقت وہ حیدر آباد ریڈیو یا پھر شاہ باز قلندر کے مزار پہ گاتی تھی۔ ادھر عروج ہوا نصرت فتح علی خاں کا اور ادھر ساتھ ہی عروج عابدہ پروین کا ''میرے یار دی گھڑولی'' کے ساتھ ہوا اور نصرت فتح علی پیرس سے مشہور ہو کر پیرس والوں کو بھی ''علی علی'' سکھانے لگے۔ بہت لوگوں کو میں نے افریقہ سے لے کر جاپان تک جھومتے اور نصرت فتح علی کے سامنے دوزانو یا سجدہ ریز دیکھا ہے۔

نصرت فتح علی کو جاپانی مہاتما بدھ کا اوتار سمجھتے تھے۔ ان کو ڈاکٹریٹ کی ڈگری جاپان میں ملی۔ میوزک کے پروفیسر کی حیثیت سے چھ ماہ کے لیے جاپانیوں نے بلانا چاہا تو حالی موالیوں نے مجھ سے

کہا ''کیوں آپی! ہم چالیس بندوں کا چھ ماہ کے لیے رزق بند کروانا چاہتی ہو۔'' بس یہی چالیس بندے، نصرت فتح علی کو کمانے کی مشین بنائے لیے پھرے۔ ڈاکٹر کب سے کہہ چکے تھے کہ ان کا علاج اور آپریشن بہت ضروری ہے۔ وزن اتنا تھا کہ خود کھڑے نہیں ہو سکتے تھے۔ بازوؤں سے پکڑ کر دو بندے کھڑا کرتے اور بٹھاتے تھے مگر سُر ایسا تھا کہ ہزاروں کا مجمع چاہے پیرس ہو کہ فلوریڈا کہ ٹوکیو دم بخود مگر جھومتا ہی جاتا تھا۔ وہ پہلا سنگر تھا کہ جس کی فارن کرنسی میں رائلٹی بھی انشورڈ تھی۔ اتنا گانے والا کچھ کھا نہیں سکتا تھا کہ بغیر نمک اور گھی کا کھانا، کون چبا سکتا تھا۔ میں گھر گئی تو گھر مکمل بھی نہیں تھا مگر سارے گھر میں تصویریں اور میوزک کا سامان، سب کچھ سادگی کے ساتھ۔ ایک بیٹی جس کے ساتھ بات کرتے ہوئے وہ خود بچہ بن جاتے تھے یہ جادوگر ذہنی طور پر اتنا بالغ اور معصوم کہ جب وہ کسی بھی جگہ جا کر گانے سے پہلے، پانچ ہزار ڈالر زیادہ کا مطالبہ کرتے تو میں سمجھ جاتی تھی کہ یہ حواری جو ساتھ ہیں ان کا کارنامہ ہے مگر یہ روّیہ تو سارے آرٹسٹ، خاص کر برصغیر سے تعلق رکھنے والے ایسا ہی کرتے ہیں اور کرتے رہیں گے۔ میں یہ بھی جانتی ہوں کہ وہ آرٹسٹ جن کو طائفے میں لے جایا جاتا ہے وہ گھروں میں سالگرہ یا منگنی کی تقریب میں دو چار سو ڈالر میں بھی گا کر، اپنی روزی کماتے ہیں۔

عابدہ پروین کا مسئلہ اور ہے۔ شوہر کی وفات کے بعد، جب سسرال والوں نے، تدفین میں بھی شرکت نہ کرنے دی تو عابدہ نے اپنے بھائی کو مینیجر بنا کر بڑے سائنسی انداز میں اپنے آپ کو کمرشلائز بھی اور محفوظ بھی کیا۔ بچیوں نے بڑی اچھی تعلیم حاصل کی اور عابدہ پہ گزرتے دنوں کے ساتھ، مجذوبانہ رنگ گہرا ہوتا گیا۔ سوٹ کسی بھی رنگ کا ہو مگر اس پر اجرک، اس کے لباس کا حصہ، دنیا کے ہر گوشے میں رہی۔ خدا نے تھوڑے سے گھنگھریالے بال دیئے تھے۔ مجذوبیت سے انہیں اور بھی بے خودی کی کیفیت میں ڈھلتی چلی گئی۔ یہ عجب بے خودی تھی کہ زمانہ سازی بھی بے ریا تھی۔ کمپیوٹر کے ذریعہ، نذرانہ بھی طے ہوتا تھا اور کوئی دن ہوتا کہ وہ آواز شام کو کہیں گونج نہیں رہی ہوتی۔ بابا فرید، شاہ حسین اور شاہ لطیف کا وہ کلام کہ جو ہم آج لکھیں تو زندہ درگور کر دیئے جائیں۔ اس نے جاہ و جلال والے شاہوں کے سامنے بے دھڑک پیش کیا ہے۔

عوامی مقبولیت کا عالم، میں نے عطاء اللہ عیسیٰ خیلوی کا عجب دیکھا ہے۔ ہم لوگ پاکستان کی پچاسویں سالگرہ کے پروگرام ٹرین کے ذریعہ ملک بھر میں کر رہے تھے۔ راولپنڈی سٹیشن پہ عطا اللہ عیسیٰ خیلوی نے گانا پیش کرنا تھا۔ اس شام، وہ دنیا آئی کہ تل دھرنے کو جگہ نہ تھی اور جب عطاء اللہ آئے تو سپاہیوں نے انہیں اپنے کندھوں پر بٹھایا ہوا تھا۔ اور وہ جب گا رہا تھا تو حاکم شہر سے لے کر مزدور، ٹرک

ڈرائیور، سب ایسے جھوم رہے تھے جیسے انہیں جنت مل گئی ہو۔

پروفیسر اسرار کا میں نے اقبال بانو کے حوالے سے ذکر کیا ہے۔ انہوں نے نیرہ نور کو کلاسیکل سکھایا۔ اس وقت نیرہ این سی اے میں پڑھتی تھی۔ حلقہ ارباب ذوق، یومِ میراجی، ہر سال باقاعدہ مناتا تھا اور خیال جے جے ونتی گانے کے لیے نیرہ کئی سال آتی رہی۔ پھر ٹیلی ویژن آ گیا۔ اکڑ بکڑ آ گیا۔ شعیب اور سلیما ہاشمی کی ٹیم میں وہ شامل ہوگئی۔ سٹار بن گئی۔ فلموں میں گانے شروع کیے مگر جب دیکھا کہ لکھا کچھ جاتا ہے اور دیا کچھ جاتا ہے، یہ راستہ چھوڑ دیا۔ بہت پڑھے لکھے گھرانے کی بہو بہنیں۔ نیرہ، شاید پہلی پڑھی لکھی گانے والی رہی ہے۔ اب جبکہ اس کے بچے بھی میوزک میوزک کھیل رہے ہیں، وہ کنسرٹ کرتی ہے، اسی رکھ رکھاؤ اور سلیقے کے ساتھ کہ جہاں پہاڑا پڑھتی ہوئی سکول کی بچی یاد آجاتی ہے۔ مجال ہے گاتے ہوئے مسکراہٹ کو قریب پھٹکنے دے۔ کاپی سامنے ہاتھ میں لیے سر ایسے نکالتی ہے کہ دل کرتا ہے، ہمارے ہاتھ میں بھی کاپی ہو۔ ہم اس کیفیت کی تصویر بناتے چلے جائیں۔ نیرہ کے مقابلے میں بلکہ اس زمانے میں مہناز بھی ابھری۔ اس کے پاس تو کجن بیگم کی شکل میں موسیقی، سر اور کجریوں کا خزانہ تھا۔ اعتماد بھی تھا اور آواز بھی ایسی سریلی کہ سننے والے کے کانوں سے شہد ٹپکنے لگے۔ مہینوں میں گھر میں رکھ کر یعنی ''سنجن نگر'' میں رکھ کر رضا کاظم نے بڑی تربیت کروائی مگر اتنی زیادہ توجہ پا کر، مہناز نے چند فلموں میں اچھا گایا۔ امیر خسرو، خوب گایا، چند غزلیں گائیں مگر اپنی تربیت کا حق ادا نہیں کیا۔ اب ملک میں واپس امریکہ سے کبھی کبھی آتی ہے مگر وہ بات کہاں مولوی مدن والی۔ جس طرح اس کی امی کجن بیگم کجریاں گاتی تھی، نوحہ اور سلام، پورے خاندان کی بہنیں مل کر آٹھویں اور نویں محرم کو پڑھتی تھیں، وہ اس ماضی کا حصہ ہے جو ورق جلد ہو گیا ہے۔

اچھے گانے والوں کو غزلوں کا انتخاب کر کے دینا بھی ایک مرحلہ ہوتا ہے۔ اس انتخاب کے لیے، انتخاب شخصیت اولاً اور اعلیٰ ترین سلیم گیلانی تھے۔ گائیک چاہے فریدہ خانم ہوں کہ مہدی حسن، اگر کوئی اعلیٰ پائے کی غزل گا رہے ہیں تو وہ سلیم گیلانی نے منتخب کی ہے۔ اب اس میں چاہے ''یہ دھواں سا کہاں سے اٹھتا ہے'' یا پھر ''آ کہ سجادہ نشیں قیس ہوا میرے بعد'' مہدی حسن کی طرح غلام علی کو بھی انتخاب کر کے دینا، ان کا ہنر تھا۔ ویسے تو غلام علی مشہور ہوئے تھے، صوفی صاحب کی ترجمہ کی ہوئی غالب کی غزل ''میرے عشق دائیں اعتبار تینوں'' سے مگر پھر ''چپکے چپکے رات دن آنسو بہانا یاد ہے'' ہندوستانیوں کے دلوں میں اترتی چلی گئی اور اب اکثر غلام علی کبھی گیت گاتے یا دھن بناتے، ہندوستان میں پائے جانے لگے اور اب تو ان کا بیٹا امیر علی بھی ان کے نقش قدم پر جا رہا ہے۔

مہدی حسن جیسے جیسے مقبول ہوتے گئے، فنکار تھے، عشق بھی کرتے گئے۔ شکر ہے کہ شادیاں صرف دو کیں مگر ان سے بھی چودہ بچے پیدا کیے۔ کچھ جمع جوڑ نہیں کیا۔ ریڈیو، ٹی وی میں رائلٹی کی روایت کم کم ہے۔ فلموں میں تو بالکل نہیں ہے۔ آخر وہ مقام آیا جسے فنڈ ریزنگ کہتے ہیں۔ کب چلتا ہے کام ایسے شو پیس مرحلوں سے۔ نور جہاں کی زندگی کا آخری مرحلہ ایسا تھا کہ وہ گا نہیں سکتی تھیں۔ مہدی حسن بھی انہی الجھنوں سے گزر رہے ہیں۔

ریڈیو چونکہ قدیم ترین ادارہ ہے، اس لیے تقریباً تمام آرٹسٹ اسی بھٹی میں کندن ہوئے ہیں۔ سخت جاں مرحلہ ان فنکاروں کے حوالے سے آتا تھا جنہیں پڑھنا بھی نہیں آتا تھا۔ جیسے ریشماں، تصور خانم، پٹھانے خاں، یہاں پھر سلام سلیم گیلانی کو کہ وہ ان لوگوں کو پنجابی اور اردو کی چیزیں رٹواتے تھے۔ آخر کو انہوں نے گانے سیکھنے کی دوسری منزلیں طے کرنے کے علاوہ پڑھنا لکھنا بھی سیکھ لیا۔

ریڈیو پہ ویسے بھی پروڈیوسرز اور ڈائریکٹر زگنی بندے ہوتے تھے۔ ذوالفقار بخاری، عزیز حامد مدنی، سلیم احمد، احمد ہمدانی، ایوب رومانی، شکور بیدل، مختار صدیقی، یوسف ظفر، باقی صدیقی، اخلاق احمد دہلوی، تابش دہلوی، رضی اختر شوق، نسیم حمید اور پھر یہی ریڈیو لاہور تھا جہاں کرشن چندر، منٹو بیٹھا کرتے تھے۔ وہاں اب سرونٹس کے لوگ بیٹھتے ہیں۔ کبھی کبھی تو اس قدر حماقت ہوتی ہے کہ نظیر اکبر آبادی کے نام کا چیک بن جاتا ہے اس لیے جو ضرورت مند پہنچ جاتا ہے حسب توفیق حاصل کر لیتا ہے، ورنہ وہ زمانہ کہ شہر میں کوئی ادیب آیا ہوا ہے، اس کا انٹرویو ضرور کرنا ہے۔ اس زمانے میں ناگرہ پورٹیبل ٹیپ ریکارڈر ہوتا تھا۔ لاہور سٹیشن ڈائریکٹر شمس الدین بٹ تھے۔ اگر سارے سٹوڈیوز میں ریکارڈنگ ہو رہی ہوتی تھی تو شمس الدین بٹ صاحب اپنے کمرے میں بٹھا کر ریکارڈنگ کرواتے تھے۔ ہم لوگ ریڈیو پر اپنا اختیار سمجھ کر جاتے تھے۔ لوگوں کو گھیر گھیر کر لاتے تھے۔ کبھی نہ اجازت کی ضرورت اور نہ خوشامد کا مرحلہ۔

ریڈیو کے سازندے بھی کمال کے تھے۔ وہ قومی سطح پر مشہور تھے۔ استاد شوکت نے ملکہ موسیقی سے لے کر، ہر بڑے فنکار کے ساتھ طبلے پر سنگت کی تھی۔ یہی حال سارنگی نواز استاد ناظم کا تھا۔ اب تو سارنگی نواز نظر ہی نہیں آتا۔ استادوں میں استاد شریف خاں پونچھ والے تھے، جن کی زندگی کی آخری نشست میری دوست تنویر مسعود کے گھر ہوئی تھی۔ کیا خوبصورت وچتر وینا بجاتے تھے۔ رضا کاظم کی بیٹی بلی بھی بہت اچھا بجاتی ہیں مگر پبلک میں خال خال ہی آتی ہیں۔

زندگی کے تیس برس ہم لوگ یا تو دہلی مسلم ہوٹل جاتے تھے کہ ملنا ہوتا تھا۔ مہاراج غلام حسین

کتھک سے یا پھر لاہور آرٹس کونسل کہ وہ شدید ترین مارشل لاء کے دوران بھی ہفتے میں تین دن شام کو کتھک سکھانے آتے تھے۔ بے چارے آرٹس کونسل والوں نے انڈر گراؤنڈ والے پورشن میں آرٹس کلاسز رکھی تھیں کہ کہیں ڈنڈا بردار فورس آگے نہ آ جائے۔

میں نے چھوٹی سی ناہید صدیقی کو مہاراج سے ڈانس سیکھتے دیکھا ہے۔ وہ دن میں کم از کم پانچ گھنٹے ریہرسل کرواتے تھے۔ جب ناہید ڈانس کرتے کرتے بے حال ہوتی تو وہ اس کے منہ میں مکھن کا پیڑہ گھسا دیتے۔ میں نے پوچھا: ''یہ کیوں؟'' بولے طاقت کو قائم رکھنے کے لیے۔ بالکل اسی طرح میں نے فصیح الرحمٰن کو ڈانٹ کھاتے اور ریہرسل کرتے دیکھا ہے۔ مجھے بھی یہ اعزاز حاصل ہے کہ میں نے استاد مہاراج کے اعزاز میں ساری کتھک ڈانسرز کی پرفارمنس کروائی۔ یہاں مجھے جہاں آراء بہت یاد آ رہی ہے۔ وہ نوجوان 20 سال کی لڑکی کہ جس نے ناہید اور مہاراج، دونوں سے کتھک سیکھا۔ پھر دہلی جا کر بجو مہاراج سے سیکھا۔ شانتی نکیتن میں ایک سال پڑھی۔ علی گڑھ میں ایک سال پڑھی۔ جہاں آراء مشہور مصور ظہور الاخلاق اور معروف سرامسٹ شہزاد کی بیٹی تھی۔ ہاں تھی کہ ایک ظالم اور جاہل شخص نے جنونیت میں جہاں آراء اور ظہور..... دونوں کو گولیوں سے چھلنی کر دیا تھا۔ جہاں آراء میں بڑی ڈانسر بننے کی بڑی صلاحیت تھی مگر فنا کا ہاتھ بہت تیزی سے آگے بڑھا۔

جہاں آراء کی طرح تحریمہ نے بھی میرے سامنے اپنی ماں اندو مٹھا سے ڈانس سیکھا۔ اوڈیسی اور بھارت ناٹیم کو اس ملک میں کم کم ہی جانا جاتا ہے۔ تحریمہ نے ماں سے جس قدر فیض حاصل کیا، اس کو ادا بھی کیا۔ تحریمہ کو شوہر بھی بہت فنکار شناس ملا جس نے اس کی ہر آرزو پوری کی۔ ہماری دوست شیریں پاشا نے، تحریمہ کے فن پر کئی مہینوں کی محنت کے بعد فلم بنائی تھی۔

تحریمہ کے علاوہ شیما کرمانی نے بھی بھارت ناٹیم میں بہت ممتاز مقام حاصل کیا۔ شیما نے لیاری جیسے علاقے میں مزدوروں کے سامنے اور جاہل عورتوں کے سامنے ڈرامے پیش کیے کہ ان کی ذہنی پرداخت ہو سکے۔ شیما کو بھی بہت اچھا دوست ملا تھا۔ خالد احمد، اس نے انجینئرنگ یونیورسٹی چھوڑ کر اس کے ساتھ نہ صرف رفاقت کی بلکہ بانسری بجانی سیکھی۔ کیروگرافی سیکھی مگر ایسا تو فنکاروں کے تمام رشتوں میں ہوتا آیا ہے۔ آخر ناہید صدیقی اور ضیاء محی الدین کا رشتہ ٹوٹا، نگہت چودھری کے رشتے ٹوٹے۔ بس یہی انجام شیما اور خالد کے رشتے کا ہوا۔

فصیح الرحمٰن، مردوں میں اوّلیں رقاص ہے جس پر مہاراج نے بہت محنت کی۔ لڑکا ہے بھی خوبصورت۔ کبھی کبھی موٹا نہ ہو تو ہمیشہ وجیہہ نظر آئے مگر مہاراج کے باعث اس کو بھی ایک لت پڑ گئی جو

ہمارے بہت سے مولویوں کو ہوتی ہے۔ آجکل کے زمانے میں اس عادت نے فیشن کی شکل اختیار کر لی ہے جس کا نمائندہ شاعر افتخار نسیم ہے۔ بہرحال جو بھی اس کی اپنی ذاتی زندگی ہے۔ اس کے علاوہ فصیح بہت جی دار کتھک ڈانسر ہے۔ ہر چند کراچی میں کئی لڑکے کتھک سیکھ رہے ہیں ڈانس بھی کر رہے ہیں چونکہ ڈانس کی جگہ کودنے پھاندنے نے لے لی ہے' اس لیے یہ بحث ہی فضول ہے کہ کلاسیکی ڈانس اب نئے کتنے لوگ کر رہے ہیں۔ جن لوگوں کے متعلق میں نے لکھا ہے ان سب سے میری ذاتی دوستی ہے۔ اس لیے جو احوال جانتی تھی وہ لکھ دیا۔

ابھی تو دو ایسی شخصیات ہیں کہ جن کے بغیر یہ باب نامکمل رہے گا۔ میڈم آزوری' ان کو بزرگی کے عالم میں دیکھا۔ روتے بلکتے ہوئے دیکھا۔ وہ کسی مہربان کے ایک کمرے میں رہتی تھیں اور روٹی کھانے کو وہ پیسے پورے نہیں ہوتے تھے جو سرکار سے تین ماہ یا سال بھر بعد ملتے تھے۔ اتنی بڑی ڈانسر کہ جس کے بارے میں خبریں 1920ء میں برطانیہ کے اخباروں میں شائع ہوئی تھیں۔ وہ اسی کسمپرسی میں اور یونہی روتی بلبلاتی اس دنیا سے چلی گئیں۔

کراچی میں گھنشیام اور رفیع انور سے ملاقات اور باتیں بھی خاصے کی چیز ہے۔ یہ استاد تھے شیما کرمانی کے۔ پاکستان میں قرارداد مقاصد کیا پاس ہوئی' بس ڈانس کو ایسا غیر اسلامی سمجھا گیا کہ اب تک بھوت نہیں اترا ہے۔ یہی غم اور اداسی ان دونوں استادوں کو غربت کی گود سے اٹھا کر قبر تک لے گئی۔

ضیاء الحق کے زمانے میں پابندیوں کا یہ عالم تھا کہ ایک دفعہ ناہید صدیقی لاہور آئیں تو مرحلہ درپیش تھا کہ اس کا ڈانس کہاں دیکھا جائے۔ آخر کو لاہور گوئٹے انسٹیٹیوٹ کو ان شرائط پر راضی کیا گیا کہ سو کے قریب مہمان بلائے جائیں گے۔ انسٹیٹیوٹ کے باہر کی تمام لائٹیں بند ہوں گی۔ گاڑیاں کہیں اور کھڑی کی جائیں گی۔ تب یہ پرفارمنس ہوگی۔ ایسے ہی کیا گیا۔

یہی حال سٹیج ڈراموں کا تھا۔ اس وقت سب سے زیادہ مددگار لاہور میں گوئٹے انسٹیٹیوٹ تھا۔ پہلے جرمن ڈائریکٹر ہوتے تھے پھر دو سال ڈاکٹر مبارک رہے۔ مدیحہ گوہر ہو کہ وسیم یا تحریمہ' جس نے ڈرامہ' ڈانس کرنا ہوتا تھا' گوئٹے انسٹیٹیوٹ مرکز ہوتا تھا۔ ایک آدھ دفعہ امریکن سنٹر نے اور ایک آدھ مرتبہ الائنس فرانس نے مدد کی مگر مرکز ثقافت' گوئٹے انسٹیٹیوٹ ہی تھا۔ پتہ نہیں کیا ہوا۔ پھر یہ مرکز ہی بند کر دیا گیا مگر ان فنکاروں نے اپنی اپنی راہیں تلاش کیں اور کام جاری رکھا۔ انہوں نے کسی سے نہیں پوچھا کہ ہم خلا میں گئے تو قبلہ کس سمت ہوگا۔ یہ کام مولویوں پہ چھوڑ دیا۔

اپنا اپنا جہنم۔ جمیلہ ہاشمی

جمیلہ ہاشمی کی اور میری ملاقات' ان کے سمن آباد والے گھر میں ہوئی تھی۔ ان کے گھر کے پاس ایک تنور تھا' جہاں جا کر نوکر کھانا کھاتے تھے اور ہم اسی تنور کی روٹیوں کے ساتھ بھنا گوشت کھایا کرتے تھے۔

جمیلہ ہاشمی سے کس نے تعارف کرایا' یہ یاد نہیں' شاید تجمل حسین نے یا پھر اشفاق احمد نے' مگر وہ تعارف پیچھے چلا گیا اور ہم دونوں دوست بہت ہی عزیز دوست بن گئے۔ صبح میں دفتر پہنچتی تو پہلا فون جمیلہ ہاشمی کا اور پھر صلاح الدین محمود کا آتا تھا۔ جمیلہ سے ادب کے ساتھ ساتھ ذاتی دکھوں کی بات بھی ہوتی اور صلاح الدین محمود سے بین الاقوامی تازہ ادب زیر بحث آتا۔

اتفاق سے جب میری اور جمیلہ کی ملاقات ہوئی۔ ہم دونوں حمل سے تھے۔ میرے چھوٹے بیٹے اور جمیلہ کی بیٹی عائشہ میں تین ماہ کا فرق ہے۔ یہ بچے اکٹھے کھیلتے اور ہم جمیلہ کی سٹڈی میں بیٹھ کر کتابوں کی باتیں کرتے۔

میری طرح جمیلہ اور حجاب آپا کے علاوہ ادا جعفری کو بھی محفلیں کرنے اور ادیبوں کو کھانے پہ بلانے کا شوق تھا۔ کوئی چار برس کا عرصہ ایسا گزرا کہ ہم چاروں ایک ہی شہر میں تھیں۔ کبھی جمیلہ کے گھر آم پارٹی ہے' کبھی میرے گھر قیمے والے نانوں کی پارٹی ہے لیکن من وسلویٰ کی میٹنگ حجاب آپا کے گھر یا ادا جعفری کے گھر ہے۔ میرے گھر عید سے اگلے دن اوپن ہاؤس ہوتا' بہت لوگ آتے' ایک زمانے میں ہم نے شیزان میں عید سے اگلے دن ملنے کا پروگرام بنایا۔ جو کچھ کھایا پیا جاتا' ہم سب مل کر بل ادا کرتے تھے۔ جمیلہ ہاشمی اس طرح کے ہر پروگرام میں پیش پیش رہیں۔

جمیلہ نے ایف سی کالج سے ایم اے انگلش کیا تھا۔ پڑھنے کا شوق بھی تھا مگر ساہیوال سے

خانقاہ شریف جانے کے باعث، کتابوں سے ربط ذرا ٹوٹ سا گیا تھا۔ لاہور واپس بڑے جتنوں سے اپنے شوہر سردار احمد اویسی کو لے کر آئیں۔

اس زمانے میں، ہم کرشن نگر منتقل ہوگئے تھے اور تھوڑے ہی عرصے بعد جمیلہ ہاشمی چھاؤنی میں اپنے نئے گھر میں منتقل ہوگئی تھیں۔

جس زمانے میں جمیلہ حمل سے تھیں۔ اس زمانے میں محرم پہ مجھے کہا کہ میں زیارتوں پہ ان کے ساتھ چلوں۔ مجھے معلوم نہ تھا کہ یہ سلسلہ کیا ہوتا ہے۔ شوق شوق میں چل پڑی۔ اب کیا دیکھتی ہوں کہ ادھر تعزیہ رکھا ہے۔ جمیلہ اس کے پاس بیٹھ کر دعا کر رہی ہیں اور چڑھاوا چڑھا رہی ہیں۔ میرے لیے یہ سارے منظر بڑے دلچسپ تھے۔ ایک دن بڑی بے تکلفی کے عالم میں پوچھ ہی لیا "بتاؤ تو کیا مانگتی ہو؟" کہنے لگیں: "میرے گھر ایک بیٹا ہوا تھا مگر اس کو میرے سسرال والوں نے مروادیا۔ میرے شوہر نے جائیداد کی خاطر یہ دوسری شادی کی ہے کہ بیٹا ہو۔ میں بس یہی دعا کرتی ہوں کہ بیٹا ہو۔"

اللہ نے مجھے بیٹا دیا کہ میں بیٹی کی آس لگائے بیٹھی تھی اور جمیلہ کو بیٹی دی۔ بیٹی بھی ایسی کہ آج ڈاکٹر عائشہ صدیقہ کہلاتی ہے مگر اس بیٹی نے بڑے سخت زمانے دیکھے ہیں۔

اوّل تو یہ ہوا کہ ان کے علاقے کے دستور کے مطابق ایک دودھ پلائی رکھی گئی۔ اتفاق سے اس کی بچی بھی چند ماہ کی تھی۔ وہ بچی، پلنگ کے ساتھ بندھے دوپٹے کے پالنے میں پڑی رہتی اور وہ دودھ پلائی دایہ، عائشہ کو اپنا دودھ پلاتی۔ مجھے یہ دیکھ کر بہت غصہ آتا۔ میں نے کہا: "سوچو، جو عورت اپنی بچی کو رلا رہی ہے اور تمہاری بچی کو دودھ پلا رہی ہے، وہ دودھ زہر ہوگا کہ نہیں۔ تم اس عورت کو دودھ پلانے سے پہلے دودھ کا گلاس پلاتی ہو۔ اس کے اندر سے دودھ کوئی ٹونٹی سے تھوڑا ہی نکلتا ہے۔ دودھ تو مامتا کے باعث اُنڈا چلا آتا ہے۔ میرے علاوہ بھی شاید کچھ اور لوگوں نے ٹوکا تو اب وہ دایہ ہٹادی گئی اور ایک بکری رکھ لی گئی۔ اب بکری کو قلاقند اور نجانے کیا کیا کھلایا جاتا کہ اس کے اندر سے طاقتور دودھ نکلے اور عائشہ پیے۔ یہ ڈرامہ بھی چند ماہ چلا۔ حتیٰ کہ عائشہ چھ ماہ کی ہوگئی۔ اب عائشہ کو اوپر کا دودھ، دلیہ وغیرہ کھلایا جانے لگا۔

اویسی بھائی مہینے میں چند دن کے لیے لاہور آتے۔ اتوار کے دن فون کرتے "بہن کیا پکانا ہے۔ آؤ چلو گوشت لے آئیں۔ ہم دونوں پرانی انارکلی سے چن کر گوشت لیتے۔ واپس آکر میں اور اویسی بھائی کھانا پکاتے، یوسف اور جمیلہ، باتیں کرتے کرتے ہمارے ساتھ آملتے۔ اسی زمانے میں شام کی پارٹیاں بھی ہوتیں۔ اویسی بھائی بہت کم کسی کے گھر جاتے تھے۔ کبھی جاتے تو مختار مسعود کے گھر یا

پھر جمیل جالبی کے ساتھ مل کر گفتگو کر لیتے۔

میں نے ایک دفعہ کہا: ''میں آپ کو بطور پیر کے آپ کے گاؤں میں دیکھنا چاہتی ہوں۔'' ہنسے، کہنے لگے: ''چلو۔'' ہم لوگ ان کے گھر خانقاہ شریف گئے۔ صبح آٹھ بجے سے بارہ بجے تک خانقاہ کے برآمدے میں موڑھا بچھا کر وہ بیٹھ جاتے۔ سامنے ایک چادر پھیلا دی جاتی۔ لوگ آتے، ہاتھ جوڑے، پلو یا دھوتی کے وٹ سے مڑا تڑا نوٹ نکالتے۔ پھیلی چادر پہ بڑی لجاجت سے رکھ دیتے۔ عرض گزارتے اویسی بھائی کبھی دائیں ہاتھ کی میز پر سے کبھی بائیں ہاتھ کی میز پر سے ایک پرچی اٹھا کر دیتے۔ وہ شخص یا خاتون دوزانو ہوئے پیچھے کی طرف ایسے جاتے کہ ان کی پیر صاحب کی طرف کبھی پیٹھ نہیں ہوتی تھی۔ ساڑھے بارہ بجے کے قریب اندر تشریف لاتے۔ لڑکے کو حکم ہوتا ''لے آؤ'' میرے اور ان کے لیے ٹھنڈی کی ہوئی بیئر جاتی۔ اس کے بعد کریلے گوشت جو ہم دونوں کو مرغوب تھا، مزے سے کھایا جاتا۔ ذرا دو گھنٹے آرام کرتے، پھر وہی برآمدہ، وہی تعویذ عطا کرنے کا سلسلہ، آخر کو شام ڈھل جاتی۔

ہر سال ایک مہینہ کی چھٹی، لندن میں گزارتے۔ ایک دفعہ فیصلہ کیا کہ واپسی پر حج کرتے آئیں گے۔ جہاز میں دوپہر کا کھانا کھایا۔ بعد میں جب سوئے ہوئے ذرا دیر ہوگئی جمیلہ نے جگایا تو پتہ چلا کہ وہ تو بہت دور جا چکے ہیں۔

عائشہ کوئی پندرہ برس کی تھی۔ اس معصوم بچی نے کاک پٹ میں جا کر جہاں جہاں فون تھا، فون کیا۔ ہم لوگوں نے یہ جانکاہ منظر ایئر پورٹ پر اور پھر پورے راستے نثار عزیز بٹ، انتظار حسین اور میں خانقاہ گئے۔ یہ عجیب سفر تھا۔ مرزا لیسین رحیم یار خاں میں ایس پی لگے ہوئے تھے، انہوں نے سب انتظام کیا۔

اب مرحلہ آیا دستار سر پر رکھنے اور قل والے دن فاتحہ پڑھانے کا۔ جمیلہ نے بچپن سے جوانی کی اس عمر تک عائشہ کو مردانہ کرتا، شلوار پہنائی تھی۔ سکول بھی نہیں بھیجا تھا مگر گھر پر ہر طرح کی کتابیں فراہم کر کے اولیول کی تیاریاں کروا رہی تھی۔

اب ہم کیا دیکھتے ہیں۔ تمام مردوں کے درمیان اپنے باپ کی پگڑی پہنے عائشہ بیٹھی ہے۔ ماں بہت نہال ہے۔ لوگ انگشت بدنداں ہیں۔ سوتیلے بہنوئی اکڑے اکڑے پھر رہے ہیں۔ بہت مقدمے بازی ہوئی۔ کہنے والوں نے یہ بھی کہا کہ جمیلہ تو ان کی بیوی ہی نہیں ہیں مگر وہ خاتون، شوگر کی مریض ہونے کے باوجود ثابت قدم رہی۔ جان سے چلی گئی مگر مرتے دم تک اپنی بیٹی کو حق کے لیے لڑنا

سکھا گئی۔ عائشہ نے اپنی ماں کی محبت اور باپ کی عقل کو استعمال کرتے ہوئے بڑے سبھاؤ سے سب رشتہ داروں سے جائیداد کے معاملات طے کیے اور زندہ رہنے کا سلیقہ سیکھا۔ ماں کی طرح لکھنے کا شوق گرہ میں باندھا مگر ایسا موضوع جو دفاعی امور سے متعلق تھا، اس میں تحقیق بھی کی اور نام بھی کمایا۔

سال کے سال آم پارٹی، جمیلہ کے گھر کی خصوصیت تھی۔ ایک سال میڈم نور جہاں بھی شریک تھیں۔ ہر نشست میں شام افسانہ ضرور ہوتی۔ کبھی کبھی ان افسانوں پر تبصرہ بھی ہوتا۔ شیخ منظور الٰہی سے لے کر صلاح الدین محمود تک، سبھی لوگ شریک ہوتے۔ جس محفل میں نور جہاں تھیں، اس میں صلاح الدین محمود کے کلف شدہ کپڑوں اور وجود کو دیکھ کر انہوں نے میرے کان میں کہا: ''یہ کیا شے ہے؟''

میں نے کان ہی میں تھوڑا سا تعارف کرا کے کہا کہ تم ان کا نام پوچھنا، دیکھنا خوشی کے مارے پٹاخ کر کے گر جائے گا۔ میڈم نے کہا: ''کھانے کے بعد پوچھوں گی۔'' کھانے کے بعد آم پارٹی شروع ہوگئی۔ میں نے ارشاتاً پوچھا کہ تعارف، بولیں: ''دفع کر، آم بہت اچھے ہیں۔''

سب رخصت ہونے لگے تو صلاح الدین محمود نے کھنگار کر کہا: ''آپ کو بچپن سے سنتے آئے تھے۔ آج مل کر بہت خوشی ہوئی۔'' میڈم نے تیکھی نظروں سے دیکھ کر کہا: ''بڑی بڑی داڑھیوں والے بھی مجھے یہی کہتے ہیں۔'' اور وہ سیڑھیاں اتر گئیں۔

اگلے دن صبح ابھی پورچ میں گاڑی کھڑی کی تو ٹیلی فون کی گھنٹی بج رہی تھی۔ مجھے معلوم تھا یہ صلاح الدین محمود ہیں۔ کہہ رہے تھے رات چوک ہوگئی۔ یہ نہیں کہنا چاہیے تھا۔ میں نے کہا: ''اگلی ملاقات میں مداوا کر دیجیے گا۔''

جمیلہ ہاشمی نے گاڑی چلانی سیکھی تو ہمیشہ جوتا اتار کر ننگے پیر گاڑی چلاتی تھیں۔ عادت اتنی راسخ ہوئی کہ مرتے وقت تک گاڑی چلانے کا یہی عالم رہا۔

ایک دفعہ جمیلہ کے گھر دوپہر کا کھانا تھا۔ ادا بہن نے لیمن گرین ساڑھی پہنی ہوئی تھی۔ شاید انتظار حسین کے منہ سے نکل گیا تھا کہ ہندا نے بھی اسی رنگ کا لباس پہنا تھا۔ بس صلاح الدین محمود کا پارہ چڑھ گیا۔ وہ احتجاجاً خودکشی کرنے پیدل ہی چل پڑے۔ سب نے کہا، جاؤ منا کر لاؤ۔ میں نے کہا: ''ذرا شیر پاؤ پل تک پہنچنے تو دیں۔'' واقعی جب میں گاڑی لے کر وہاں پہنچی تو وہ پل کی دیوار کو پکڑے کھڑے تھے۔ میں نے گاڑی روکی۔ ان کو پکڑ کر بٹھایا۔ بغیر کچھ کہے گھر اتارا اور واپس آ کر جمیلہ کے گھر چائے پی۔

میرے گھر میں ایسے جھگڑا ہوا کہ میں گھر چھوڑ کر جمیلہ کے گھر آ گئی۔ کوئی آٹھ دن تو ایسے گزرے۔ پھر جمیلہ کے ساتھ یوسف نے ترلے منتیں شروع کر دیں کہ اسے کہو واپس چلے۔ ہونا تو یہی ہوتا ہے کہ عورت کو ہی بات ماننی پڑتی ہے۔ مگر اس دفعہ اویسی بھائی نے بڑے بھائی کا کردار ادا کیا، جس کا مجھے ساری عمر فخر رہے گا۔

جب میں اور اویسی بھائی بازار سودا لینے جاتے تو چھوٹی سی عائشہ ہمارے درمیان بیٹھی ہوتی۔ اب عائشہ سودا لینے جاتی ہے اور میں پیچھے آرام سے بیٹھی ہوتی ہوں۔

جمیلہ صرف عینی آپا کو اپنی دوست کہتی تھیں۔ ان سے متاثر بھی بہت تھیں۔ ناول لکھتے ہوئے عینی آپا کی طرح لائبریریوں کے چکر بھی بہت لگاتی تھیں۔ طویل لکھنے کو وہ ہنر سمجھتی تھیں۔ جب سقوطِ مشرقی پاکستان پر ناول مکمل نہ کر سکیں تو قرۃ العین طاہرہ پہ مبسوط ناول لکھ دیا۔ کہانی بھی طویل لکھتی تھیں مگر جب ''رنگ بھوم'' کتاب آئی تو پتہ چلا کہ جو خاتون بظاہر مطمئن ہے اس کے اندر کتنے الاؤ ہیں۔

آگے سمندر ہے۔ انتظار حسین

انتظار حسین کو میں نہیں جانتی ہوں۔ چالیس برس کے تعلق اور میل ملاپ کے باوجود یہ اعلان سچ ہے جو شخص بہت کم زبانی بولتا ہے اور لکھنے پہ آئے تو ویشو دھرامیا' کبیر اور الف لیلیٰ سے پہلے ٹھہرے نہیں۔ جو بات کرتے ہوئے اب تو سٹیج پہ چڑھ کر بولنے بھی لگے ہیں۔ پہلے تو یہ بھی ہم نے نہیں دیکھا تھا۔

معلوم نہیں میرا تعارف انتظار حسین سے کس نے کرایا۔ ''ادبِ لطیف'' نے کہ انتظار صاحب نے میری مشہور غزل ریڈیو پہ سن کر ''ادبِ لطیف'' کے لیے فون کر کے مانگی تھی کہ ناصر کاظمی نے کہ میری دوستی پہلے ناصر کاظمی سے ہوئی تھی۔ ریڈیو کے پروگراموں کے ناطے سے کہ حلقہ ارباب ذوق کے الیکشن کے حوالے سے۔ قیوم نظر کے مقابل انتظار حسین' سیکرٹری حلقہ اربابِ ذوق کا الیکشن لڑ رہے تھے۔ میں ابھی تازہ واردانِ ادب تھی۔ میں نصیر انور کے بیٹے کی سالگرہ میں گئی ہوئی تھی۔ مجھے اس وقت گاڑی لینے کے لیے آئی کہ میں ووٹ ڈال جاؤں اور پھر واپس سالگرہ میں چلی جاؤں۔ الیکشن لڑنے کے طریقوں سے یہ میرا پہلا واسطہ تھا۔ بہت گھمسان کا رن پڑا۔ آخر کو انتظار حسین جیت گئے۔ اس زمانے میں وائی ایم سی اے میں حلقے کے اجلاس ہوتے تھے۔ بڑا عزت کا مقام سمجھا جاتا تھا۔ جب کوئی نیا ادیب' اپنی غزل' نظم' مضمون یا افسانہ پیش کر سکے۔

اس زمانے میں ادیبوں کے پاس گاڑیاں بہت ہی کم ہوتی تھیں۔ انتظار حسین' مشرق میں باقاعدہ کالم نویس مقرر ہوئے تو ان کو گاڑی کی ضرورت پیش آئی مگر ان سے پہلے محبوب خزاں نے جو ڈپٹی اکاؤنٹینٹ جنرل پنجاب تھے' انہوں نے گاڑی لی۔ وہ گاڑی موڑتے وقت' سامنے کی سکرین کی بجائے کھڑکی سے باہر دیکھ کر گاڑی موڑتے تھے۔ ان کے بعد ایک چھوٹی مورس گاڑی انتظار حسین نے لے لی۔

پکی عمر پہ پہنچ کر انتظار حسین نے شادی کی۔ گھر والی عالیہ بھی ان کی تقریباً ہم عمر تھیں۔ اس لیے نوجوانوں والے چونچلے ہم نے نہیں دیکھے۔ البتہ مشرق میں کام کرنے والی دوستیں جن میں فریدہ حفیظ پہلے اور نثار فاطمہ بعد میں شامل ہوئیں۔ ان کا کہنا تھا کہ شادی کے زمانے میں انتظار صاحب، حکیم حبیب اشعر سے بہت مشورے کیا کرتے تھے۔

اتفاق بھی بات یہ ہے کہ اسی زمانے کے لگ بھگ، انہی کی عمر کے دوسرے شاعر سجاد باقر رضوی نے بھی اپنی ایک گزشتہ شاگرد سے شادی کر ڈالی تھی۔ اس طرح کی شادی کا چلن تو اپنے سید عابد علی عابد نے شروع کیا تھا اور وہ تان آجکل اصغر ندیم سید پہ آ کر ٹوٹی ہے۔

اسی ایک سال میں سعادت سعید، سہیل احمد خاں، یونس جاوید، سبھی لوگوں کی شادی ہوئی اور ادیبوں کے اسی شادی شدہ قافلے کی دعوت میرے گھر ہوئی۔ بس یہیں کشادگیٔ تعلقات کی بنیاد رکھی گئی تھی۔

یوں تو سارے ادیبوں نے اپنی بیویوں کو ساتھ لانا ضروری نہ سمجھتے تھے مگر جب دعوت ہوتی کسی خاتون ادیب کے یہاں (بلکہ ہوتی ہی انہی کے گھر تھی) یعنی جمیلہ ہاشمی، حجاب امتیاز علی، ادا جعفری، نثار عزیز بٹ اور میرے گھر۔ باقی تو سارے مرد ادیبوں کے یہاں تو سال بھر میں بھی ایک دعوت ہو جاتی تو غنیمت ہوتی۔

انتظار حسین کے یہاں بائیسویں رجب کی نیاز پہ شہر بھر میں اترے ہوئے یا نمائندہ ادیب بالخصوص بلائے جاتے۔ عالیہ بہت سلیقے سے بلکہ ایک دن پہلے سے اہتمام شروع کر دیتیں۔

خواتین ادیبوں کے باعث کبھی ملہار کی شام ہو رہی ہوتی، کبھی چاندی رات۔ کبھی شب افسانہ، کبھی نہاری ناشتہ، کبھی آم پارٹی کبھی ہریسہ کلچے، کبھی دال بھری روٹیاں اور کبھی اشفاق احمد کے گھر سارے ادیب مل کر سیخوں پر کباب لگا رہے ہوتے۔ کبھی واصف علی واصف کا لیکچر سن رہے ہوتے۔ کبھی دوسرے ملک سے آئے مہمان کے اعزاز میں دعوت میں سارے ادیب شریک ہوتے چاہے وہ دعوت علی سردار جعفری کے اعزاز میں ہو کہ اختر الایمان، کیفی اعظمی کہ مجروح سلطان پوری، محمد عمر میمن کہ عینی آپا، ساقی فاروقی کہ باقر مہدی، بلراج مین را کہ شمس الرحمن فاروقی، زبیر رضوی کہ شمیم حنفی، ڈاکٹر گوپی چند نارنگ کہ ڈاکٹر قمر رئیس، فرانس پریچڈٹ کہ بیدار بخت، خالد سہیل کہ ڈاکٹر خلیق انجم، گویا دنیا کے حصے کا کوئی ادیب ہو، میرے گھر کے علاوہ انتظار صاحب بھی دعوت کرتے بلکہ ہمارے کچھ دوست جیسے صلاح الدین محمود اور انور سجاد صرف مہمان کو الگ بلا کر، ہم سب سے چھپ کر اس کی دعوت

کا اہتمام کرتے اور اپنی نظمیں اس انداز میں سنانے کا ارادہ باندھتے جیسی انہوں نے غیب سے کسی آواز میں سنی تھیں۔ ہم لوگ جن کی شرارت میں انتظار صاحب بھی شامل ہو جاتے۔ عین موقع پر آن دھمکتے۔ صلاح الدین محمود حیران رہ جاتے۔ لطف یہ تھا کہ نہ کھانا کم پڑتا اور نہ گفتگو کا بظاہر ذائقہ خراب ہوتا مگر اکیلے نظمیں سنانے کا منصوبہ ناکام ہو جاتا۔

کہتے ہیں ادیبوں کو قریب سے جاننے والوں کے لیے' ان کا ادب پڑھنا مشکل ہو جاتا ہے۔ میں تو انتظار حسین کو جاننے کا دعویٰ ہی نہیں کرتی مگر جب میں تذکرہ پڑھتی یا پھر بستی پڑھتی تو میرے سامنے کردار' وجود اختیار کرنے لگتے۔ ہر کردار بولنے لگتا۔ ان کی آواز میرے کانوں میں گونجتی ہے۔

میں سوچنے لگتی انتظار حسین کی منی مورس کی اگلی سیٹ پہ کون خاتون بیٹھی تھی جس تک انتظار حسین کا ہاتھ پہنچنے سے بس ذرا دور رہ گیا۔ وہ کون خاتون تھی جو افسانے پڑھنے حلقے میں آتی تو ہم زبردستی انتظار صاحب کو شادی سے پہلے چھیڑ دیا کرتے تھے۔ پھر وہ کون تھی جس کو بہت کم مگر چھاؤنی تک ضرور اپنی گاڑی میں چھوڑنے جاتے تھے۔ یا پھر تصور میں حق ہمسائیگی سمجھ کر کبھی کبھی کسی خاتون کو میں موضوعِ گفتگو بناتی۔ یہ سارے تصورات تو میرے ہی ہیں۔ پاکباز انتظار حسین کا ان سے کوئی تعلق نہیں ہے مگر تذکرہ سن کر انتظار صاحب نہ کبھی انکار کرتے نہ اقرار' بس ہنس کر' جھینپ کر رہ جاتے۔

خود کو رجعت پسند کہنے والے اور ترقی پسندوں کو طعنے دینے والے انتظار حسین نے ببانگ دہل یہ تو نہیں کہا کہ میری توبہ رجعت پسندی سے' مگر یہ ضرور کہا کہ وہ مذہبیت جو ضیاء الحق نے پھیلائی' میری اس سے توبہ۔ اسی زمانے میں کمال کہانیاں انتظار حسین نے لکھیں۔ کراچی کی بربریت پہ ''آگے سمندر ہے'' لکھا۔ پپو کے قاتلوں کو سرعام پھانسی دینے جیسی مضحکہ خیز مگر تکلیف دہ حرکتوں پر تذکرہ لکھا مگر ان کے ہر کردار نے ہم جیسے دوستوں سے باقاعدہ مکالمہ کیا۔

اس زمانے کے انتظار حسین اور چیز تھے جب ان کا پورا حلقہ ہوتا تھا۔ پہلے تو ناصر کاظمی' مظفر علی سید' حنیف رامے اور غالب احمد کے ساتھ محمد حسن عسکری کا ٹولہ ہوتا تھا۔ کب کسی اور ادیب کو یہ لوگ گھاس ڈالتے تھے۔ پھر مظفر علی سید اور غالب احمد ایئر فورس میں چلے گئے۔ حنیف رامے کتابوں اور رسالے کے دھندے میں لگ گئے تو اب پورا ہراول دستہ انتظار حسین' ناصر کاظمی' سجاد باقر رضوی' انجم رومانی' شہرت بخاری' سجاد رضوی' عمر فیضی اور احمد مشتاق کو مرثیہ یا سلام پیش کرنے یا تقریر کرنے کو بلایا جاتا تھا کہ ریڈیو پہ رضی ترمذی اور شکور بیدل بھی انہی کے نظریات کے تھے۔

پھر سیاست کے موسم نے پت جھڑ ایسا لگایا کہ انتظار حسین اکیلے رہ گئے۔ یہ غم انہوں نے

بڑے حوصلے سے سہا اور دیکھا کہ پرانے شناساؤں میں اب صرف زاہد ڈار ہے۔ ذرا آگے بڑھو تو مسعود اشعر، شاہد حمید، کبھی کبھی جاوید شاہین اس منظر پہ نظر آتے ہیں مگر جن کو دوست کہیں، اس تلاش میں وہ سنگ میل کے دفتر چلے جاتے ہیں۔ رفاقت نہ سہی، عزت اور محبت تو بہت ملتی ہے۔

ہماری روایت میں تو یہ ہے کہ عورتیں بہت صابر و شاکر ہوتی ہیں۔ انتظار صاحب یہاں روایت شکن ثابت ہوئے۔ زندگی اور شادی سے ہر ممکن نبھاہ کیا۔

خود کو رجعت پسند کہنے کے باوجود ضیاء الحق کی کسی ادیبوں کی منڈی میں خود کو پیش نہیں کیا۔ دنیا بھر میں ان کے افسانے کی دھوم مچی مگر غرور ان کی چوکھٹ تک نہیں آتا۔

میں انتظار حسین کو نہیں جانتی ہوں۔ صرف اتنا جانتی ہوں کہ وہ بلند شہر میں پڑھے ہیں۔ وہ میری دھدیال ڈبائی میں پیدا ہوئے۔ کیا یہ کافی ہے کہ آپ دونوں ایک شہر سے منسوب ہوں اور ایک دوسرے کو جان لیں۔

پھول کھلنے کے زمانے آئے - احمد فراز

یہ وہ زمانہ ہے جب ٹیلی فون عام نہیں ہوئے تھے۔ گاڑیاں بھی ابھی ادیبوں، شاعروں کے پاس نہیں آئی تھیں۔ جہاز پہ چڑھ کر لاہور، کراچی، پشاور یا کوئٹہ جانا معمول کی بات نہیں تھی۔

یہ سمجھئے کہ 1965ء کا زمانہ تھا۔ اس زمانے میں فنون کے دفتر میں سینئر اور جونیئر سب شاعروں سے ملاقات ہوتی تھی۔ انارکلی باڑی سنز کے اوپر بہت سی سیڑھیاں چڑھ کر قاسمی صاحب کا یعنی فنون کا دفتر تھا۔ یہیں احمد فراز سے ملاقات ہوئی۔ دردآشوب، اس کا دوسرا مجموعہ تھا جو تازہ تازہ آیا تھا۔ ہم سب کو ہی بہت پسند آئی تھیں، اس مجموعے کی تمام غزلیں۔ یہ زمانہ بھی وہ تھا کہ ہم لوگ اچھی غزل چاہے ناصر کاظمی کی ہو کہ احمد مشتاق کی یا فراز کی۔ ایک دوسرے کو کبھی نقل کر کے بھیجتے اور کبھی زبانی سناتے۔ اس زمانے میں حافظہ بھی ایسا تھا کہ اچھا شعر سنتے ہی یاد ہو جاتا تھا۔

فنون کے دفتر سے ملاقات گھروں تک پہنچی۔ ایک زمانہ وہ آیا کہ مجھ سے بھی زیادہ احمد فراز کی یوسف کامران سے دوستی ہوگئی۔ سبب بھی مناسب تھا۔ ارغوانی شام اور مہتابی چہروں کے درمیان، یہ دونوں آپس میں مل کر خوب چہکتے تھے۔ کبھی کبھی مجھ سے چھپ کر، بلکہ میرے دفتر جانے کے بعد، کبھی کوئی خوش رو اور کبھی برقع میں لپٹی خاتون گھر آتی، گفتگو ہوتی، کبھی یوں ہوتا کہ دونوں رات گئے واپس لوٹتے تو جوتے اتار کر، دیوار پھاند کر گھر میں داخل ہوتے، آہٹ سے میری آنکھ کھل جاتی، ہنسی ہنسی میں اور کبھی غصے میں بات ٹل جاتی۔

فراز کا لاہور میں آنا، فنون میں اور میرے گھر محفلوں کے ہونے کے لیے لازمی حصہ تھے۔ میں نے شروع میں بتایا کہ اس زمانے میں ٹیلی فون عام نہیں تھے۔ احمد فراز، بغیر کسی اطلاع کے گھر پہنچ جایا کرتے تھے۔ ایک دفعہ جب پہنچے تو گھر میں نیا نوکر پایا۔ اس نے نام پوچھا اور کہا کہ مجھے اجازت نہیں ہے

کہ کسی شخص کو گھر میں آنے دوں۔ فراز بہت سٹپٹایا۔ ٹیلی فون لانے کو کہا۔ نوکر نے نمبر ملا کر دیا۔ مجھے ہنسی آ گئی اور پھر فراز نے نوکر کو تنبیہ کی: "میں اسی طرح بغیر اطلاع کیے آتا رہوں گا تم مجھے روکو گے نہیں۔"

رائل پارک والے گھر کے زمانے میں، فراز کو فلموں کے لیے کچھ لکھنے کا شوق ہوا تھا۔ اسی شوق میں ایک ایسی ماہ روئے عشق بھی تھی جس کا دروازہ ماڈل ٹاؤن میں کھلتا تھا۔ اس کی آواز میں ایک فلم کے لیے فراز نے گانا بھی لکھا مگر ہر فلمی اماں کی طرح، اس خاتون کی اماں بھی ظالم سماج بن کر سامنے آ گئی۔ اس کے باوجود ٹیلی ویژن والوں نے فراز کو سامنے بٹھا کر اس خاتون سے کئی غزلیں ریکارڈ کیں اور یہ پروگرام ٹی وی پر چلا۔

وہ محفلیں صد آتشہ ہو جاتیں جن میں فراز کے علاوہ ظہور نظر بھی ہو کہ فقرے بازی اور لطیفہ گوئی کی تہیں کھلتی جاتی تھیں۔ شام بھیگتی جاتی تھی۔ چہرے ارغوانی ہوتے جاتے تھے اور پھر شعری نشست جمتی، بعد ازاں کھانا کھایا جاتا۔

ایک دفعہ فراز کے جانے کے بعد ٹیلی فون کے بل میں کوئٹہ کے لیے ہر روز بکنگ ملی۔ یوسف نے کہا: "چپ کرو۔" میں چپ ہو گئی۔ فراز سے خود پوچھ لیا اور کچھ عرصہ بعد اس خاتون سے ملاقات ہو گئی۔ صادقین کی اوپن ایئر تھیٹر کی گیلری میں وہ آئی تھیں۔ معلوم ہوا کہ کوئٹہ سے لاہور آ گئی ہیں۔ اب تو چاہے ابن انشاء ہوں کہ فیض صاحب، صادقین ہوں کہ احمد فراز کہ محمد طفیل، ہر کسی کا کعبہ ادھر ہی ہوتا۔

کھڑے کھڑے ملنے کو ابن انشاء آتے، واپس جاتے ہوئے میں پوچھتی: "کیا ریلوے لائن کے پار جانا ہے۔" وہ ہنس کر روانہ ہو جاتے۔

1965ء سے 1970ء کے درمیان کا زمانہ، احمد فراز کے مشہور ہونے کا زمانہ تھا۔ اب فراز کا مسکن پشاور سے اسلام آباد منتقل ہو گیا تھا۔ یہ بھی ایک سلسلہ عشق تھا جو دس برس چلا۔ اسی زمانے میں، ہم دونوں کا دفتر بھی نیشنل سنٹر تھا۔ کام کرنے کے معاملے میں، میں شہد کی مکھی اور فراز مشاعرے پڑھنے سے بچے وقت میں دفتر دیکھ لیا کرتے تھے۔

میرے چھوٹے بیٹے اور فراز کی صبح اٹھنے کے بعد بہت کشتی ہوا کرتی تھی۔ اسی ہنسی کھیل میں کبھی دروازہ بجتا تو سامنے زیتون بانو اور تاج سعید کو کھڑا پاتی۔ اسی زمانے میں بانو، پشتو فلموں کی ڈبنگ کرنے کے لیے لاہور آتی تھیں۔ یہ سارا مجمع میرے کرشن نگر والے گھر میں ہوتا تھا۔ اس کا بڑا سا صحن تھا۔ اس صحن میں ٹیبل ٹینس کھیلنے والے بھی ہوتے تھے۔ دسویں محرم کو شعیب ہاشمی کی فرمائش پر تیس چالیس لوگوں کے لیے حلیم بھی پکتا تھا جس کو گھوٹنے کے لیے منو بھائی سے لے کر تنویر مسعود، یوسف اور

کبھی کبھی احمد فراز بھی ہوتے تھے۔

اسی زمانے میں فراز نے گاڑی چلانی سیکھی۔ ہم سب لوگ شیزان میں دوپہر کا کھانا کھا رہے تھے۔ فراز نے اسی دن ایک پرانی گاڑی خریدی تھی۔ فیصلہ کیا کہ وہ خود گاڑی چلا کر پنڈی جائیں گے۔ ہماری ساری ٹولی جس میں رائل پارک کے زمانے تک شہزاد احمد بھی شامل تھے، سب کے سب بیٹھے باتیں کر رہے تھے کہ کوئی گھنٹے بھر بعد بیرے نے کہا: "میڈم آپ کا فون۔" میں حیران ہو کر بھاگ کر گئی۔ ادھر سے احمد فراز بول رہے تھے: "بھئی میں تو شیخوپورہ پہنچ گیا ہوں۔" وہ بھی ہنس رہے تھے اور میں بھی۔ میں نے کہا: "اب چار بج رہے ہیں۔ واپس آ جاؤ۔ صبح پنڈی چلے جانا۔"

چاہے میرا گھر رائل پارک والا تھا کہ کرشن نگر والا کہ اقبال ٹاؤن والا۔ ہر گھر احمد فراز کا اپنا گھر تھا۔ میرے بچے بھی اس سے بہت مانوس تھے۔ ان تمام گھروں میں مختلف ناموں کی لڑکیوں کے فون بھی آتے تھے۔ کچے عشق کی ماری یہ لڑکیاں سمجھتی تھیں کہ بس اب ان کے گھر ڈھولکی رکھ دی جائے گی۔ اسی تمنا میں وہ تلاش کرتیں اپنے محبوب شاعر کو ایک ایسے شخص کے روپ میں جس کا اس نے کبھی سوچا ہی نہیں تھا۔ یہی احمد فراز کی سچائی بھی ہے۔ وہ ہوا بن کے گزرتا ہے۔ اس کی مہک سے اگر کوئی مدہوش ہو جائے تو اس کے اندر کا گداز مبہوت ہوتا ہے۔

ہوا کی طرح سفر کرتے کرتے، آخر کو ایک موڑ ایسا آ ہی گیا کہ فراز کو فرحت علی جیولرز کی دکان سے ساڑھی اور انگوٹھی خریدنی پڑی۔ ہر چند کئی دفعہ وہاں سے گزرتے ہوئے، فراز نے ارادہ کیا کہ اس دفعہ ارادے نے نکاح کی کمند ڈال دی اور یوں فراز کی زندگی کا ایک نیا باب شروع ہو گیا۔ ابھی بھی فراز کے معمولات اور شام بسری میں فرق نہیں آیا۔ اب فراز کو نوکری کی وہ سطح مل گئی جسے پاکستان اکیڈمی آف لیٹرز کی چیئر مین شپ کہتے ہیں۔ بھٹو صاحب نے قائم کی اور فراز کو اس کا پہلا چیئر مین بنایا۔

ابھی بھٹو صاحب نے فوج کو کچھ زیادہ اختیارات دینے شروع کیے تھے کہ فراز کو تاؤ آ گیا۔ اس نے فوج کے خلاف نظم لکھ دی۔ معتوب بھی ایسے ہوئے کہ پندرہ دن تک خبر نہ ہوئی کہ کہاں ہے۔ سیف الدین سیف اور میں نے ہیپس کارپس میں درخواست دائر کی۔ جسٹس ظلہ کی عدالت نے حکم دیا فوج کو کہ فوراً فراز کو پیش کیا جائے (عدالتوں کے ایسے زمانے بھی تھے) ہمیں رازداری سے پیغام ملا کہ سارے ادیبوں کو اکٹھا کرو کمرۂ عدالت میں اور جسٹس ظلہ نے حکم دیا کہ فراز کو فوری رہا کیا جائے مگر اب تو بھٹو صاحب ناراض تھے کہ ایک طرف پی این اے والے میرے خون کے پیاسے ہیں دوسری طرف میرے اپنے ایسی نظمیں لکھ کر مجھے بھڑکا رہے ہیں۔ (خیر یہ

ساری باتیں تو ایک اور باب میں آ چکی ہیں۔)

احمد فراز کو کراچی میں یہی نظم پڑھنے پر سندھ بدری کے پیغامات رات گئے ملے۔ چند دنوں میں اسلام آباد آ کر اور فوج کے اقتدار سے تنگ آ کر، فراز نے لندن کی راہ لی۔ وہاں اس کا بھائی رہتا تھا۔ اس عرصے میں بہت لوگوں نے اس کی بیوی ریحانہ کو تنگ کرنے کی کوشش کی مگر وہ خاتون ثابت قدم اور خاموش سب کچھ سنتی اور دیکھتی رہی۔

لندن میں ہوا فروش حسیناؤں نے قدم بوسی کی۔ فراز نے سوچا دل بہل جائے گا۔ کچھ سنبھلا بھی مگر وطن واپس لوٹا اس وقت جب جونیجو کی حکومت آ چکی تھی۔ لندن کے رفیقوں نے اسلام آباد میں پڑاؤ کیا۔ وقت نے گزرتے ہوئے احمد فراز کے کان میں کہہ دیا تھا کہ ان وقتی رشتوں کو طول مت دینا۔ راہرو بدلتے رہے، گھر قائم رہا۔ سرداب بڑا ہو رہا تھا۔

فراز کے دونوں پہلے بیٹوں سعدی اور شبلی کو میں نے بچپن سے دیکھا تھا۔ انہوں نے میرے سامنے تناور اور حسین نوجوانوں کی شکل اختیار کی۔ اپنی والدہ سے علیحدگی کے مسئلے کو کبھی زبان پہ نہیں لائے۔ باپ کے لیے شیفتگی ہمیشہ قائم رکھی۔

''دوست ہوتا نہیں ہر ہاتھ ملانے والا'' یہ مصرعہ لکھنے والا شخص، جہاز میں ملنے والے مداح کا دعوت نامہ بلا نام پوچھے قبول کر لیتا تھا اور یہ رسم آج تک جاری ہے۔ مگر اس میں لالچ کی سطح نہیں لحاظ خوری کی عادت زیادہ ہے۔ جس طرح مردوں کو دوسرے کی بیوی اچھی لگتی ہے۔ فراز کو بھی دوسرے کے گھروں کا کھانا بھی بہت مرغوب ہے مگر عادت میں بہت سادہ کہ اچھی پکی دال بھی لطف لے کر کھاتا ہے۔

میری اس کی دوستی کو 45 برس ہو گئے۔ ہماری نہ کبھی نبھی اور نہ کبھی دوستی ختم ہوئی۔ وہ عاشقانہ طبیعت کا مالک، میں Feminist۔ میں نثری نظم بھی لکھتی ہوں۔ وہ نثر نظم کا سخت مخالف۔ وہ منہ پر آیا فقرہ روک نہیں سکتا، چاہے دوست قربان ہو جائے۔ دوستی میں اس کے ساتھ ثابت قدم رہا ہے تو وہ ضیاء[1] ہے کہ اس نے ہر دور میں فراز کے ساتھ نبھائی ہے۔ فراز کے ساتھ جو بھی رہا ہے اسے اپنی قیمت آپ چکانی پڑی ہے۔ بہت اچھا شعر کہنے والا شاعر حوصلہ مندی میں کہیں کہیں ٹھٹک جاتا ہے۔ وہی فقرے بازی کبھی جان کے لالے بھی ڈال دیتی ہے۔ ایسے وقت میں مصلحت میں اگر اپنے شعر سے بھی روگردانی کرنی پڑے تو پھر کیا ہے کہ دنیا میں لوگ ایمان بیچ دیتے ہیں۔ فراز کم از کم سچ بولنے کی کبھی کبھی ہمت کر لیتا ہے۔

---

(1) سیف الدین سیف کا بھائی، فراز کا بچپن کا دوست۔

شعر میں کرافٹ جتنی خوبصورتی سے وہ نبھاتا ہے، بہت کم شاعروں کو یہ ہنر آتا ہے، البتہ ایسا کرافٹ ذاتی زندگی میں اکثر رونما نہیں ہوتا ہے۔

اپنی تعریف سننا کس کو اچھا نہیں لگتا ہے مگر فراز کو وہ محفل نہیں بھاتی ہے جہاں دوسروں کے بارے میں بھی بات کی جائے۔ ہر لمحہ مکمل توجہ کا طلب گار شخص، بے ایمان نہیں۔ البتہ عورت کے بارے میں نیت خراب رکھنے کی عادت کو وہ چھپاتا نہیں ہے۔ گزشتہ 35 برس سے یہ اپنے زمانے کا جان ڈان، ہردلعزیزی میں بے مثل ہے اور نخوت کے درجے تک آگاہ بھی ہے۔

احمد فراز کی خوبی یہ ہے کہ وہ جس نشست میں بھی شریک ہوں، تصور کر لیتے ہیں بلکہ یقین کی حد تک ان کا ہر انداز یہ ظاہر کرتا ہے کہ اس میں جتنے لوگ شریک ہیں، وہ سب ان کے مداحین ہیں۔ وہ کرشن ہیں اور عورتیں، چاہے کسی درجے کے ہوں، ان کی گوپیاں ہیں۔ اگر کوئی فرمائش نہ بھی کرے تو تازہ غزل سنانے میں کوئی عار محسوس نہیں کرتے۔ جب وہ موجود ہوں تو چاہتے ہیں کہ گفتگو کا محور بھی وہی ہوں، اگر توصیفی سیشن سے علاوہ کسی سیاسی موضوع پر بھی بات ہو تو ان کے نقطہ نظر کو تسلیم کیا جائے، ورنہ وہ ناراض ہو جائیں گے۔ انہیں ایم ایم اے اس لیے پسند تھی کہ وہ سب پشتو بولتے تھے اور ان کے رہنما، ملاقات پر، احمد فراز کی تعریف کرتے تھے۔ ایک زمانے تک انہیں کوئی اعتراض نہیں تھا۔ 1998ء کی تبدیلی پر، بلکہ توصیفی فقرے بھی بولتے تھے حکمرانوں کے لیے مگر جیسے ہی نوکری سے برخاستگی کا پروانہ ملا تو پھر وہ سب جو اچھے تھے وہ برے ہو گئے۔

خود علی الاعلان کہتے ہیں کہ شاعروں اور ادیبوں میں سب سے امیر شخص ہوں۔ لوگ کہتے ہیں کہ اس سے ہمیں کیا۔ دوستوں کو آپ کا دسترخوان نصیب نہ ہو تو لذتِ زر تو کسی کو نہیں چاہیے۔

جلاوطنی نے فراز کو بہت کمال کی غزلیں لکھنے اور روکھی سوکھی رومانویت سے نکلنے کا حوصلہ دیا۔ اس نے افریقی شاعروں کے تراجم بھی کیے۔ احمد فراز نے کلاسیکی اسلوب کو جس قدر خوبصورتی سے اپنایا ہے، اس کی لذت کو وہ لوگ زیادہ سمجھ سکتے ہیں جنھوں نے فارسی پڑھی ہو۔ آجکل سر ہلانے والے زیادہ اور سمجھنے والے کم ہو گئے ہیں مگر فراز کا کلام آج بھی بہت فروخت ہوتا ہے اور اگر پڑھا نہیں جاتا تو کم از کم الماریوں میں ضرور سجا ہوتا ہے۔ ہر ڈائمنڈ پہنے خاتون اسی طرح فراز کی تعریف کرتی ہے جیسے پچھلے زمانے میں فیض صاحب کی تعریف کی جاتی تھی۔

فراز نے سی ڈی اے کے انجینئروں اور ٹھیکیداروں سے وقتی دوستی کر کے، اپنے بچوں کے لیے کچھ سامانِ راحت اکٹھا کیا ہے۔ بقول اسد محمد خاں: ''یار یہ شخص ایک طرف اللہ میاں کے وجود سے

انکار کرتا ہے تو دوسری طرف لگتا ہے اللہ میاں اس کا منہ بند رکھنے کے لیے رشوت دیتا ہے کہ وہ جو مقدمہ بھی کرتا ہے جیت کر ہی آتا ہے۔''

زبان کا سچا ہونا اور بات ہے، زبان کا پکا ہونا اور بات ہے۔ بس یہی فرق فراز کے یہاں بار بار آتا ہے۔

فراز کی فقرے بازی ضرب المثل کی صورت اختیار کر چکی ہے۔ ایک دفعہ میں ش فرخ اور فردوس حیدر، فراز کے ہوٹل میں ملنے گئے۔ یہ کراچی کا واقعہ ہے۔ پوچھا کیا کھاؤ گی۔ ہم نے کہا: ''سینڈوچز۔'' فون کر کے روم سروس والوں سے بولا: ''آپ کچھ سینڈ بھجوا دیں، وچز میرے کمرے میں موجود ہیں۔'' اسی طرح مرحوم سلیم شاہد کے سامنے کے تین دانت سلامت تھے۔ باقی کے ٹوٹ چکے تھے۔ اس کو دیکھتے ہی کہتا: ''لو یار آ گیا تین وکٹوں والا۔''

مسعود اشعر کے ساتھ 1976ء میں چین گئے ہوئے تھے۔ مسعود اشعر نے کہا: ''یار چائے تو آ گئی۔ چینی نہیں لائے۔'' فراز جھٹ سے بولا: ''لو اتنے چینی پھر رہے ہیں کسی کو اٹھا کر کپ میں ڈال لو۔''

ایک دفعہ فراز اور ثروت محی الدین کی فرمائش پر دوپہر کو بھنگ گھوٹنے اور پینے کا اہتمام کیا گیا۔ تمام دوستوں کی لسٹوں کی چھان بین ہوئی۔ ثروت کے سپرد آب خورے لانے کا پروگرام، افتخار کے ذمے راوی کے کنارے سے بھنگ کے کچے پتے توڑ کر لانے کا پروگرام، میں نے بازار اور خاص کر لنڈے کے کنارے ٹانگے میں جتے گھوڑے کے گلے میں جو گھنگھروؤں کا پٹہ پڑتا تھا، وہ لے کر آئی اور کونڈی ڈنڈا بھی لیا۔ پانچ کلو دودھ کا اہتمام کیا گیا اور اتنا ہی گوشت بھونا گیا۔ احمد فراز اور ثروت اسلام آباد سے آئے تھے۔ جاوید شاہین، منو بھائی، اصغر ندیم سید اور دو تین لوگ لاہور ہی سے تھے۔

میں نے اس سارے اہتمام کے لیے ڈرائنگ روم میں اے۔ سی لگوایا۔ احمد فراز نے کمرے کے درمیان میں رکھ کر بادام اور بھنگ گھوٹنا شروع کی۔ میں نے، افتخار کی ہدایت کے مطابق اس میں دودھ ڈالا۔ اب مجھے فکر لگی کہ تھوڑی ہی دیر میں کوئی اِدھر تو کوئی اُدھر گرا ہوگا۔ اس لیے میں نے آب خورہ بس ذرا سا منہ کو لگا کر رکھ دیا کہ مجھے بعد میں کھانا بھی لگانا تھا۔

مگر کھانا کھا کر بھی دیکھتی ہوں تو لوگ اپنے اپنے اندازے کے مطابق مختلف کمروں میں لیٹتے گئے۔ نہ کسی کو نشہ ہوا اور نہ کسی کی مت ماری گئی۔ تحقیق پر پتہ چلا کہ اصل میں افتخار نے ہم سب کو ناتجربہ کار سمجھتے ہوئے، دودھ بہت ڈلوا دیا تھا۔ اس لیے کوئی بھی منظر ایسا نہ بنا کہ یادگار رہتا۔

میری اور یوسف کی لڑائی ایک دفعہ اس منزل پہ پہنچی کہ میں نے علیحدہ ایک کمرے کا گھر کرائے پر لے کر اپنا سامان منتقل کر دیا۔ اُسی دن فراز لاہور آئے تھے۔ یوسف نے ان کو صلاح کار بنایا اور میرے پاس بھجوا دیا۔ کئی گھنٹے بحث و تمحیص میں گزرے۔ آخر کو مجھے فراز کی بات ماننی پڑی اور میں اگلے دن گھر لوٹ آئی تھی کہ شام کا کھانا فراز نے گھر پر ہم دونوں کے ساتھ کھانا تھا۔

ایک دفعہ فراز کو اسلام آباد آنا تھا۔ دوپہر کھانے کا وقت تھا۔ ہم نے کہا چلو چائنیز ریسٹورنٹ میں چل کر سوپ پی لیتے ہیں۔ سوپ کے پیالے میں آخر میں ایک کنکر نظر آ گیا۔ ہم دونوں نے شور مچا دیا۔ وہ بے چارے ترلے منتیں کرتے رہے کہ دوسرے لوگ نہ سن لیں، جلدی سے ایک اور سوپ کا بھرا ہوا پیالہ لے آئے۔ ہم نے وہ بھی سوپ پی لیا۔ جب ہم اٹھ کر جانے لگے تو فراز نے کہا ''اب ہم آئندہ اپنا کنکر ساتھ لے کر آئیں گے۔''

احمد فراز کو اپنی نوکری سے والہانہ محبت تھی۔ اس کا میرے پاس ثبوت یہ ہے کہ میں Classic Hours میں فراز کا انٹرویو ریکارڈ کر رہی تھی۔ آخری سوال تھا کہ ''یہ طے ہے کہ آپ ساری عمر شاعری اور نوکری کرتے رہیں گے۔'' فراز نے کہا ''بالکل۔'' اگلے دن ٹی وی والوں کو خط لکھ دیا کہ کشور ناہید کا کیا ہوا انٹرویو نہ چلایا جائے۔ پتہ نہیں یہ نوکری سے محبت کے باعث انکار تھا کہ شاعری کے باعث۔

چاروں جانب سناٹا ہے۔ حبیب جالب

حبیب جالب کو میں نے 1958ء میں لاء کالج لاہور کے مشاعرے میں سنا اور مبہوت ہوگئی۔

کوئی تو پرچم لے کر نکلے، اپنے گریباں کا جالب
چاروں جانب، سناٹا ہے ویرانے یاد آتے ہیں

جگر صاحب کی طرز کا، بہت ہی محبوب ترنم، سیدھے آدمی، شرمیلے، لڑکی دیکھتے ہی محبوبیت ان کے چہرے سے ٹپکنے لگتی۔ مشاعرے سے فارغ ہوکر کافی ہاؤس آئے۔ ہم ساتھ ساتھ تھے۔ شاعروں کو شوق ہوتا ہے کہ مداحین کے جلو میں چلیں اور سوچیں کہ ''ہے کوئی ہم سا'' کالج سے یونیورسٹی آنے سے فائدہ یہ ہوا کہ ہمارے ڈیپارٹمنٹ اور کافی ہاؤس میں فاصلہ کم تھا۔ ادھر یونیورسٹی کلاسز سے فارغ ہوئے، نام لیا کہ برٹش کونسل لائبریری جا رہے ہیں۔ آ گئے سیدھا کافی ہاؤس۔ دن کے کسی وقت میں کافی ہاؤس کا رش کم نہیں ہوتا تھا۔ کبھی بیٹھے مل گئے عبداللہ بٹ، کبھی شورش کاشمیری اور کبھی ارشاد کاظمی، ندرت الطاف، عابد منٹو، ریاض قادر یا پھر حبیب جالب۔

میرے پاس تو پاکٹ منی پانچ روپے ہوتے تھے مگر یوسف کو مہینے کے خرچ کے پورے سو روپے، کراچی سے منی آرڈر آتا تھا۔ ہم لوگ ان پیسوں میں سے روز ایک آدھ سینڈوچ یا ایک آدھ سموسہ اور چائے کے ساتھ دن گزر جاتا تھا مگر شوق تھا بڑے آدمیوں سے کچھ سیکھنے کا۔ جالب نے ابھی سیاسی رنگ دکھانا شروع نہیں کیا تھا۔ اس لیے کالجوں کی تقریبات کی جان تھے۔

1960ء میں میری شادی ہوگئی۔ گھر بھی ایسی جگہ کہ جہاں سارے شاعر، ادیب، صحافی، فلم والے، سبھی تو رائل پارک میں تھے۔ ایک منزل پہ موجد کا دفتر تھا۔ اوپر کی منزل پہ طفیل ہوشیار پوری رہتے تھے۔ سامنے کے فلیٹ میں سورن لتا اور نذیر رہتے تھے۔ دوسری جانب کی منزل پہ شباب کیرانوی

اور آغا گل کا دفتر تھا۔ میرے گھر کے نیچے ہفت روزہ سکرین لائٹ کا دفتر تھا جہاں شام کو شاد امرتسری سے لے کر حبیب جالب، سب جمع ہوتے تھے، ٹھرا پینے کے لیے، لاہور ہوٹل کے سامنے عدم صاحب کی چوکڑی جمتی تھی۔ رائل پارک کے آخر میں احمد راہی کی کٹیا تھی جہاں خواجہ خورشید انور، مسعود پرویز جمع ہوتے تھے۔ یعسوب الحسن کا الگ اڈہ ہوتا تھا اور کبھی اس اڈے پر عدم صاحب بھی شامل ہوتے۔ کبھی حبیب جالب سر دکھا دیتے۔ چونکہ میرے گھر کا ان سب بادہ فروشوں کو علم تھا اور یوسف بھی حسب مقدور، خدمت کرنے پہ آمادہ ہوتے تھے۔ اس لیے آہستہ آہستہ، میرا گھر، مرکز خلائق بن گیا۔

1964ء ایک بڑا موڑ تھا۔ حبیب جالب اور پاکستان کی سیاست کا۔ محترمہ فاطمہ جناح نے صدارت کا الیکشن لڑنے کا اعلان کیا۔ ایک دم مولوی بھی جاگ گئے اور کمال یہ ہے کہ انہوں نے فاطمہ جناح یعنی ایک خاتون کے صدر بننے کی حمایت کی۔ ادھر پہلی دفعہ مہنگائی نے سر اٹھایا۔ جالب نے نظم لکھی ''بیس روپے من آٹا، صدر ایوب زندہ باد۔'' پاکستان بھر میں تو اس نظم نے شعلگی پیدا کردی۔ ہر شخص چاہے خیبر میں تھا کہ بنگال میں، یہی نظم پڑھ رہا تھا۔ اب فیصلہ ہوا کہ فاطمہ جناح کی الیکشن کمپین میں فاطمہ جناح کی تقریر سے پہلے جالب صاحب اپنی نظم سنائیں گے۔

یہ وہ زمانہ تھا کہ جالب صاحب سنت نگر دو کمرے کے کرائے کے مکان میں رہتے تھے۔ گیس ابھی آئی نہیں تھی۔ بیوی لکڑیوں پر کھانا پکاتی تھی اور ہر سال ایک بچہ پیدا کرتی تھی۔ جالب سارا دن انقلاب کہتا اور واہ واہ سنتا۔ شام کے لیے سامان کرنے کو اکثر رجعت پسند اخبار کے مالک سے پیسے لے آتا اور نظم شائع کرنے کو دے آتا۔

تو پھر یوں ہوا محترمہ فاطمہ جناح کو باقاعدہ پلاننگ کے تحت ہروا دیا گیا۔ اب حبیب جالب یہ طرح بہ طرح کے مقدمے، ہر روز ایک نیا مقدمہ، ہر روز رہائی کی اپیل، میاں محمود علی قصوری کا کام یہ بھی تھا۔ ایک دفعہ دردناک واقعہ ہوا۔ جالب کا کوئی ڈھائی سال کا بچہ انتقال کر گیا۔ جالب کو رہائی نہیں ملی۔ میں نے اور جالب کی بیگم کے علاوہ ہماری طرح کے فقرے دوستوں نے کفن، دفن، قل وغیرہ کا حسبِ توفیق انتظام کیا۔

اب ہم کرشن نگر آ گئے۔ جالب صاحب سنت نگر والے مکان ہی میں تھے۔ اب وہ روز صبح سیر کو نکلتے۔ واپسی پہ میرے گھر باتھ روم اور ناشتہ ہوتا۔ اس وقت بچوں نے سکول جانے کے لیے شور مچایا ہوتا تھا مگر ایسے تیسے یہ دستور کافی دنوں تک قائم رہا۔

1965ء میں جنگ سے کوئی ایک ماہ پہلے تجمل حسین نے ضد کی کہ ایک مشاعرہ امن کے

حوالے سے کرنا ہے اور تم نے آرگنائز کرنا ہے۔ کہا یہ بھی گیا کہ جالب سے کہو کہ کشمیر اور امن کے حوالے سے ایک نظم لکھے۔ میں نے جالب صاحب کو ایک بیئر کی بوتل پکڑائی۔ کمرے کیا بند اور کہا کہ اب نظم لکھ کر باہر آئیں گے تو پھر ہم کھانا کھائیں گے۔ بس کوئی گھنٹہ گزرا ہوگا جالب صاحب صحن میں تھے۔ نظم تھی ''ظلم رہے اور امن بھی ہو..... کیا ممکن ہے تم ہی کہو'، بعد میں جب ریاض شاہد نے زرقا فلم بنائی تو اس میں یہ نظم شامل کی جسے نور جہاں نے گایا تھا۔

نیلو اور ریاض شاہد کی شادی ہوئی تو ریاض شاہد، نیلو کو ملانے کے لیے میرے گھر آیا اور کہا ''یہ تمہاری بڑی نند ہیں'' یقین مانیں آج تک نیلو جب ملتی ہے زیبا کی طرح یہی کہتی ہے ''اے میری بڑی نند کیسی ہو۔'' ریاض شاہد اور حبیب جالب کے علاوہ ظہیر کاشمیری کا اڈہ لکشمی چوک کا ایک ہوٹل ہوتا تھا جس میں یہ لوگ تو بیٹھتے، شراب پیتے، فلموں کے نقشے تیار کرتے تھے مگر بہت سے فُقرے بھی ہاں بیٹھ کر ایسے گفتگو کرتے کہ فلم کی کہانی، تیار کی جاتی، پھر فلم کاسٹ، فلم تیار، ریلیز بھی ہوگئی۔ اب جھگڑا ہو رہا ہے، منافع کی تقسیم کا۔ اس عالم میں کوئی ہوٹل کی اوپر کی منزل سے چھلانگ لگانے کو تیار ہے اور کوئی خودکشی کرنے کو۔

جالب نے فلمی گانے بہت کم لکھے۔ وہ بھی زیادہ تر ریاض شاہد کے لیے سبب بھی اس میں نیلو ہی تھی۔ ہوا یہ کہ بھٹو صاحب نے لاڑکانہ میں تمام ملکوں کے سفیروں کے لیے زبردست پارٹی کا اہتمام کیا تھا۔ لاڑکانہ ریلوے سٹیشن کو بہت بنایا، سنوارا گیا تھا۔ شام کی محفل میں نیلو کو رقص کرنے کیے لیے بلانے کو وہی ترکیب نمبر 9 یعنی پولیس کے ذریعہ کہا گیا کہ حکم آیا ہے، چلنا ہے، رقص کرنا ہے۔ نیلو کو یہ بات ناپسند ہوئی۔ اس نے زہر کھانے کی کوشش کی اور لاڑکانہ نہیں گئی۔ اس کی اس جرأت رندانہ پہ سب نے داد کی اور یہ تذکرہ بہت دن تک جاری رہا۔ جالب نے مشہور زمانہ نظم ''تو کہ ناواقفِ آدابِ غلامی تھی مگر..... رقص زنجیر پہن کر بھی کیا جاتا ہے'' لکھی۔ ریاض شاہد نے اس نظم کو مہدی حسن سے گوایا اور نیلو پر ہی پکچرائز کروایا۔

جالب صاحب کے معمولات میں جیل جانا شامل تھا۔ مقدمے اتنے مضحکہ خیز بنتے کہ جالب نے بس میں چڑھتے ہوئے کسی پر قاتلانہ حملہ کیا۔ ایسے بودے موضوعات، پھر جالب صاحب اندر، اب پتہ چلا کہ روب کار آ گئی ہے۔ جالب کو فلاں دن فلاں وقت رہا ہونا ہے۔ ہم لوگ معہ ان کی بیوی کے گاڑی لیے باہر کھڑے ہیں۔ شام پانچ بجے، رہائی کا وقت ختم ہو جاتا ہے۔ جس کے آرڈر رہائی کے آ جائیں، اس کو رہا کرنا بھی جیل حکام کی ذمہ داری ہوتی ہے۔ اب مسئلہ کیا ہے۔

جالب صاحب جیل سے باہر نہیں آ رہے۔ دو دفعہ چڑ کر ان کی بیگم نے کہا: ''چلو واپس' اسے جیل ہی میں رہنے کا شوق ہے رہنے دو۔'' احوال پتہ کیا تو معلوم ہوا کہ ان کے ساتھ کچھ بے گناہ اور لوگ جو پکڑے گئے تھے' ان کے رہائی آرڈر کیوں نہیں آئے۔ وہ سب کے ساتھ رہا ہوں گے' ورنہ جیل سے باہر نہیں جائیں گے۔ آخر کو رات آٹھ بجے کے قریب یہ قضیہ حل ہوا۔ سب لوگ رہا ہو گئے اور ہم سب نے مل کر کھانا کھایا۔

ضیاء الحق کا زمانہ' جالب کے لیے خاص طور پر مگر تمام خمریات زدوں کے لیے جان لیوا مرحلہ تھا۔ پولیس اور تھانوں کی چاندی کا زمانہ تھا۔ میرے گھر ٹیلی فون کی گھنٹی روزانہ 12 بجے سے 3 بجے رات تک بجتی۔ کبھی جاوید شاہین پکڑا گیا' کبھی سلیم شاہد' کبھی حبیب جالب۔ تھانے جا کر چھڑانے کے بعد' گھر کے تھانے تک حاضری میں ہم دونوں میاں بیوی کی صبح ہو جاتی تھی۔ جالب صاحب کو جب لوہاری تھانے میں کئی گھنٹے لگ گئے تو سب دوستوں نے مجھے کہا کہ جاؤ ڈاکٹر سے کہو کہ رپورٹ جلدی دے۔ میں ڈاکٹر کے پاس گئی تو اس نے ملائمت سے کہا: ''آپ جالب صاحب کو ساتھ لے کر جانا چاہتی ہیں ذرا اور صبر کریں۔ دیکھیں میں انہیں مسلسل پانی پلا رہا ہوں۔ بس تھوڑی دیر میں میڈیکل رپورٹ کلیئر ہو جائے گی۔ شکر یہ کہہ کر سب دوستوں کو صبر کی تلقین کی۔ جب باہر نکلے تو لوہاری کے پائے کا ناشتہ کیا اور سیدھے دفتروں کو روانہ ہو گئے۔

مگر بے نظیر کا زمانہ کونسا آسانیوں کا زمانہ تھا۔ حبیب جالب کے لیے' ایک دفعہ بہت شوق میں آ کر اعتزاز احسن نے ایک بڑے ہوٹل میں مشاعرے کا اہتمام کروایا۔ صدارت بھی ان کی تھی۔ حبیب جالب کو سٹیج پہ بلایا گیا اور انہوں نے جب یہ مشہور شعر پڑھا کہ:

ہر بلاول ہے ملک کا مقروض
پیر ننگے ہیں بے نظیروں کے

تو سفید پوشوں نے اعتزاز کے کان میں کہا: ''سر آپ اجازت دیں تو اس کو باہر اٹھا کر پھینک دیں۔'' اعتزاز نے انہیں جھاڑ پلائی۔ ورنہ ایک دفعہ پھر جیل کی ہوا ہوتی اور جالب.....

ضیاء الحق اور ایوب خاں کے زمانے میں بے چارے جالب کو کوئی ڈپٹی کمشنر اپنے شہر میں مشاعرہ پڑھنے نہیں آنے دیتا تھا اور کہیں روزی نہیں تھی۔ ویسے یہی ڈپٹی کمشنر کسی دوسرے کے گھر جا کر جالب کو بہت شوق سے سنتے تھے۔

یہ سچ ہے کہ اس زمانے میں چودھری ظہور الٰہی اور بعد میں چودھری شجاعت اس کی مالی

اعانت بغیر کسی اعلان کے کرتے رہتے تھے۔

شدید مارشل لاء اور کوڑوں کا زمانہ تھا۔ بات ہے 1985ء کی۔ ہم نے سوچا کہ جالب کے لیے ایک مشاعرہ کرتے ہیں۔ جہاں ہر شخص دس، دس ہزار روپے دے گا۔ شاعروں کے لیے ایڈورٹائزرز اور ٹریول ایجنٹوں کے ذریعہ ٹکٹوں کا اہتمام کیا گیا۔ اب مشاعرہ کہاں ہو۔ بھائی جان کا گھر میرے توسط مرجع خلائق تھا۔ مسلم لیگ کا ساتھ دفتر ڈیوس روڈ پر، کبھی مہربان اور کبھی مصیبت صورت۔ کوئی کارڈ نہیں چھپے، بس سب کچھ زبانی۔ سٹیج سجانے کا کام شہزاد نے اپنے ذمے لیا۔ کھانا تمام مہمانوں کو کھلانے کی ذمہ داری بھائی جان نے لی۔ اب منظر دیکھنے والا تھا۔ ممتاز دولتانہ سے لے کر ڈاکٹر مبشر حسن، ملک قاسم، جہانگیر بدر، اعتزاز احسن، کون کون تھا جو اس فرشی مشاعرے میں شرکت کے لیے پیسے دے کر نہیں آیا تھا۔ کراچی سے پشاور تک کے علاقوں کے شاعر خود بخود آئے کہ ہم نے گھروں میں ٹھہرایا تھا۔ جب جمع پونجی دیکھی تو اعتزاز احسن کو خزانچی اور وکیل بنایا۔ 5 لاکھ کا مکان لے دیا اور باقی رقم فکسڈ ڈیپازٹ میں جمع کرادی۔ کچھ دن تو پورے خاندان کو مکان اچھا لگا۔ پھر خود جالب نے کہا کہ مجھے کس جنگل میں اٹھا کر ڈال دیا ہے۔ حالانکہ اس مکان کا انتخاب خود اعتزاز اور نیر علی دادا، آرکیٹیکٹ نے کیا تھا۔ میں نے نہیں کیا تھا۔ مگر سارا نزلہ میرے اوپر گرتا تھا۔ اب سونے پہ سہاگہ یہ ہوا کہ باقی جمع شدہ رقم جو میں نے فکسڈ ڈیپازٹ اس شرط پہ کرائی تھی کہ یہ رقم آپ کی بیٹیوں کی شادی کے وقت نکالی جائے گی، اس رقم کی چاہت خود جالب سے زیادہ ان کی بیوی اور پورے خاندان کو ہونے لگی۔ ہر طرف یعنی لاہور ہائیکورٹ بار سے لے کر، نجی محفلوں میں بھی میرے خلاف بولتے کہ میرے پیسوں پر سانپ بن کر بیٹھی ہوئی ہے۔ آخر کو اعتزاز نے مجھے کہا کہ تمہیں اور مجھے کن کوڑیوں کا فائدہ، دنیا بھر میں بدنام کر رہے ہیں۔ جاؤ ان کے پیسے نکلوا اور دے دو۔

پھر معلوم ہوا کہ وہ پیسے ملنے پر جشن منایا گیا۔ گھر میں میلا دھوا۔ قربانی ہوئی۔ ایک بیٹے نے پک اپ خریدی۔ تھوڑے دن بعد پھر وہی چال بے ڈھنگی پر اتر آئے۔

انقلابی شاعر ہونے کے باوجود ذہنی طور پر روشن خیال نہیں تھے۔ جب ان کی لڑکیوں نے میٹرک کا امتحان پاس کیا۔ مجھ سے مشورہ کیا کہ ان کا اب کیا حساب کتاب کروں۔ اس زمانے میں خاتون ٹائپسٹ کی بڑی مانگ تھی۔ میں نے کہا کہ ایک بچی کو میں وائی ڈبلیو سی اے میں ٹائپسٹ کی ٹریننگ کے لیے داخل کرا دیتی ہوں اور دوسری کو نرسنگ کی ٹریننگ کے لیے ایبٹ روڈ نرسنگ انسٹی ٹیوٹ میں جا کر داخل کراؤں گی۔ بولے: ''حبیب جالب کی لڑکیاں ٹائپسٹ یا نرس بنیں۔ یہ تو کم

ذاتوں کے کام ہیں۔'' میں نے بہت بڑے بڑے لوگوں کی مثالیں دیں کہ جن کی بیٹیاں استقبالیہ پہ اور ٹریول ایجنسیوں میں کام کر رہی تھیں مگر وہ نہیں مانے۔ البتہ جب 12 فروری 1983ء کو ہم آدھی گواہی اور زنا آرڈیننس کے خلاف جلوس نکالنے کا پروگرام بنا رہے تھے تو سب نے مجھے کہا: ''بڑا اچھا ہو اگر آپ حبیب جالب سے نظم لکھوا لیں اور جلوس شروع ہونے سے پہلے وہ یہ نظم سارے مجمع کے سامنے پڑھ دیں۔

میں نے جالب سے درخواست کی۔ انہوں نے حامی بھرلی۔ 12 فروری کے دن گیارہ بجے وہ میرے دفتر آ گئے۔ مجھے نظم دکھائی۔ غزلیہ انداز کی نظم تھی۔ بہت زوردار جیسی کہ کسی جلوس کو جوش دلانے کے لیے چاہیے ہوتی ہے۔ شروع ہوتی تھی:-

اب دہر میں بے یارومددگار نہیں ہم
پہلے کی طرح بے کس و چالار نہیں ہم

اس وقت جالب صاحب کو بخار تھا مگر ایسے کاموں کے لیے ہر وقت چاق و چوبند رہتے تھے۔ ہم الفلاح بلڈنگ کے دفتر میں تھے۔ ہم دونوں روانہ ہوئے اور ہال روڈ پہنچے۔ کل 50 عورتیں تھیں۔ جالب صاحب نے اپنی پاٹ دار آواز اور شعلہ ریز ترنم میں نظم شروع کی اور جیسے ہی نظم ختم ہوئی جلوس چل پڑا اور پولیس والوں کا ہجوم ڈنڈوں کے ساتھ ہم پر پل پڑا۔ جالب صاحب کو گردن سے پکڑ کر گھسیٹ رہے تھے۔ انہوں نے جیکٹ پہنی ہوئی تھی۔ اس جیکٹ کو ایسے پکڑا ہوا تھا کہ ان کی آنکھیں باہر کو ابلے پڑ رہی تھیں۔ چاروں طرف لوگ کھڑے تماشا دیکھ رہے تھے۔ میں نے چیخ چیخ کر شور مچایا: ''جالب صاحب کو بچاؤ' جالب صاحب کو بچاؤ'' مگر کسی پر اثر نہیں ہوا۔ ایک اور سوٹی جالب کے پڑی اور اگلے مرحلے میں وہ پولیس جیپ میں تھے۔ میں نے مڑ کر دیکھا تو کیا بشریٰ کیا عاصمہ کہیں کسی کا دوپٹہ تھا کہیں کسی کے چپل تھے اور سب کو پکڑ کر پولیس وین میں بھرا جا رہا تھا۔ زخمیوں کو ہسپتال پہنچا دیا گیا اور باقی عورتوں کو کوٹ لکھپت جیل کے پاس جا کر چھوڑ دیا گیا۔ اس زمانے میں وہاں کھیت تھے یا اجاڑ بیابان جنگل تھا۔ جالب صاحب کئی دن ہسپتال رہے مگر ان کی توقیر کا یہ حال ہے کہ آج بھی جب 12 فروری کو پاکستانی عورتوں کا دن منایا جاتا ہے' جالب صاحب کی نظم پڑھی جاتی ہے۔

جالب صاحب کو فلاش کھیلنے کا بڑا شوق تھا۔ عید سے اگلے دن میرے گھر دوستوں کا اجتماع ہوتا۔ اس میں فلاش کھیلنا بھی شامل ہوتا۔ اس کے علاوہ جب احمد فراز لاہور آئے ہوتے تو رات کو جاوید شاہین' منو بھائی' ہاشم خاں' اکرام اللہ' یوسف کامران اور حبیب جالب کی نشست فلاش کے لیے

جمتی۔ اکثر لوگ چالاکی سے جالب کے پتے دیکھ لیتے۔ پھر ان کے ساتھ بلائنڈ پہ بلائنڈ کھیلتے جاتے۔ میں منع کرتی جالب صاحب کو تو وہ پتے کو دس ہزار روپے کا کہہ کر اگلی بلائنڈ کھیل لیتے۔ نشست ختم ہوتی تو جالب صاحب لاکھوں ہار چکے ہوتے۔ ایسی محفلوں میں بھی جیتنے والا پھر احمد فراز نکلتا۔

حبیب جالب کے ہسپتال کے آخری دنوں میں بھی بظاہر چاہنے والے یہ دشمنی کرتے رہے کہ ان کو چھپا کر بوتل لا کر دیتے تھے۔ ہزار ڈاکٹر ناراض ہوئے، ہزار دوست غصہ کرتے رہے مگر وہ سمجھتے تھے کہ اللہ میاں ان سے مذاق کر رہا ہے۔ یونہی الٹے سیدھے انٹرویو دیتے، ان کی زبان تھک گئی۔ آنکھیں مند گئیں۔

ان کے انتقال کے بعد بے نظیر صاحبہ نے تعزیت کرتے ہوئے بیگم جالب سے کہا، آپ کی کیا مدد کر سکتی ہوں۔ اس بے بدل خاتون نے جواب دیا: ''جب میرے شوہر نے زندگی میں آپ سے کچھ نہیں لیا تو میں کیا لے سکتی ہوں۔''

وہ شخص جو میرے رائل پارک والے گھر میں پتیلیوں میں پڑے دال چاول اپنائیت کے ساتھ، بلا کسی سے پوچھے کھا کر خوش رہتا تھا، جس نے اپنی سیاسی پارٹی بنائی تھی۔ جب ولی خاں نے کہا کہ ہماری پارٹی میں اپنی پارٹی ضم کر لو تو گویا ہوئے: ''سمندر، دریاؤں میں نہیں ملا کرتے ہیں۔''

وہ جس نے 1970ء کا الیکشن باغبانپورہ سے لڑا۔ ہر شخص اس کی نظمیں، اس کا ترنم سننے آتا تھا۔ اس کے مقابل امیدوار تنبو، دیگوں والے تھے۔ جالب کو 770 ووٹ ملے، مخالف جیت گیا۔

پاکستان میں چاہے گرانی کا مسئلہ یا سیاست میں لوٹے پن کا، اگلے دن صبح نوائے وقت میں جالب کی نظم آ جاتی تھی۔ اب تو حالات جتنے دگرگوں ہوتے جا رہے ہیں، اتنی ہی حبیب جالب کی ضرورت۔ حبیب جالب جیسی نظموں کی اہمیت اور بھی شدت سے محسوس کی جا رہی ہے۔

موڈ میں آتے تو کہتے: ''بھئی ہماری شاعری کو تو اب فیض صاحب بھی ماننے لگے ہیں۔''

جب لندن میں ان کی کتاب شائع ہوئی اور الطاف گوہر نے ان کی پذیرائی کی محفل افتخار عارف کے توسط کروائی تو پھر کچھ علاج اور کچھ ڈالر پاس ہونے کے باعث ہم جیسے چھوٹوں سے بات بھی کرنا گوارا نہیں کرتے تھے مگر وقتاً فوقتاً ٹی ہاؤس آنا نہیں بھولتے تھے۔ ایسے موقعوں پر ہزلیہ شاعری اور فقرے بازی خوب چلتی تھی۔ شہرت بخاری سے ناراضگی ہوئی تو بولے: ''محلے میں کوئی نام جانتا نہیں، کہتے ہیں خود کو شہرت بخاری۔'' اسی طرح عبادت بریلوی، عبدالعزیز خالد اور نامعلوم کتنے لوگوں پر برجستہ مصرعے بول دیتے تھے۔ جیسے: ''دونوں حرامزادے، ایک دوسرے کے والد۔''

گھر اور خود کو صاف نہ رکھنے کے معاملے میں میاں اور بیوی ایک دوسرے پہ سبقت لے جاتے تھے۔ گھر کا بھی ایسا ہی حال ہوتا تھا کہ مکھیاں بیٹھنے کو جگہ نہیں ڈھونڈتی تھیں مگر چلے جائیں ان کے گھر تو محبت اتنی کہ اس جھولے پلنگ پر بیٹھنے کی ضد کہ جس پر انہیں بھی معلوم تھا کہ کوئی بیٹھ نہیں سکتا ہے۔ انہیں نہ کبھی کسی امیر شخص کو دیکھ کر رشک آیا اور نہ کبھی اپنی مالی حالت پر افسوس یا برہمی کا اظہار کیا۔

جس دن ان کا انتقال ہوا، بارش نے ان کو غسل دیا اور لاہور کا ہر شخص ان کو اپنے کندھے پر لے کر چلنے کے لیے بے تاب تھا۔

فنکاروں کی نئی بستی: پی۔ٹی۔وی لاہور

1964ء میں ہم لوگ نئے ریڈیو سٹیشن جاتے جاتے، پیچھے کی جانب بنے دو کمروں کی سمت مڑ جاتے۔ یہ ٹی وی سٹیشن تھا، جہاں سے شام 6 بجے سے رات 9 بجے تک پروگرام براہِ راست نشر ہوتے تھے۔ پیر کے دن چھٹی ہوتی تھی۔ ریڈیو سٹیشن کے سامنے ایک پرانی کوٹھی میں ٹیلیویژن کے افسران بیٹھتے تھے۔ مصلح الدین، آغا ناصر، مختار صدیقی، آغا بشیر۔ ان سب لوگوں سے ملاقات ہوتی، شام کو ادبی انٹرویوز میں کیا کرتی۔ ڈراموں میں کام باقی دوستوں کے علاوہ ہمارے انور سجاد بھی ایکٹنگ کرتے، کہانی کی تلاش کے ذریعہ، نئے موضوعات پر بحث کرنے کے لیے ایمبیسڈر ہوٹل میں خالد سعید بٹ، فاروق ضمیر اور انور سجاد بیٹھا کرتے تھے۔ اس زمانے میں مہناز رفیع بہت بڑی فنکار تھیں۔ ان میں سے جو لمبی لڑکیاں ہوتیں، ان کے مقابلے میں جو لوگ انور سجاد کے قد کے ہوتے تھے، ان کے پیروں کے نیچے تپائی رکھ دی جاتی کہ وہ کم از کم برابر کے قد کے تو نظر آئیں۔

کہانی کی تلاش کے ذریعہ، یونیورسٹی کی لڑکیوں میں روحی بانو جیسی لڑکیاں بھی منظر عام پر آئیں جو منو بھائی کے سیریل جزیرہ، پلیٹ فارم اور اشفاق احمد، بانو قدسیہ کے ڈراموں میں ایسی چھب دکھاتی کہ لوگ اس کی والہانہ ایکٹنگ کے دیوانے ہو جاتے۔

ایکٹنگ تو اپنے طارق عزیز بھی کرتے تھے مگر ان کا لہجہ، عشق کو بھی سنگ تراشی میں بدل دیتا تھا۔ ہم لوگ کافی دن تک، طارق عزیز کی منگنی کے لڈو کھاتے رہے کہ ہم خود ہی اڑا دیئے کرتے تھے کہ آج طارق عزیز کی فلاں آرٹسٹ سے منگنی ہو گئی ہے۔ ریڈیو کے سارے ایکٹرز اور خواتین فنکار ٹی وی کی جانب ملتفت ہو گئے تھے۔ کچھ لوگ کہا کرتے تھے، ٹی وی کا ڈرامہ، اصل میں ریڈیو کا ڈرامہ ہی ہے جو دوسرے کمرے میں بیٹھ کر سنا جا سکتا ہے۔ پھر بھی ٹی وی نے حسینہ معین جیسی نئی لکھنے والیوں کو روشناس

کروایا اور پھر ان کی تحریر کا ایسا لوہا مانا کہ لوگ اپنے بچوں کے نکاح کا وقت، حسینہ معین کے ڈرامے کی قسط ختم ہونے کے بعد، رکھا کرتے تھے۔ ہفتہ کی رات کو محمد نثار حسین کے ڈرامے کو ہر چھوٹا بڑا، باقاعدگی سے دیکھا کرتا تھا۔ یونس جاوید کا اندھیرا اجالا ڈرامے کے توسط پولیس یونیفارم کے دو کردار آج تک مقبولِ عام ہیں۔

میں نے اس زمانے میں تمام سینئر لوگوں کے انٹرویو کیے۔ پھر کچھ مدت بعد ٹی وی سٹیشن لاہور کی اپنی بلڈنگ بن گئی۔ یہاں اختر وقار عظیم اور خواجہ نجم الحسن پروڈیوسر بھرتی ہوئے۔ ان دونوں کو اپنے کمالات دکھانے کا پرانا شوق تھا۔ نجم کو پاکستان کلچر اور موسیقی میں بہت اچھے پروگرام پیش کرنے کا شروع ہی سے شوق تھا۔ اس زمانے میں خواتین کی ٹیم بھی بہت اچھی تھی۔ تنویر مسعود، شیریں پاشا، ساحرہ کاظمی، لاہور میں جمع تھیں۔ ہر ایک نئی سوچ اور نئے زاویے سے پروگرام کرنے کا سوچتی بھی تھیں اور ان کی حوصلہ افزائی ہوتی تھی۔ اختر وقار عظیم کو اپنے باپ سے ورثے میں ملا تھا، ادب سے لگاؤ۔ وہ سارے ادبی پروگرام جو میں نے کیے یا یوسف نے کیے، وہ سب اختر کے ذہن کا اختراع تھے۔ آغا ناصر ایسے شعبوں میں ان لوگوں کی بہت حوصلہ افزائی بھی کرتے تھے۔ ٹی وی کے ابتدائی دنوں ہی میں مختار صدیقی نے لاہور کی تاریخ کے حوالے سے، صفدر میر سے ڈرامے لکھوائے، انور سجاد کو کمرے میں بند کر دیتے تھے اور اس سے ڈرامے لکھوائے۔ بانو قدسیہ کو ٹیلی پلے لکھنے کے گر سمجھائے، اشفاق احمد نے اپنے ریڈیائی شہرۂ آفاق ڈرامے تلقین شاہ کو ''ٹاہلی تھلے'' کے نام سے پیش کیا۔ انور سجاد ہو کہ منو بھائی، اشفاق احمد، عجب ذہنی مقابلے کا زمانہ تھا، ہر لکھنے والا دوسرے پر سبقت لے جانے کی کوشش کر رہا تھا۔ یہی حال پروڈیوسرز کا تھا۔ یاور حیات ہو کہ محمد نثار حسین، اپنے ڈرامے کی تیرہ تیرہ ریہرسلز کرواتے تھے۔ عائشہ ریاست ہو کہ خورشید شاہد، روحی بانو ہو کہ راحت کاظمی، کوئی بھی تو نہ تھکتا تھا اور نہ انکار کرتا تھا۔

کئی ایک نئی سنگرز ملتان سے آئی تھیں۔ ان کے پاس واپس جانے کے لیے بھی پیسے نہیں ہوتے تھے۔ وہ چاہتی تھیں کہ دو تین گانے اکٹھے ریکارڈ کر لیے جائیں کہ آمد و رفت کے کرائے کے علاوہ بھی کچھ بچ جائے۔ ان کے کپڑے ایسے پھٹے پرانے ہوتے تھے کہ ریکارڈنگ کے وقت، میرے گھر آ کر، خواجہ انجم، اپنی پسند کے دوپٹے، چادریں اتار کر لے جاتا تھا اور ریکارڈنگ کے بعد، واپس لے آتا تھا۔ کمال بات یہ ہے کہ یہ سنگرز، سخنور پروگرام کے توسط ہی مشہور ہوئیں۔ نئی غزلوں کا ذخیرہ اور گائیکی اُسی زمانے میں فروغ پایا جو آج تک کام آ رہا ہے۔

ٹیلیویژن اپنے آغاز ہی سے اس امر سے آگاہ تھا کہ Archive سیکشن بھی ہونا چاہیے

جہاں سارے بڑے آرٹسٹوں کی زندگی سے متعلق ٹیپ رکھی جائیں۔ یہ بات ہے 1970ء کی، یہ کام تھوڑا بہت 1977ء تک چلا، اس کے بعد کسی کو نہ دانشوروں کی فکر ہے اور نہ ضرورت۔ یہ الگ بات ہے کہ جب مختار صدیقی کی وفات ہوئی تو نہ ریڈیو کے پاس اور نہ ہی ٹیلیویژن کے پاس ان کی آواز میں کوئی چیز ریکارڈڈ، موجود نہ تھی۔

ضیاء الحق کے زمانے تک، ٹیلیویژن سینٹر، ہمارے لیے دوسرے گھر کی طرح تھا۔ ہم لوگ اکٹھے بیٹھتے، نت نئے خیالات کو ٹیلی پیرہن دینے کی بات کرتے، کتابوں پر تبصرے کرتے، ادبی محفلیں ہوتیں، موسیقی کی نشستیں ہوتیں، جس میں جوتے تک پڑے ہوئے نظر آتے تھے۔ فرخ بشیر اور خواجہ نجم موسیقی کے پروگراموں کو مرتب کرتے، دونوں ایک دوسرے پہ سبقت لے جانے کی کوشش اس طرح کرتے جیسے کراچی میں موسیقی کے پروگرام میں کبھی سلطانہ صدیقی آگے آگے ہوتی تھیں اور کبھی ساحرہ کاظمی۔

اِدھر ہم لوگ میراجی سے لے کر ناصر کاظمی اور منیر نیازی کا کلام منتخب کر کے دیتے، اُدھر یہ لوگ فریدہ خانم، اقبال بانو، غلام علی اور مہدی حسن سے کبھی حسن لطیف کی موسیقی میں، کبھی خلیل احمد اور کبھی نثار بزمی، دھن آراستہ کرتے۔ اس زمانے کے بعد پھر کبھی غزلوں کی موسیقی پہ کام ہونا، بالکل ہی بند ہوگیا۔ جتنا جس کو یاد ہے چاہے وہ نیرہ ہو کہ ٹینا ثانی، سبق دھرا کر ہی کام چل رہا ہے۔

ریڈیو کی طرح ٹیلیویژن پر بھی تلفظ ٹھیک کرنے کا کام بھی 1977ء تک ہی چلا۔ پھر جرنیل سیکرٹری آگئے۔ ان کا حکم نکلا کہ جو جیسی اردو بولتا ہے، اس کو ویسے ہی بولنے دیا جائے کہ اردو پاکستان کے سارے صوبوں کی رابطہ رکھنے والی زبان ہے۔ ہوتے ہوتے زبان ایسی بگڑی کہ اب تو کہیں کہیں اردو کا ٹھکا ہوتا ہے، ورنہ انگریزی بھی دہن بگڑنے کے انداز میں، تمام ٹی وی سٹیشنوں پر بولی جاتی ہے۔ نہ ہوئے مولوی عبدالحق یا مولانا صلاح الدین کہ آج کل کے ان بگڑے منہ والوں کو طمانچے مار مار کر ٹھیک کر دیتے۔

یہ خواجہ انجم اور فرخ بشیر کا ہی کمال تھا کہ انہوں نے میڈم نور جہاں کو تیار کیا کہ وہ ٹیلیویژن پہ گانے دوبارہ ریکارڈ کروائیں۔ نہ صرف فلمی گانے گائے بلکہ بہت سی غزلیں بھی کمالِ فن کے ساتھ پیش کیں۔

خواجہ نجم کو طرح طرح کی نئی ترکیبیں سوجھتی تھیں۔ ایک پروگرام کیا کہ سامنے احمد فراز بیٹھے

ہیں اور بالمشافہ طاہرہ سید گا رہی ہیں۔ اس زمانے میں یہ Sensation بہت مشہور تھی اور ہوئی بھی۔ اس طرح ساحرہ کاظمی نے الن فقیر اور محمد علی شہکی کا دوئیٹ تیار کیا۔ نجم اور فرخ بشیر نے گیارہ گانے والوں کے سر ملا کر، قومی ترانہ بنایا۔

ٹیلیویژن نے جس طرح اسلامی سربراہی کانفرنس، شالیمار ٹیلیویژن فیسٹیول اور بعدازاں خوشیوں اور ابتلاؤں کو لوگوں تک پہنچایا، وہ سر آنکھوں پر، مگر وہ حسن جو ادب کے تعلق سے ٹیلیویژن کی جان تھا، وہ حسن گہنا گیا۔ اب تو نوجوان بچے اپنی سی ڈی بناتے ہیں، اداروں کو فراہم کرتے ہیں۔ نہ لون لگے نہ پھٹکری کام چل رہا ہے۔ بالکل ایسے جیسے ملک کا کام چل رہا ہے۔

سندھی کلچر پہ منطبق ڈرامے عبدالقادر جونیجو اور نورالہدیٰ شاہ نے پیش کر کے بہت محبتیں حاصل کیں۔ نورالہدیٰ کو گھر سے نکلنے کی اجازت نہیں تھی مگر قلم تھا کہ سب زنجیریں توڑے جا رہا تھا۔ سکینہ سموں سے لے کر شفیع محمد نے اتنا خوبصورت کام کیا کہ لوگ صرف ان فنکاروں کو دیکھنے کے لیے براڈرامہ بھی دیکھ لیتے ہیں۔

کوئٹہ ٹیلیویژن پہ ایوب کھوسہ اور حسام قاضی نے ان سنگلاخ پہاڑوں کی داستان کو میدانی علاقوں تک پہنچا کر کمالِ فن حاصل کیا۔

خالدہ ریاست اور عظمیٰ گیلانی نے، اتنی فطری اداکاری کی کہ زندگی نے ان دونوں فنکاراؤں کو کینسر میں مبتلا کیا مگر فنکاری ان کو آخری لمحے تک واپس کھینچ کر لاتی رہی۔ یہی یاسمین اسمٰعیل کے ساتھ ہوا۔ وفات سے ایک دن پہلے تک وہ ریکارڈنگ کرا رہی تھی۔

فلمی اداکاراؤں میں رانی بھی آخری زمانے میں ٹیلیویژن پہ کام کر رہی تھی۔ وہ بھی ریکارڈنگ کرتے کرتے آغا خاں آئی اور جان کی بازی ہار گئی۔

ایک زمانے میں ظہور آذر نے شور مچایا کہ تم ادیب لوگ کہتے ہو کہ ٹیلیویژن پر کوئی پڑھا لکھا بندہ مقرر ہونا چاہیے تاکہ پروگرام معیاری ہوں۔ بتاؤ کس کو لگائیں۔ صوفی تبسم، میں اور یوسف اختر وقار عظیم کے کمرے میں گئے۔ یہ اس وقت لاہور کے پروگرام منیجر تھے۔ ہم نے ضیا جالندھری کو فون کیا کہ تم نے خواہش کا اظہار کیا تھا کہ تمہیں ایم۔ڈی ٹیلیویژن لگوا دیا جائے۔ ہم نے یک زبان کہا ''بول تیری مرضی کیا ہے۔'' ضیا جالندھری، اس وقت پوسٹل سروس میں کسی عام سے عہدے پر فائز تھے۔ منمنا کر بولے ''اگر مجھے اونچا گریڈ مل جائے تو میں آنے کو تیار ہوں۔'' ہم نے افسر بادشاہ تک درخواست پہنچائی۔ افسر نے غضبناک ہو کر کہا ''فکر مت کرو، آؤ تو سہی۔ اونچا گریڈ بھی مل جائے گا۔

بس اگر بادشاہ سلامت کے حضور سلام تو پیش کرو۔"

جی حضوری ہوئی۔ مراد بر آئی۔ عہدہ مل گیا۔ پھر اختر وقار عظیم کا کمرہ تھا اور افسر بنے ضیا جالندھری تھے۔فرمایا "یہ ذرا کشور ناہید اور یوسف کامران کو ٹی۔وی پر مت بلایا کرو۔"

انہی دنوں، خوشی خوشی سرمد صہبائی ان کے کمرے میں چلا گیا۔ پوچھا "کیوں آئے۔" اس نے کہا "ایک شاعر، سربراہ مقرر ہوا' دل خوش ہوا۔" بولے "کان کھول کر سن لو ضیا نثار احمد ایم۔ڈی ٹیلیویژن ہوا ہے۔ضیا جالندھری نہیں۔"

پاکستان ٹیلیویژن ایسی داستانوں سے بھرا پڑا ہے۔

رنجشوں کا رفیق۔ یوسف کامران

یوسف کامران نے مجھ سے شادی نہیں کی تھی۔ میں نے یوسف کامران سے شادی کی تھی۔ میری ضد پہ یہ شادی ہوئی تھی کہ مجھے خاندان والوں نے دھمکی دی تھی کہ کل سے تمہیں یونیورسٹی سے بھی اٹھالیا جائے گا اور ہم اپنی مرضی سے کل ہی تمہاری شادی کردیں گے۔ میں اس اعلان سے خوفزدہ تھی۔ اس لیے میں نے ہاتھ پیر جوڑ کر یوسف کو تیار کیا کہ وہ میرے ساتھ شادی کرلے، چاہے تو وہ اس دہلیز سے باہر نکل کر مجھے چھوڑ دے کہ میں نہ اپنی پڑھائی چھوڑنا چاہتی تھی اور نہ خاندان کی مرضی سے شادی کرنے کو تیار تھی مگر یوسف بیچارے کے لیے یہ اچانک کا امتحان تھا۔ وہ ایک کھلنڈرا لڑکا تھا۔ بہت خوبصورت، بہت ہنس مکھ۔ وہ میرے ساتھ ساتھ یونیورسٹی تک پیدل چلنے کو صوفی صاحب کے گھر کے قریب آکر کھڑا ہوجاتا تھا۔ سائیکل اس کے ہاتھ میں ہوتی تھی۔ میں گھر سے برقعے میں نکلتی، اس کو منتظر دیکھ کر میں بھی نہال ہوجاتی۔ ہم دونوں باتیں کرتے اپنی کلاس میں صبح سات بجے پہنچ جاتے تھے۔ مجھے نہیں معلوم تھا کہ میری آمدورفت کا پورا ریکارڈ میرا چھوٹا بھائی، پل پل، گھر پہنچا رہا ہے۔

اس زمانے میں دن یونیورسٹی، برٹش کونسل لائبریری اور پھر کافی ہاؤس میں گزرتا۔ شام ڈھلے میں گھر پہنچتی تو سارے گھر والوں کی چبھتی نگاہیں مجھے ان کے منہ پر آئی باتیں، بغیر کسی گفتگو کے، سمجھ میں آجاتی تھیں۔

یوسف میرے ساتھ ہر ڈیبیٹ اور ہر مشاعرے پر جاتا۔ مجھے یوں لگتا میں محفوظ ہاتھوں میں ہوں۔ اس نے مجھے اپنے سارے دوستوں، سارے گھر والوں سے بھی ملایا تھا۔ وہ اس وقت تو بظاہر بہت خوش ہوئے تھے مگر اچانک شادی سے وہ بھی پریشان ہوگئے تھے۔ پورا خاندان جمع ہوکر اس کوشش میں رہا کہ یوسف کسی طرح مجھے طلاق دے کر، کشمیریوں کی دہلیز پہ واپس آجائے۔ مجھے فوراً ملازمت،

میر نسیم محمود نے دلوادی تھی۔ میں دفتر میں تھی' یوسف آفس آ کر مجھے گھر واپس لے گیا اور کہا کہ "مجھے بتاؤ میں کیا کروں' میرے گھر والوں نے اپنی پگ میرے پیروں میں رکھ دی ہے کہ میں تمہیں طلاق دے دوں۔ بتاؤ تو تم کیا کرو گی اس کے بعد۔" معلوم نہیں میرے اندر کونسی طاقت آ گئی' میں نے کہا "چاہے گھر میں رہوں کہ کوٹھے پر' تمہیں کیا۔ جہاں چاہو جاؤ۔" یہ کہہ کر میں سیدھی مسز فیض کے پاس آ گئی۔ ان سے سفارش کروائی کہ وائی ڈبلیو سی اے میں کمرہ دلوا دیں۔ اڑھائی سو روپے ایڈوانس دے دیں۔ وہ سب کچھ سنتی رہیں۔ بولیں "تم دفتر جاؤ' میں سارا انتظام کرلوں گی۔" میں دفتر تانگے پہ واپس پہنچی۔ دو گھنٹے بعد پھر یوسف دفتر میں موجود تھا۔ چونکہ چھٹی کا وقت ہو گیا تھا میں نے خاموشی سے ساتھ چلنے کا فیصلہ کیا۔ گھر آ کر بتایا کہ مسز فیض گھر آئی تھیں۔ بہت ڈانٹ ڈپٹ کی' شرمندہ کیا اور جب بتایا کہ وہ وائی ڈبلیو سی اے منتقل ہو رہی ہے' جاؤ اور جا کر روک لو۔ تو پھر ہوش ٹھکانے آئے اور واپس بلانے کو آئے۔

ابھی تو زندگی نے منظر دکھانے شروع کیے تھے۔ ہم باہر جاتے' میری نند آتیں گھر کی سب چیزیں لے جاتیں۔ تنگ کرنے کو لحاف تک لے جاتیں۔ ہم واپس گھر آتے' تالا ٹوٹا ہوتا' صبر کر کے پھر ایک دیگچی اور ایک کفگیر اگلے دن خرید لیتے مگر پھر بے گھری مقدر ہو گئی۔ ہم جس کمرے میں رہتے تھے' پورے خاندان نے ہمیں نکالنے کا فیصلہ کیا۔ آخر ناچار صوفی تبسم کے گھر پہنچے' ان کے ایک نوکر کی دکان میں سات دن گزارے۔ پھر گھر کرائے پر ملا۔ وہ بھی ترس کھا کر' کرشن نگر کے ایک مالک مکان نے اس لیے گھر دیا کہ میری شادی کا فسانہ تو گھر گھر مشہور ہو چکا تھا۔

یوسف نے زندگی گزارنے کے لیے بڑے راستے اختیار کیے۔ وہ خوبصورت تھا۔ امریکی قونصلیٹ میں اس کو ملازمت مل گئی۔ شکر خورے کو شکر مل گئی۔ دن میں بھی امریکی اور پاکستانی ایڈوانس لڑکیاں' بالکل اس طرح ڈریس اپ ہوتیں' جیسے آج کل ہوتی ہیں اور رات تو پھر ہوتی ہی تھی پارٹیوں کے لیے۔ ابھی بہت پینترے بدلنے نہیں آئے تھے۔ اس لیے میں بھی پارٹیوں میں شریک ہوتی۔ ہم اکثر ہفتے کی رات کو ہوٹل جاتے' میوزک ہوتی' ڈانس کرتے' رات کو دیر سے گھر آتے' میں دوسرے بچے کی پیدائش سے پہلے' پورے دنوں پہ تھی' شام کو ہم ہوٹل حسبِ دستور ڈانس پارٹی سے واپس آئے تو میں نے کہا "مجھے درد ہو رہا ہے۔ چلو ہسپتال۔" یوسف نے کہا "آرام کرو۔ تم نے ڈانس بہت کیا ہے اس لیے درد ہو رہا ہے۔ پھر آدھے گھنٹے بعد میں نے شور مچا دیا۔ ہسپتال پہنچے تو ڈاکٹرز بھی حیران کہ ابھی تو ایک ہفتہ ہے۔ بہرحال داخل کیا اور دو گھنٹے میں فیصل میاں سامنے آ چکے تھے۔"

یوسف نے میری بہت باتیں مانیں۔ میں نے دوسرے بچے کے بعد کہا کہ "میں اور بچے پید نہیں کروں گی۔ میں نے کہا میں نوکری جاری رکھوں گی، شاعری نہیں چھوڑوں گی، عورتیں اور مرد، دونوں میرے دوست ہیں اور رہیں گے۔" اس نے میری پہلی بات مان لی، دوسری بات سے ہر چوتھے دن منکر ہو جاتا تھا۔ اسے مضمون یعنی تنقیدی مضمون لکھنے کا بے حد شوق تھا۔ کئی ڈبی سگریٹ اور کئی دن کی محنت کے بعد مضمون تیار کر لیتا تھا۔ حکم ہوتا تھا کہ گھر میں شور نہ ہو، صاحب مضمون لکھ رہے ہیں۔ میں ہنڈیا پکاتے، بچوں کو پڑھاتے، سلاتے اور دفتر کی فائلیں دیکھتے ہوئے شعر لکھتی جاتی، نہ کسی کو دکھاتی نہ بتاتی کہ جب کبھی ابتدا میں خوشی خوشی تازہ تخلیق دکھائی، جواب میں اتنا کسیلا ذائقہ ملا کہ یہ شوق بھی نہ رہا کہ کسی کو تازہ تحریر دکھائی جائے۔

کچھ موڑ زندگی کے ایسے تھے جو بہت خوشگوار تھے۔ میں ذرا بھی بیمار ہو جاؤں یوسف نے دفتر سے چھٹی کرنی ہے۔ میرے لیے خود سوپ بنوانا ہے، میرے کپڑے استری کرنے ہیں۔ میرے نہانے کا بڑی خوبصورتی سے اہتمام کرنا ہے۔

میری سالگرہ کا دن ہے۔ چاہے رات کو شدید لڑائی ہوئی ہو۔ صبح سے بچوں کو ساتھ ملا کر، سارا دن میری سالگرہ کے انتظامات، شام کو دوستوں کا جمگھٹا اگلے دن پھر وہی لڑے ہوئے، روٹھے ہوئے شخص سے ملاقات، یہ آتش بازی روز جاری رہتی۔

جس زمانے یعنی 71-1970ء میں یوسف کو پی ٹی وی پر 'سخنور اور داستان گو' پروگرام ملے۔ اس نے واقعی بڑی محنت سے پروگرام تیار کیے۔ اس زمانے میں میرے مشورے بڑی اہمیت کے حامل ہوتے تھے۔ سارے پروگرام اتنی لگن سے کیے کہ پروگرام کی ایڈیٹنگ کے لیے بھی رات رات بھر سٹوڈیو میں کام کیا۔ ادیبوں کے ساتھ کئی دن پہلے بیٹھ کر، ان کو ذہنی طور پر انٹرویو کے لیے تیار کیا۔ وہ زمانہ، یوسف کے لیے بہت مقبولیت اور خوشی کا زمانہ تھا۔ اس زمانے میں روز روز کے نئے عشقوں کے فسانے بھی بھول گئے تھے۔ بس ایک بات یاد تھی کہ کبھی گانے والوں کا تلفظ دیکھنا ہے، کبھی شاعروں، ادیبوں کے گھر جانا ہے۔

میں نے ایک زمانے میں یوسف کی جیبیں ٹٹولنا بند کر دی تھیں کہ میں جانتے بوجھتے، انجان بن جانے کی کوشش میں بہت عرصہ مصروف رہی مگر میرے اندر کی کمینگی نے مجھے اچھا اور انجان بننے نہیں دیا۔

ہم دونوں دوسرے دوستوں کے سامنے بہت اچھے دوست بن جاتے تھے۔ وہ جو کہتے ہیں

کہ میاں بیوی کو ایک عمر کے بعد، ایک دوسرے سے بات کرنے کے لیے، کسی تیسرے بندے کی ضرورت ہوتی ہے۔ ہمیں اکثر ہی ایسی ضرورت پیش آجاتی تھی۔ ہمارے دوست کامن تھے۔ ہمارے بچوں کو بھی یہ احساس تھا کہ ہمارے والدین اپنے دوستوں کے ساتھ اکٹھے ملتے ہیں مگر وہ کامن دوست خاص کر مرد دوست، جب رات کو جام ٹکراتے تھے تو ان کے ہاتھ میں الٹی چھری ہوتی تھی میری شخصیت کو ادھیڑ پھینکنے کے لیے۔ مجھے یہ معلوم تھا۔ مجھے تو بہت کچھ معلوم تھا۔ اس کے باوجود میرے اندر کی بزدل عورت نے، علیحدگی چاہنے کے باوجود، اس عمل کو پایۂ تکمیل تک نہیں پہنچایا کہ میرے بچے، اس علیحدگی کو ناپسند کرتے تھے۔ بچوں کو باپ، ماں سے زیادہ پسند تھا۔ وہ بہت لاڈ پیار کرتا، میں پڑھنے لکھنے میں ڈسپلن کرتی، وہ دوست بن کر، ان سے لڑکیوں کی دوستی کی ہنسی ہنسی میں بات کرتا، میں ایسی باتوں پہ ڈانٹ دیتی۔ بس یہی فاصلے یہی رنجشیں تھیں کہ آج بھی میرے بچے، میری ڈانٹ ڈپٹ کو دہراتے، مذاق اڑاتے اور اپنے باپ کی محبت پہ ان کی آنکھیں چھلک پڑتی ہیں۔

یوسف نے ہر نوکری میں ہر کس و ناکس طریقے سے خوب پیسہ بنایا، اڑایا اور پھر نئی نوکری کے لیے میرے ساتھ خوشگوار تعلقات کرنے کے بعد، پھر نئی منزلِ مقصود کی جانب روانہ ہوگیا۔

ریس کے گھوڑوں پہ پیسے لگانے ہوں کہ لڑکیوں کو عیش کرانے، اس وقت حاتم طائی بن جاتا تھا۔ یہی رویہ زندگی کے آخری کنارے تک رکھا۔ میں جب اس شطرنج میں شامل ہونے سے منکر ہوتی، جواب ملتا ''پھر کسی مولوی سے شادی کر لینی تھی۔''

میں نہ مولوی تھی نہ ملحد، پھر بھی محنت کی کمائی کو آبرو سمجھتی رہتی تھی۔ میں یوسف کے ساتھ گزارے 24 سالوں کو بھی زندگی کے آنے والے سالوں کے لیے ٹھوکروں کا ہدایت نامہ سمجھ کر، سنبھلتی پھسلتی اور پھر ڈگمگاتی کھڑی ہو جانے کا نسخہ سمجھتی رہی ہوں۔

وہ مجھے بہت چاہتا تھا۔ اس لیے کبھی چھوڑنے کا حوصلہ نہ کر سکا۔ وہ مجھے برداشت نہیں کر سکتا تھا۔ اس لیے رنجشوں نے تہہ بہ تہہ زندگی رقم کی۔ بھولنے کے لیے ایک لمحہ بھی گراں ہوتا ہے۔ یاد رکھنے کے لیے ایک عمر، ناکافی ہوتی ہے۔

مصوری کے شناور۔ پاکستان میں

1965ء سے لے کر ان کی وفات تک، صادقین کو میں نے کام کرتے ہوئے بہت قریب سے دیکھا تھا۔ اس شخص کو ہر وقت کام کرنے، شعر لکھنے، نثر لکھنے اور ہوا میں بھی تصویریں ہی بنانے کا شوق تھا۔ ضیاء الحق کے زمانے میں، پنجاب کا آئی جی خود صادقین کے لیے شراب کے کریٹ لے کر شملہ پہاڑی کی سیڑھیاں چڑھتا تھا کہ اس وقت، صادقین کا مسکن اوپن ایئر تھیٹر کے پچھواڑے کے کمرے تھے، جہاں وہ اپنے نوکر انور کے ساتھ مقیم تھے۔ (یہ وہی انور ہے جو بعد میں صادقین کے نام سے پینٹنگز بنا بنا کر فروخت کرتا رہا تھا (اب نہیں معلوم کہ کہاں ہے)

صادقین کو اپنے گھر بلا کر، ایک بوتل شراب پیش کر کے، بے شمار افسروں نے اپنے پورے خاندان کے پورٹریٹ بنوائے تھے۔ ہر آنے جانے والے کو بسم اللہ لکھ کر، وہ ایسے آرام سے دے دیتا تھا کہ لینے والا بھی حیران رہ جاتا تھا۔ اُسے رباعیاں لکھنے کا بہت شوق تھا۔ پوری ایک بیاض لکھی (جو میرے پاس ہے)

کولن ڈیوڈ کی طرح صادقین کی پینٹنگز پر بھی جماعت اسلامی کے کارندوں نے حملہ کر کے ساری پینٹنگز برباد کر دی تھیں۔ ان کو عورت کا وجود کسی طور پر بھی قبول نہیں تھا اور نہ ہے۔ صادقین کی پینٹنگز کی نمائش پنجاب آرٹس کونسل (جو کہ پھر پنجاب چیف منسٹر آفس بن چکی ہے) منعقد ہوئی تھی۔ اس حملے کے بعد تو صادقین نے صرف خطاطی شروع کر دی تھی چاہے وہ لکڑی پہ ہو کہ چمڑے پہ کہ پینٹنگ کی شکل میں۔ حالانکہ 1975ء میں غالب کی صد سالہ تقریبات کے سلسلے میں، فیض صاحب نے صادقین کو راضی کیا تھا وہ غالب کے شعروں کی تفسیر، اپنی پینٹنگز میں کرے۔ اس طرح علامہ اقبال کی صد سالہ تقریبات میں بھی بڑا حصہ، صادقین کی پینٹنگز کا تھا۔

آج کی آرٹ گیلریوں میں بہت سے پرانے صادقین، فروخت ہونے کے لیے آتے ہیں۔ یہ وہی افسر جو صادقین کو اپنی کرسی کا رعب دے کر تصویریں بنواتے یا کبھی خود ہی مانگ بھی لیتے تھے۔ یہ تمام افسر، اب وہی اثاثے فروخت کر کے، بیرونِ ملک سدھار رہے ہیں۔

صادقین نے کمال کام کیے تھے۔ لاہور میوزیم اور فریئر ہال کراچی کی چھتوں کی پینٹنگ سے آرائش اور کائنات کے وجود کو جس طرح پیش کیا ہے، وہ ہمیشہ قائم رہنے والا کام ہے۔ اس طرح لاہور میوزیم میں پوری سورۂ رحمٰن جس طرح لکھی ہے، وہ بھی یادگار کام ہے۔ صادقین نے اسلام آباد میں پی۔این۔سی۔اے کے تعاون سے اپنی گیلری بنائی تھی۔ جب حکومت نے کرایہ دینے سے ہاتھ کھینچ لیا تو صادقین نے ڈیڑھ سو سے اوپر یہ پینٹنگز، پی۔این۔سی۔اے کے حوالے کر کے کراچی کوچ کر گیا۔ وہاں حکومت نے آرٹ گیلری اور مصوری کا سکول بنانے کے لیے صادقین کو جگہ دی۔ اِسی دوران کام کرتے کرتے، صادقین نے آنکھیں موند لیں۔ منو بھائی مجھے یہ بتانے کے لیے الفلاح بلڈنگ کی سیڑھیاں چڑھتے ہوئے رو پڑا تھا۔ اب صادقین گیلری کی جگہ، شادی گھر قائم ہے، نام رکھنے کو خطاطی سکول کا بورڈ بھی لگا ہوا ہے۔ ہندوستان میں حیدر آباد دکن سے لے کر دہلی تک کی بے شمار مسجدوں اور محرابوں میں صادقین نے بلا کسی اجرت کے کام کیا تھا۔

صادقین کی طرح معین نجمی نے بھی اپنی گیلری بنائی تھی۔ وہ بھی اپنے گھر میں، اس زمانے میں معین نجمی کو کام کرنے کا جنون چڑھا تھا۔ پینٹنگ تو وہ کم کرتا تھا مگر آرٹ پروموشن کے لیے، اس نے ایچی سن کالج چھوڑ کر، پنجاب آرٹس کونسل میں فائن آرٹس کا شعبہ سنبھال لیا تھا۔ معین نجمی سے میری ملاقات، اس دن ہونا لازمی تھی، جب علی امام صاحب نوادرات ڈھونڈتے ڈھونڈتے، لاہور پہنچتے اور شام کو میرے گھر معین نجمی اپنی لمبی لمبی ٹانگوں کے ساتھ ٹہلتے تو کبھی کار چلاتے ہوئے پہنچ جاتے تھے۔ واپس جاتے ہوئے اکثر گاڑی کو بیک گیئر میں چلاتے ہوئے لے جانے کی کوشش کرتے تھے۔

ایس صفدر، جو زیادہ تر کیوبیکل ڈرائنگز کرتے تھے، چھوٹے صفدر کے نام سے جانے جاتے تھے۔ ایک ایڈورٹائزنگ ایجنسی میں کام کرتے تھے اور شام کی محفلوں میں اکثر موجود ہوتے تھے۔ انہیں بہت جینا پسند نہ آیا، بہت چھوٹی عمر میں چلے گئے۔

میری خوش بختی تھی کہ میں ڈی۔جی نیشنل کونسل آف آرٹس ہونے سے پہلے ہی تمام آرٹسٹوں کو ذاتی طور پر جانتی تھی۔ اول شاکر علی کے باعث تمام سینئر آرٹسٹوں کو اور سلیمی ہاشمی کے باعث ہم عصر اور جونیئر آرٹسٹوں کو۔

کچھ لوگ جیسے ظہور الاخلاق، اپنی ذاتی ادب نوازی کے باعث، مجھے اور انتظار صاحب سے خاص رغبت رکھتا تھا۔ وہ پاکستان کا پہلا آرٹسٹ تھا جس کی پینٹنگ پیرس آرٹ گیلری میں 1970ء سے موجود ہے۔ ظہور اور شہرزاد کا گھر بھی ادیبوں، آرٹسٹوں، موسیقی کے ماہرین، سب کی آماجگاہ رہتا تھا۔ شہرزاد کے اپنے ہاتھ سے بنائے ہوئے برتنوں میں ہم لوگ کھانا کھاتے تھے۔ اس کی اپنی کلن اور شوروم تھا، جہاں اس کے ہاتھ کی بنی ہوئی اشیاء رکھی جاتی تھیں۔ شہرزاد خاص قسم کا ڈریس، لمبا، کٹواں کناروں کا کرتہ، اس کے ساتھ متضاد رنگ کا دوپٹہ اور شلوار یا تنگ پاجامہ ہوتا تھا۔ اس کی بیٹی جہاں آرا نے سات سال کی عمر سے ڈانس، مہاراج غلام حسین کتھک سے سیکھا تھا۔ ناہید صدیقی تک کے ڈانس ڈریس شہرزاد ڈیزائن کرتی تھی۔ حبیب جالب کے لیے جو فنڈ ریزنگ مشاعرہ کیا اور ہندوستان سے آئی ہوئی کلاسیکل سنگر کے لیے جو تقریب منعقد کی، سب میں بیک ڈراپ شہرزاد ہی نے بنایا۔ میری پچاسویں سالگرہ کی تقریب کے لیے بھی لاہور آرٹس کونسل میں بیک ڈراپ شہرزاد نے بنایا اور کولن ڈیوڈ نے میرا پورٹریٹ بنایا تھا۔

کولن کی پینٹنگ کو ہمیشہ کالج میں پیچھے سے آ کر خاموشی سے شاکر علی بھی دیکھا کرتے تھے۔ وہ بتاتے تھے کہ جتنی طاقتور لائن کولن کی ہے اتنی ہمارے زمانے کے کسی مصور کی نہیں ہے۔ کولن کے ساتھ ساتھ وہ خالد اقبال کی Realist پینٹنگز کو بھی بہت پسند کرتے تھے۔ مجھے خود خالد اقبال، اپنی طبیعت کی سادگی اور فقیرانہ انداز کے باعث، ہمیشہ بہت عزیز رہے ہیں۔ بالکل اس طرح جیسے احمد خاں اور سعید اختر۔ احمد خاں چاہے خطاطی ہو کہ پینٹنگ، اپنا الگ مزاج رکھتے ہیں جبکہ سعید اختر پہلے صرف پورٹریٹ بنانے میں پھر نیلے رنگ کے شیڈز اور گھوڑوں کی تصاویر کے ذریعہ، خود کو بے پناہ اجاگر کیا۔

لیلیٰ شہزادہ بہت بڑی پینٹر تو نہیں تھیں مگر ان کی المناک موت نے سب کی توجہ حاصل کی۔ وہ ایک رات جل گئی تھیں۔ ڈاکٹروں اور ہم سب کی کوششوں کے باوجود، وہ تین دن میں دنیا سے چلی گئیں۔ انہوں نے کبھی اپنی پینٹنگز کا ذخیرہ اور ریکارڈ اکٹھا نہیں کیا تھا چونکہ اس زمانے میں نہ تو ٹرانسپرینسی کا رواج تھا اور نہ ہی اور کوئی طریقہ تھا کہ تمام پینٹنگز کی کیٹلاگ بنائی جاسکے۔ اس لیے شاکر علی، چغتائی اور زبیدہ آغا کی پینٹنگز کے بھی ریکارڈز مکمل نہیں ہیں۔

زبیدہ آغا کو تنہا رہنے کی ایسی عادت ہوگئی تھی کہ ہم لوگ فون کر کے، وقت لے کر جاتے۔ تب بھی اگر علی امام آئے ہوں تو وہ ملاقات کا وقت دیتی تھیں۔

قطب شیخ پیرس سے شاکر علی کے یہاں مہمان ہوتے تھے۔ بالکل اس طرح جیسے امریکہ سے

رحیل اکبر جاوید، لاہور میں اپنے گھر میں ٹھہر کر لاہوری ٹھرک پوری کر لیتے تھے۔ چونکہ وہ ذیلدار روڈ کے رہنے والے تھے۔ اس لیے آتے تو صفدر میر، فرخ نگار عزیز، عابد شاہ، جمیل شاہ اور حفیظ الرحمان سے ضرور ملاقات کرتے تھے۔

سلیمی ہاشمی کی سالگرہ ہو کہ شعیب ہاشمی کی۔ ہم سب یعنی قدوس مرزا، انور سعید، افشار، نازش عطاء اللہ جیسے آرٹسٹ ایک کمرے میں اسما جہانگیر، آئی۔ اے رحمان، طاہرہ مظہر علی اور مجھ جیسے مہمان دوسرے کمرے میں غل غپاڑہ کرتے، یہی احوال ہوتا فیض صاحب کی سالگرہ کے دن (کہ وہ دن ہم اب تک مناتے ہیں اور سارے مل کر نظمیں گاتے ہیں)۔

کراچی میں جمیل نقش نے اپنے اردگرد حصار بنا رکھا ہے۔ وہ اب کسی سے نہیں ملتے، سوائے غیر ملکی خریداروں کے۔ دریا قاضی، ناہید رضا، قدسیہ نثار اور رفعت کے علاوہ نیلوفر فرخ، عورتوں کے ایشوز پر نہ صرف تصویریں بنا رہی ہیں بلکہ انتظامی معاملات بھی چلا رہی ہیں۔

ضیاء الحق کے زمانے میں میری جانی اور انجانی دوستوں نے میری بہت سی نظموں پر پینٹنگز بنائیں۔ منصورہ حسن نے پوری ایک سیریل بنائی۔ نائزہ خاں نے میری نظم حاکم زادی جو ظلم وستم سے تنگ آ کر اپنے آپ پر تیل کا کنستر الٹ کر جل کر مر گئی تھی۔ میں نے اس پر نظم لکھی۔ نائزہ خاں، اندرونِ سندھ جا کر اس کی قبر میں سے بال لے کر آئی اور اس نظم پہ کئی پینٹنگز ان بالوں کے توسط بنائیں۔

قدوس مرزا نے میری زیادہ تر کتابوں کے ٹائٹل بنائے۔ یہاں میں تصدق سہیل کا نام نہیں بھول سکتی کہ آجاؤ افریقہ کا پہلا ٹائٹل انہوں نے ہی بنایا تھا۔ سلیمیٰ ہاشمی نے تو نہ صرف میری بلکہ میرے کہنے پہ بہت سے شعری مجموعوں کے ٹائٹل بنائے ہیں۔

اسلام آباد میں مبینہ زبیری، راحت سعید اور نعیم پاشا، جدید مصوری میں اپنے تئیں حصہ بٹا رہے ہیں۔ پاشا کا اپنا کلکشن بہت نفیس ہے اور گیلری کے ذریعہ بہت کمال کام کر رہے ہیں۔ باقی اوسط درجے کے آرٹسٹ ہیں جن کا بیان نہ لطف دے گا اور نہ جن سے دوستی کی جاسکتی ہے کہ وہ خود کاروبار کے انداز کی پینٹنگز بناتے اور چالو مال کے لیے مارکیٹیں بھی تلاش کر لیتے ہیں۔

اب وہ منظر نہیں ہے کہ سب آرٹسٹ، شاعر اور دانشور اکٹھے بیٹھیں۔ اسلام آباد میں تو پاشا کے گھر یا میرے گھر آباد ہیں۔ ورنہ لاہور یا کراچی تو بنجر شہر، ایسی صحبتوں کے لیے ہو چکے ہیں۔

مصوری ہندوستان میں

ننگے پاؤں، ننگے سر، سفید بال اور سفید داڑھی دراز قد، لاہور، دہلی اور بمبئی کی گلیوں میں بے محابا گھومنے والے شخص کا نام فدا مقبول حسین ہے جنہیں ہم سب صرف حسین صاحب کہتے ہیں۔ ان کی بنائی ہوئی کوئی پینٹنگ، ایک کروڑ روپے سے کم میں نہیں فروخت ہوتی ہے۔ وہ اپنے بارے میں خود کہتے ہیں کہ میں زندگی کے پہلے تیس برس بورڈ پینٹ کرتا رہا۔ اس لیے مجھے بڑی بڑی تصویریں بنانے میں مزا آتا ہے۔ انہوں نے اپنی غربت کو بھی بے محابا بیان کیا ہے۔ اپنے کسی بھی عشق کو بوالہوسی بنا کر، جوش صاحب کی طرح بیان نہیں کیا۔

ویسے تو کئی پینٹر ہیں جنہوں نے سیلف پورٹریٹ بنائے ہیں جیسے میکسیکو کی فریدہ کاہلو، پاکستان کے صادقین، ان کی ہر پینٹنگ میں ان کی انگلیاں، ان کا چہرہ آپ کو نظر آتا ہے مگر حسین صاحب نے اپنا پورٹریٹ الگ بنایا اور اس کے لمیٹڈ پرنٹ تحفتاً بھی دیئے اور فروخت بھی کیے۔ حسین صاحب کے یہاں، صادقین اور پکاسو کی طرح لائن ورک کمال کا ہے۔ یوں تو ضیاء الحق کا مارشل لاء لگنے کے بعد، گل جی نے بھی بہت سے گھوڑے بنائے تھے اور جمیل نقش نے عورت کے چہرے کے ساتھ کبوتر کو عورت کا وجود بنانے پہ خود کو پابند کیا۔ ضیاء کے زمانے میں عورت کا وجود، ہر طرح کی ممنوعات میں شامل تھا۔

حسین صاحب نے مدر ٹریسا سے لے کر، رادھا، سیتا اور مادھوری ڈکشٹ تک پہ بے پناہ پینٹنگز بنائیں۔ کئی دفعہ ہندوؤں کے غضب کا شکار بھی ہوئے کہ انہوں نے صرف لائنوں کے ذریعہ عورت کے وجود کے خاکے میں سیتا، لکھ دیا تھا۔ اس طرح رامائن پہ بھی پینٹنگز سیریز بنائی تو مذہب پرستوں نے حملہ کر دیا۔

پھر شوق چڑھا فلمیں بنانے کا، پیسے کا آخر کہیں تو استعمال کرنا تھا۔ ایک فلم گنج گامنی تو انہوں

نے مادھوری ڈکشٹ کے عشق میں بنائی۔ یہ عشق، لیلیٰ مجنوں والا نہیں تھا۔ بس انہوں نے اُسے گاتے ہوئے سنا ''کبھی انکھیاں ملاؤ، کبھی انکھیاں چراؤ' کیا تو نے کیا جادو۔'' بس اس قاتلانہ رقص اور انداز نے فلم بنانے پہ مائل کیا۔ پھر ایک اور فلم بنائی' دونوں فلموں پہ شور مچا' کرسیاں توڑی گئیں مگر ان کا شوق تو پورا ہوا۔ پھر اپنی سوانح لکھی۔ زہرہ نگاہ اور احمد مقصود حمیدی کو دکھائی۔ رضا کاظم جوان کے یار غار ہیں۔ ان سے مشورہ کیا۔ پاکستان میں وہ کتاب شائع ہوئی۔ کراچی میں اس کی تقریب بھی ہوئی۔

عشق کے معاملے میں وہ اس لحاظ سے احمد فراز سے بہتر اور نمبر لیے ہوئے ہیں کہ جس خاتون سے عشق کرنا ہے' اس کا خوبصورت ہونا شرط ہے۔ جبکہ احمد فراز کے یہاں یہ شرط' قائم نہیں رہتی ہے۔ ہمیشہ سفر یا کسی جلسے میں جانے میں ایک محبوبہ ساتھ ہوتی ہے۔ اس میں مذہب کی کوئی قید نہیں ہے۔ ان کی اولاد جس میں بڑا بیٹا بھی اکثر ساتھ ہوتا ہے' ان کو کوئی اعتراض نہیں ہوتا ہے۔ بیگم' جو قطعی گھر والی اور قناعت پسند ہیں' ان باتوں کو قابل توجہ ہی نہیں سمجھتی ہیں۔ بڑا بیٹا بھی پینٹ کرتا ہے' اس کی حوصلہ افزائی کرتے ہیں' اس کی نمائش میں خود شریک ہوتے ہیں۔

ہمارے ملک میں آرٹسٹوں کی نمائش میں شاعر نہیں جاتے ہیں اور مشاعروں میں آرٹسٹ نہیں نظر آتے ہیں۔ ہندوستان کے ہر بڑے مشاعرے میں چاہے وہ دلی میں ہو رہا ہو' بمبئی سے چل کر حسین صاحب ہمیشہ موجود ہوتے ہیں۔ کامنا پرشاد کے مشاعرے کا بیک ڈراپ بھی وہ خود ہی جی سے بناتے ہیں۔

ایک دفعہ میں' رضا کاظم اور حسین صاحب بیٹھے گفتگو کر رہے تھے۔ رضا اور میں دونوں زبان دراز' گفتگو طویل بھی ہوگئی اور گرمیٔ گفتار بھی کچھ زیادہ تھی' کوئی گھنٹے بعد ہم دونوں کو ہوش آیا کہ ہمارے درمیان سے حسین صاحب غائب ہیں۔ شرمندہ ہو کر بھاگے ان کے کمرے کی جانب' دیکھا تو وہ ایک بڑا پوسٹر پیپر لیے واپس آ رہے ہیں۔ لکھا تھا ''کشور ناہید کے لیے۔'' بنائے تھے دو ہاتھی اور ایک شیرنی۔ کہنے لگے ہم دو ہاتھیوں سے تم شیرنی کی طرح لڑ رہی تھیں' بس میں نے یہی سین مرتسم کر دیا ہے۔

ایک دن فرمائش کر کے' انہوں نے احمد فراز کو اسلام آباد سے لاہور بلوایا۔ مجھے حکم ملا ''آج شام کوئی اور نہیں ہوگا۔ تم' میں اور فراز بیٹھیں گے۔ میں تم دونوں سے شعر سنوں گا۔'' ابھی حسین صاحب کو آئے دس منٹ بھی نہیں ہوئے تھے کہ مستنصر تارڑ ایک بورڈ اور مارکر لیے آن دھمکے۔ اس سے پہلے میں نے حسین صاحب کو برے موڈ میں نہیں دیکھا تھا۔ میں نے بڑی لجاجت سے کہا ''آپ ذرا سی ڈرائنگ کر کے دستخط کر دیں۔'' مجھے قہر آلود نظروں سے دیکھا۔ پھر انہیں کتنی دیر لگی تھی ڈرائنگ کرنے میں' جس وقت مستنصر نے کہا ''میرا نام بھی لکھ دیں۔'' بس سیخ پا ہو گئے۔ میں نے مستنصر کو رخصت کیا

اور اب کہا کہ دروازے کو تالا مار دیا ہے۔ کسی کو خبر بھی نہیں کہ گھر میں کوئی ہے۔ آیئے بیٹھیں۔ آؤ فراز شعر سناؤ، بولے ''پہلے ہم موڈ ٹھیک کرنے کو باتیں کریں گے۔'' پتہ نہیں چلا کہ گفتگو کہاں شعر میں ڈھل گئی، ایک دم میں نے دیکھا کہ حسین صاحب نے میرا اوڑھا ہوا ململ کا دوپٹہ میرے کندھے پر سے گھسیٹا، مار کر ہاتھ میں لیا، فراز کا پورٹریٹ اور میرے ہاتھ پیر بنا کر فراز کو کہا ''لو یہاں اپنا شعر لکھو۔ پھر میں اور تم دستخط کریں گے۔''

وہ دوپٹہ کافی دن تہہ کیے ہوئے رہا۔ پھر بمشکل اس کو فریم کروایا۔ کئی دفعہ مجھے امام صاحب نے کہا ''مجھے دو میں اسے لاکھوں میں بیچ دوں گا۔ میرے اندر کے ایک چھوٹے سے آرٹسٹ نے یہ گوارا نہ کیا۔ یہ دونوں پینٹنگز میرا سرمایہ ہیں۔

رمضان کے مہینے میں، شدید گرمی تھی، میں دو بجے دفتر سے نکلی تو دیکھا حسین صاحب ننگے پاؤں تیزی سے چلے جا رہے ہیں۔ میں نے ڈرائیو کو کہا گاڑی موڑو۔ ان پیدل چلتے صاحب کے پاس لے آؤ۔ میں نے گاڑی روکی۔ بغیر کچھ کہے مجھے بس دیکھا اور گاڑی میں بیٹھ گئے۔ موڈ خراب لگ رہا تھا۔ میں سمجھ گئی۔ ذرا دیر بعد پوچھا ''کھانا کھانے پی۔سی میں چلیں۔'' بولے ''چلو۔'' میں نے ہوٹل پہنچ کر کہا ''قاسم جعفری کو اطلاع دو کہ آپا اور حسین صاحب آئے ہیں۔'' منٹوں میں قاسم اپنی سیٹ سے اٹھ کر آ گیا۔ ہدایت کی کہ ان کی بہت خاطر کی جائے۔ میں نے اشارہ کیا کہ تم بیٹھنا نہیں۔ ان کا موڈ خراب ہے۔ قاسم ہدایات دے کر واپس چلا گیا۔ اب انہوں نے بتایا کہ ایک سرمایہ دار، ان کی نمائش سے پینٹنگ اٹھا کر لے گیا تھا، ضد یہ تھی کہ پیسے لینے، حسین صاحب خود آئیں۔ چلو یہ بھی گوارا، طوعاً وکرہاً چلے گئے۔ سرمایہ دار نے اب مول تول شروع کر دی۔ تیس ہزار لے لیں۔ پینتیس ہزار لے لیں۔ حسین صاحب نے کہا ''مجھے پینٹنگ واپس کر دیں۔'' کہنے لگے ''یہ تو میں کبھی نہیں کروں گا۔'' طیش میں آ کر، حسین صاحب سیڑھیاں اتر کر ابھی ذرا آگے آئے تھے کہ میں نے انہیں جا پکڑا۔ بس یوں ان کا غصہ، رفع دفع کیا۔ رضا کاظم نے سرمایہ دار کو بڑی ڈانٹ پلائی اور یوں معاملہ طے پایا۔

کئی سال ہوئے، مادھوری پہ بنائی پینٹنگز کے پرنٹ لے کر آئے تھے۔ علی امام کی گیلری میں رکھے، ہاتھوں ہاتھ فروخت ہو گئے۔ اس طرح ان کی کتاب کراچی میں فروخت ہوئی۔ نوے سال کی عمر ہونے کو آئی، پیدل چلتے ہیں تو لگتا ہے کوئی نوجوان ڈگ بھرتا ہوا جا رہا ہے۔

پیدل چلنے میں راما چندرن اور جتین داس کا بھی کوئی جواب نہیں۔ جب یہ لوگ جامعہ ملیہ میں پڑھا رہے تھے تو ہر شام ڈاکٹر شمیم حنفی کے ساتھ، جمنا کنارے یہ تینوں دوست سیر کرتے تھے۔ جتین داس

کی بیٹی نونیتا داس (فلمی ہیروئن) کو میں نے بچپن میں دیکھا تھا۔ آج تک وہ جب ملتی ہے مجھے "پھوا" کہہ کر بلاتی ہے۔ گلزار کی کتاب "چاند پکھراج کا" میں ساری ڈرائنگز جیتن داس کی بنائی ہوئی ہیں۔ بنگال کا خمیر، دلی میں آباد ہے اور تصویریں بناتے ہوئے پچاس برس ہو گئے ہیں۔

راما چندرن نے بھی جامعہ ملیہ سے اپنا راستہ الگ کر لیا ہے۔ یہ آرٹسٹ، ستیش گجرال کی طرح لکڑی سے لے کر پرنٹ میکنگ، سارے اسالیب پہ مہارت رکھتا ہے۔

مگر جس مہارت سے وید نے لکڑی پہ کام کیا ہے، وہ ساری دنیا میں تحسین کی نظروں سے دیکھا گیا ہے۔ وید اور گوگی، دو دوست ہیں جو گزشتہ 20 برس سے اکٹھے رہتے اور کام کرتے ہیں۔ گوگی جب پہلی دفعہ پاکستان آئی تو اس نے ایک نمائش کی جس میں عورت کو گھوڑے، گدھے کی صورت استعمال ہوتے ہوئے، پینٹنگز میں دکھایا تھا۔ وہ تصویریں دیکھ کر، ہمارے ملک کی خواتین کہتیں "ہمارے ملک میں تو عورت کی بہت قدر ہوتی ہے، یہاں تو ڈھور ڈنگر کی طرح عورت کو استعمال نہیں کیا جاتا۔" گوگی یہ سن کر ہنس دیتی اور کہتی "میرے ملک میں بھی زیور پہنی عورتیں ایسا ہی کہتی ہیں۔"

گوگی نے پہلے ایک مسلمان سے شادی کی تھی۔ اس سے ایک بیٹا بھی تھا۔ بیٹا ابھی بچہ ہی تھا، سلیم (اس کے شوہر) سے علیحدگی ہو گئی۔ بیٹے کو جوان دراصل وید کے ہاتھوں ہونا تھا۔ بڑا ہرا بھرا گھر تھا، اچانک گوگی کے بیٹے کی کسی حادثے میں موت ہو گئی۔ گوگی نے اس سارے صدمے کو اپنی پینٹنگز کے ذریعہ بیان کیا اور وید نے اس کے ہر زخم پر پھائے رکھے۔ محبت کرنے والا ایسا ساتھی ملا تو زندگی بھی چہرہ بدل لیتی ہے۔ ان کے گھر میں وید کا الگ اور گوگی کا الگ سٹوڈیو ہے۔

اجیت کور کی بیٹی بھی اس وقت بین الاقوامی شہرت کی مالک ہے۔ ارپنا کور کو پنجاب کے کلچر اور تاریخ، اس کے سارے رومانوی کرداروں سے جی جان سے محبت ہے۔ اس نے سوہنی مہینوال پہ جو سیریز بنائی ہے۔ اس کی دنیا بھر میں دھوم ہے۔ ارپنا کے یہاں عورت کے وہ سارے روپ ہیں جو پریم چند کی کہانیوں میں ملتے ہیں۔ میں ارپنا کور سے گڑھی میں ملی تھی۔ دلّی میں یہ ایک جگہ ہے جہاں آرٹسٹوں کو سٹوڈیو بنانے اور کام کرنے کے لیے مفت جگہ فراہم کی جاتی ہے مگر یہ سٹوڈیو، وہ چھ ماہ تک چلا سکتے ہیں کہ پھر نئے دوستوں کو جگہ دینے کے لیے، پرانے آرٹسٹوں کو جگہ خالی کرنی پڑتی ہے۔ گڑھی ہی میں منجیت باوا سے ملاقات ہوئی اور ان کا کام بھی دیکھا۔

ہندوستان تو بھرا پڑا ہے، آرٹسٹوں سے، میری کم مائیگی کہ میں ہی چند آرٹسٹوں کو جانتی ہوں۔

مصوری کا ڈونچی۔ علی امام

دراز قد‘ فرنچ کٹ داڑھی‘ سر کے بال کم ہونے کے باوجود خوبصورت لگتے تھے۔ رنگ گورا‘ گلے میں شوخ رنگ کا مفلر‘ یہ ہے صبح اٹھتے ہی چہرہ دیکھیں تو علی امام کا۔ میں انہیں شاکر علی کے توسط جانتی تھی مگر خاص نہیں۔ شاکر علی کی وفات‘ ہم دونوں کی دوستی کی اساس بنی‘ پہلے پہل ملتے تو صرف شاکر علی ہی کی باتیں کرتے تھے۔ علی امام صاحب کو یہ شرف حاصل تھا کہ شاکر علی کی کالج کی گرمیوں کی چھٹیوں سے پہلے‘ وہ کئی کینوس تیار کر کے رکھتے تھے تاکہ شاکر علی آئیں تو پینٹ کریں۔ پھر ان کے جانے سے پہلے ان کی نمائش کریں‘ جو پیسے حاصل ہوں‘ وہ شاکر علی کے حوالے کریں اور یوں پھر اگلی چھٹیوں کا انتظار کریں۔

علی امام اس زمانے میں پی۔ سی۔ ای۔ ایچ سوسائٹی میں رہتے تھے۔ ان کا ہمیشہ سے دستور تھا گھر اور گیلری ساتھ ساتھ رکھیں۔ اس طرح خوبصورت گھر کا ماحول بھی ہوتا اور آنے جانے والوں کے لیے‘ پینٹنگز خریدنے والوں کے لیے کوئی وقت معین نہیں تھا۔ یہ بات تکلیف دہ بھی تھی کہ وہ دوپہر کو آرام کرنا چاہتے تو کوئی غیر ملکی‘ ملکی گاہک ٹپک پڑتا۔

علی امام صاحب جس آرٹسٹ کی پینٹنگ کے پاس کھڑے ہو کر گاہک کو اس پینٹنگ کے رموز سمجھا رہے ہوتے‘ وہیں کھڑے کھڑے اس شخص کو موجودہ یا ماضی کی پینٹنگ ہسٹری میں اس آرٹسٹ کے مقام کو بھی سمجھا دیتے۔ وہ شخص چاہے اس قابل ہوتا کہ نہ ہوتا کہ اتنے سارے علم کو اپنے اندر سما سکے‘ امام صاحب‘ اس حسین تذکرے سے اس کا دل موہ لیتے‘ وہ شخص ایک کی بجائے دو پینٹنگز خرید کر وہاں سے جاتا۔

یہ وہ زمانہ تھا جب کراچی میں گلی گلی اور محلے محلے گیلریاں نہیں کھلی تھیں۔ پورے شہر میں یہ

ایک ہی گیلری تھی جہاں آرٹسٹ بھی جمع ہوتے، دانشور، صحافی، سیاست دان اور آرٹ کلکٹر سب ہی اُمڈے چلے آتے تھے۔

علی امام کو عادت تھی کہ ہر کہہ و مہہ کو نمائش کی اجازت نہیں دیتے تھے۔ پہلے اس کا بھرپور کام دیکھتے اور پھر اگر امید ہوتی کہ یہ آرٹسٹ آگے جا کر بڑا بنے گا تو اس کو نہ صرف فریمنگ کے مشورے دیتے بلکہ آئندہ کی ڈرائنگ میں سلیقہ برتنے کا ہنر بھی سکھاتے۔

علی امام کو پینٹنگز کی نمائش کرنے کے علاوہ ایک اور شوق تھا۔ دنیا بھر کے نوادرات جمع کرنے کا۔ مہاتما بدھ کا نادر مجسمہ ہو کہ افریقی کا رونگ کیے ہوئے گلدان، نادر پتھر کہ مغلوں کے زمانے کی مینیچر پینٹنگ، یہ چیزیں تلاش کرنے کے لیے وہ صبح کے جہاز سے لاہور آتے، پھر شام کو واپس جانے کا پروگرام رکھتے۔ میں اور معین نجمی شور مچا دیتے کہ ایسا نہیں ہوگا، رات کو تو نشست ہوگی۔ وہ ہماری بات مان جاتے۔ بس ہم تین اکٹھے بیٹھتے، پھر وہی شاکر علی کی باتیں۔ امام صاحب کو گلہ یہ تھا کہ شاکر علی، دو سو روپے کا رنگوں کا ڈبہ لگا کر ہارڈ بورڈ پہ پینٹنگ بنا کر بھی خوش رہتے۔ چونکہ بیس کوٹنگ اچھی نہیں ہوتی تھی اس لیے چند سالوں بعد، پینٹنگ چپ آف ہونے لگتی تھی۔ ویسے بھی اس زمانے میں کوئی پینٹنگ دو، اڑھائی ہزار کی فروخت ہو جائے تو بڑی بات ہوتی تھی۔

علی امام کہتے تھے کہ پینٹنگز کی فروخت سے جو بچت ہوتی ہے اور یہ بات سچ بھی تھی وہ تو میں افتتاح والے دن شام کو سارے آنے والوں اور خاص کر صحافیوں کو ڈرنکس پلا کر خرچ کر دیتا ہوں۔ بس یہ میرا شوق ہے۔ کمال یہ ہے کہ یہ شوق اور سلسلہ، ضیاء الحق کے شدید مارشل لاء کے زمانے میں بھی جاری رہا چونکہ چیف سیکرٹری اور منسٹر تک ان محفلوں میں شریک ہوتے تھے، اس لیے کبھی اس طرح کا چھاپا نہیں پڑا جیسا کہ ایک دفعہ لاہور میں ہاشم خاں کے گھر گلبرگ میں رات بارہ بجے پڑا تھا۔ وہ تو شکر ہوا کہ گرفتاریاں نہیں ہوئیں۔ بچ بچاؤ ہو گیا، ورنہ اس زمانے میں تو سب کچھ روا تھا۔

علی امام کو نوادرات فروخت کر کے، اتنی آمدنی ہوتی تھی کہ بس گھر چلاتے تھے، اپنی پرانی گاڑی چلاتے تھے اور بچوں کو ایک حد تک پڑھا سکے تھے۔ جب بچے باہر گئے تو بھی ان کی فیس ادا کرنے کو کبھی بینک سے قرض لیتے اور کبھی کسی آرٹسٹ کو ادائیگی میں تاخیر کر دیتے مگر کبھی کسی آرٹسٹ کے پیسے روکے نہیں۔

ایک دفعہ ان کو دل کا کوئی تیسرا یا چوتھا دورہ پڑا اور اتفاق سے ڈاکٹر عباس جیلانی چیف سیکرٹری تھے۔ میں نے جب کسمپرسی کے عالم میں جنرل وارڈ میں ان کو پڑا دیکھا تو ڈاکٹر جیلانی کو فون

کیا۔ بس آدھے گھنٹے کے اندر، پورے ہسپتال میں تھرتھلی پڑی تھی، امام صاحب کو VIP کمرے میں منتقل کیا گیا۔ دل کا دورہ ان کی زندگی کا معمول بن گیا تھا۔ لندن اور پاکستان میں، کئی دفعہ دل کے والو وکھولے جا چکے تھے۔ اب ڈاکٹر ہمت نہیں کرتے تھے، زبان کے نیچے گولی رکھنے کو دیتے تھے۔ کئی دفعہ تو کئی گولیاں چنے کی طرح چبا کر کھانی پڑیں کہ درد کم ہی نہیں ہوتا تھا۔ اتنے میں کوئی گیلری میں آ گیا، اگر اٹھنا ممکن نہیں ہوا تو بستر پر لیٹے لیٹے، سب تفصیلات سمجھا رہے ہیں۔

پھر یوں ہوا کہ پی۔ سی۔ ایچ۔ ایس کے پرانے مالک مکان نے بھی ساتھ چھوڑ دیا اور گھر خالی کرنے کا نوٹس دے دیا۔ پریشانی اور سفید پوشی دونوں نے اب تو بھرم بھی نہ رکھا۔ پھر دل کا دورہ پڑا۔ یہاں ان کی بیگم شہناز کی ذہانت کام آئی۔ وہ گھر کے خرچ میں سے اپنی ذاتی آمدنی کا کچھ حصہ بچا لیتی تھی۔ وہ یو۔ ایس ایڈ میں بطور کنسلٹنٹ کام کرتی تھی۔ بہت تردد کے بعد باتھ آئی لینڈ میں ایک ایسا چھوٹا سا گھر خریدنے کا جتن کیا۔

اِسی زمانے میں ایک اور گیلری نے ظہور کیا۔ یہ بی۔ ایم گیلری تھی۔ ہمارے کلاس فیلو اور دوست بشیر مرزا کی گیلری تھی۔ وہاں بھی ہر روز روزِ عید اور ہر شام، ہولی کا منظر پیش کرتی تھی۔ اتوار کی دوپہر طے تھا کہ بی۔ ایم کی گیلری پر ہر دیسی پردیسی موجود ہوگا۔ نشست شام 5 بجے کے قریب ختم ہوتی۔ بی۔ ایم کے گل چھرّے اور پھر اس کے بھانجے بھانجیوں کے دونوں ہاتھوں سے لٹانے کے عمل نے، گیلری پہ ختم شد کی تختی لٹکا دی اور اب وہ اسلام آباد کا ذائقہ لینے پہنچ گیا۔

بی۔ ایم کی گیلری میں بے نظیر اور بیگم بھٹو بھی آئیں۔ بی۔ ایم نے پورٹریٹ بنا کر پیش کیا تھا۔ اس کا معاوضہ شہ نشیں وزیراعظم نے یہ دیا کہ بی۔ ایم کو کلچر اتاشی بنا کر آسٹریلیا بھجوا دیا۔ اس پوسٹنگ کے پیچھے یہ راز مضمر تھا کہ آسٹریلیا میں صرف لیور سروسز کا وہ علاج تھا جہاں کہ ہچکیاں بند ہو سکتی تھیں۔ بی۔ ایم نے کیا کام کرنا تھا۔ پونے دو برس بعد لڑلڑا کر واپس آ گیا وہ ساری پینٹنگز جو علی امام نے سنبھال کر رکھی تھیں، ان کو حاصل کر کے تازہ دم ہو کر ایک فلیٹ لیا اور اس کو ہی گیلری کہہ کر کام شروع کر دیا۔

علی امام اور وہاب جعفر (جو خود امیرزادے اور پینٹر ہیں) ان دونوں نے بشیر مرزا کی نہ صرف دلجوئی کی بلکہ کوشش کی کہ وہ پھر اپنے آپ کو پینٹنگز کی طرف لائے، مگر صبح سے شام اور شام سے صبح واڈکا کے تعلق نے ایسی منزل سنبھال لی کہ جب اس کا السر کا آپریشن ہوا تو خود ڈاکٹر ادیب کو اس کو واڈکا منگوا کر دینی پڑی۔ زندگی نے بہت ساتھ دینے کی کوشش کی، بی۔ ایم نے شادی بھی کی۔ یہ شادی

بھی واڈکا کے پیگ کی طرح ختم ہوگئی۔ آخر کو ایک صبح اپنے فلیٹ میں نیند میں ہی موت سے ملاقات کی۔ شاید یہ ملاقات اتنی پسند آئی کہ وہ اس کے ساتھ ہی چلا گیا۔

اب علی امام اور میری گزشتہ کی کتاب کے اوراق پلٹنے میں شاکر علی' احمد پرویز کے علاوہ بی۔ ایم بھی شامل ہوگیا تھا۔

علی امام نے بے پناہ قرض لے کر' گھر تو لے لیا مگر کراچی میں بھیڑ چال کی طرح گیلریاں کھلنے لگیں۔ ہر خوبصورت خاتون نے کمرشل سینٹرز میں بھی گیلریاں بنانی شروع کر دیں۔ اُدھر علی امام نے جانچ پرکھ کر کے آرٹسٹ کو نمائش دینی ہوتی تھی۔ وہی ہوا کہ کام گھاٹے میں جانے لگا۔ وہ کام جو آرٹسٹ علی امام کو بھول گیا تھا۔ یعنی پینٹنگ بنانا۔ پھر ادھر رجوع کیا۔ کچھ پینٹنگ اور کچھ نوادرات جو سنبھال سنبھال کر رکھے تھے' وہ نکالے' گھر کا قرض نہ صرف ادا کیا بلکہ گھر شہناز کے نام کر دیا۔

علی امام صاحب ہر آرٹسٹ کا حساب باقاعدگی سے رکھتے تھے۔ جب ان کے گھر بھری دوپہر میں اتوار کے دن ڈاکہ مارنے والے آئے۔ شہناز کی ساڑھیاں لے کر گھر والوں کو کرسیوں سے باندھ کر سیف کی چابیاں مانگیں تو امام صاحب نے کہا بھئی لے جاؤ مگر یہ سارے پیسے' دوسرے آرٹسٹوں کے ہیں۔ سارا سامان معہ گاڑی کے لے جاتے ہوئے بولے ''آپ بہت مشہور ہیں۔ اس لیے گاڑی واپس کر دیں گے۔'' پوچھا کیسے' بولے ''طارق روڈ پر کل شام دیکھ لیجئے گا۔ کھڑی ہوگی' چابی کسی ٹائر کے پاس پڑی ہوگی' شرط یہ ہے پولیس کو مت بتائیے گا ورنہ ہمیں معلوم ہے آپ کی بیٹی کس کالج میں جاتی ہے۔''

جب سارے افسر پیچھے پڑے کہ کہیں تو رپورٹ کریں' رولنگ پارٹی کے دفتر کے قریب پہنچ کر کہا ''واپس چلو۔ یہ تو وہی لڑکے کھڑے ہیں جو میرے گھر آئے تھے۔''

میں جب بھی علی امام کے گھر ٹھہرتی' فرمائش پر پراٹھے' آلو کے پراٹھے' کباب' نہیں تو مائی کلاچی پہ جا کر نہاری' بہاری کباب پراٹھا کھانا' ہمارا معمول تھا۔ اگلے روز پتہ چلتا رات بھر جاگتے رہے مگر نہیں اٹھے کہ کہیں میری آنکھ نہ کھل جائے۔

میں ڈی۔ جی۔ پی۔ این۔ سی۔ اے ہوئی تو بہت بڑا استقبالیہ دیا۔ بہت سہارا دیا اور رہنمائی کی۔ میرے ہر کام پہ ایسے خوش ہوتے جیسے ان کی کامیابی ہو۔

ضیاء الحق دور میں دو دفعہ اور بے نظیر دور میں ایک دفعہ پرائیڈ آف پرفارمنس دیا گیا' مگر انہوں نے واپس کر دیا۔ نہیں قبول کیا' کسی حکومت کے فیور کو۔

میں کراچی پہنچتی، ان کی عید ہو جاتی، شام کو حلقۂ یاراں کی محفل جمتی، مجال ہے کسی اور کو کوئی چیز لانے دیتے، سارے اہتمام خود کرتے۔

کراچی میں صرف ان ہی کے گھر ہوتا تھا کہ اتوار کی دوپہر 11 بجے سے 2 بجے تک نشست ہوتی تھی۔ حمید ہارون سے لے کر احمد مقصود حمیدی، تمام آرٹسٹ، جلال الدین احمد جیسے نقاد اور بھولے بھٹکے سیاست دان، افسر، سب جمع ہوتے، حالاتِ حاضرہ پہ گفتگو ہوتی، اگر کوئی نہاری یا کھانا لے آتا تو کھانے کے بعد، ورنہ، یونہی محفل رندانہ ختم ہوتی۔ چند دوستوں نے ان کے جانے کے بعد، یہ روایت جاری رکھنے کی کوشش کی مگر کون ستارے چھو سکتا ہے، راہ میں سانس اکھڑ جاتی ہے۔

لاہور کے طباعتی ادارے

لاہور کو ایک زمانے میں باغوں اور اشاعتی اداروں کا شہر کہا جاتا تھا۔ باغ تو سڑکوں کی نذر ہو گئے اور اشاعتی ادارے ٹی۔وی چینلز کی نذر۔

کس کو یاد نہ ہوگا کہ دارالاشاعت، قیام پاکستان سے قبل اپنی ساکھ بنا چکا تھا۔ ہمایوں، مخزن اپنی تحریروں اور اعلیٰ مصنّفین کی تحریریں شائع کرنے کے باعث، موقر جریدے شمار کیے جاتے تھے۔ پھر یوں ہوا کہ لوہاری دروازے کے اردگرد، اشاعتی ادارے پنپنا شروع ہو گئے۔ میری لائبریری والوں نے جاوید شاہین کے تراجم ''خوش رہنا سیکھیے'' قسم کی کتابیں شائع کرنے اور مال بنانا شروع کر دیا۔ البلاغ تو صرف ایم۔اسلم کی کتابیں یا مرغی خانے بنانے کے بارے میں ترکیبیں شائع کرتا تھا۔ اعلیٰ ادب کے سلسلے میں مکتبۂ جدید، گوشۂ ادب، نیا ادارہ، آئینۂ ادب، مکتبۂ عالیہ، سینئر ادیبوں کو شائع کرنے میں ایک دوسرے سے سبقت لے جانے کی کوشش کرتے تھے۔ اِسی زمانے میں ادارہ نقوش نے ایک روڈ سے جنم لے کر، اپنے آپ کو ٹیکسٹ بک بورڈ کے ذریعہ اور افسر ادیبوں کی تحریروں کے ذریعہ پھیلایا۔ اسی طرح شیخ غلام علی اینڈ سنز نے، پیکیجز کی طرح کتابیں کم اور چائے کے ڈبے زیادہ بنا کر، کاروبار کو وسعت دی۔

یہ صرف سنگِ میل کو خیال آیا کہ پرانے گزیٹیئرز سے لے کر اسبابِ بغاوت ہند، الہلال، طلسمِ ہوشربا اور فسانۂ آزاد کو نابود سے، وجود تک لے کر آئے۔ اسی طرح انگریزوں کے زمانے کی مطبوعات کو دوبارہ زندگی دی۔ پاکستانی ادیبوں کو تاریخ و سیاست کے سارے موضوعات پر لکھنے کے لیے اُکسایا اور یوں کتابوں کو الماریوں سے نکال کر، پڑھنے والے کے ہاتھ میں دے دیا۔

اِسی زمانے میں بڑے بڑے شعبدہ باز، پبلشرز وجود میں آئے، ادیبوں کو بیس بیس ہزار ماہانہ

رائلٹی کا غچہ دے کر، کتابیں ہتھیائیں۔ کئی نے افسروں اور ادیبوں کی جمع جوڑ کو باتوں میں اتار کر اپنے ہاتھ میں لیا، بہت منافع کمانے کا فریب دے کر، ساری رقم بٹور کر، رفو چکر ہو گئے، کوئی کینیڈا چلا گیا، کوئی تھائی لینڈ، کوئی انگلینڈ۔

ان کے جانے سے کوئی خلا پیدا نہیں ہوا۔ بہت سے نئے جال لے کر نئے شکاری پیدا ہو گئے۔ مصرعہ بھی ٹھیک کرتے جاتے تھے، طباعت کا اہتمام بھی کرتے جاتے تھے، کتاب کی اشاعت کے بعد تقریب کی تفصیلات بھی مرتب ہو جاتی تھیں اور ان کے گھر کا چولہا بھی جلتا رہتا تھا۔ بڑے بڑے عبایہ پہننے والوں کو اردو کا شاعر بنا دیا، بڑی بڑی زمینوں کا کاروبار کرنے والی خواتین کو صاحبِ دیوان بنا دیا۔ چار سال میں گیارہ گیارہ دیوان، ایک خاتون کے شائع ہو گئے۔ ایسے پبلشرز اب تو گھروں، گلی کوچوں اور دفتروں میں کام کرنے والوں نے اپنی ہی میز کی دراز میں کھول لیے تھے۔

بہت سے بڑے ادیبوں کے کارندوں نے، اپنے استاد کی مطبوعات کے توسط، خود کو بھی اعلیٰ مصنّفین کی فہرست میں شامل کر لیا۔ ادبِ لطیف جیسا بڑا رسالہ ہو کہ سویرا جیسا مبسوط پرچہ، کہنے کو آج بھی شائع ہوتے ہیں مگر وہ بات کہاں مولوی مدن والی۔

کتاب گھر کے نام سے ہر شہر میں مطبوعات کا سلسلہ بہت فروغ پایا ہے۔ اس معاملے میں چھوٹے بڑے شہر کی کوئی تخصیص نہیں ہے۔ ہر شہر خود کفیل ہے، ہر شاعر کو 60 غزلیں ہو جانے پہ، ہر پروفیسر کو چار مضامین مکمل ہو جانے پر اور ہر تھیسس کو کتابی شکل دینے پر، اپنے پیسے لگا کر صاحبِ کتاب ہونے کا جنون ہے۔

آکسفورڈ یونیورسٹی پریس، آج اور شہرزاد جیسے باوقار اشاعتی ادارے بھی اپنی پسند اور ناپسند کے حصار میں رہتے ہیں۔

یہی حال ہندوستان کے اشاعتی اداروں کا ہے۔ آپ جائیے دس اشاعتی ادارے، کتابیں شائع کرنے کے لیے معاہدہ بنا کر اور ابتدائی رائلٹی لیے آگے و پیچھے پھریں گے۔ پھر اس کے بعد نہ ان کا فون کوئی اٹھائے گا، نہ وہ کسی جگہ، اپنے دفتر میں بازیاب ہوں گے۔ کتابیں بازار میں نظر آئیں گی مگر بے سود کہ آپ کو ایک پیسہ رائلٹی کا نہیں ملے گا۔

پبلشنگ کا ایک سلسلہ، خواتین کے ناولوں، جنسی شادابی، جوان رہنے کے طریقوں اور کھانے پکانے کی ترکیبوں پر مشتمل ہے۔ ان میں سے اکثر پبلشر کے پتے، بے نام اور گمنام قسم کے ہوتے ہیں، جگہ تلاش کرو تو وہاں لکڑی کی ٹال مل جائے گی، پبلشنگ ہاؤس نہیں ہوگا۔

حسنِ طباعت کو بڑھانے کے لیے، چار رنگے اندرونی صفحات کے علاوہ، کتاب کے ساتھ سی یا ڈی۔ وی۔ ڈی بھی ملنے لگی ہے۔ اب تو بہت سے شاعر، خاص کر مزاحیہ شاعر، نعت گو اور درس دینے والے خود کفیل ہو گئے ہیں۔ تقریبات میں اعلان کرواتے ہیں کہ آپ میرا کلام باہر سٹال سے خرید سکتے ہیں جیسے حجاب بیچنے والی خواتین کرتی ہیں۔

بس ایک بات یاد رکھئے گا۔ پبلشر سے یہ مت پوچھئے کتاب کتنی فروخت ہوئی ہے۔ سال بھر بعد بھی کہہ دیں گے کہ آٹھ سو کتاب پڑی ہے۔ پھر چھ ماہ بعد کہیں گے، سات سو کتاب فروخت ہوئی ہے۔ کچھ لوگ سو سو کتاب کی بائنڈنگ کرواتے ہیں اور ہر دفعہ کی بائنڈنگ پہ نئے ایڈیشن کا نمبر لکھ دیتے ہیں۔

کاپی رائٹ ایکٹ کو تو کوئی گھاس ہی نہیں ڈالتا ہے۔ ایک پبلشر نے میرے سارے مجموعے کلیات کی شکل میں اور لبِ گویا کے نام سے شائع کر کے تمام لائبریریوں میں بھجوا دیئے ہیں۔ کسی سٹال پر یہ کتاب نظر نہیں آتی ہے۔ مجھے کیسے معلوم ہوا۔ چند لائبریرین، میرے پاس یہ کتاب آٹوگراف کے لیے لائے تو یہ بات میرے علم میں آئی۔

میں نے لیلیٰ خالد کی آپ بیتی، اردو میں ترجمہ کی۔ یار لوگوں نے سندھی، پنجابی، پشتو اور بلوچی میں ترجمہ کر کے، اپنا نام دے دیا۔ اتنا کرم کیا کہ دیباچے میں میرا شکریہ ادا کر دیا۔

امرتا پریتم، شور مچاتے مچاتے مر گئیں کہ بے تحاشا لوگ میری کتابیں پاکستان میں شائع کر رہے ہیں۔ عینی آپا نے مقدمے بھی کیے، پھر ہمارے سینئر حنیف رامے صاحب آڑے آ گئے اور مقدمہ ختم کروا دیا۔ ساحر لدھیانوی کی کتابیں بے تکے پبلشر بھی شائع کیے جا رہے ہیں۔ یہی حال منٹو کا ہے اور اب تو علامہ اقبال کے کلام پہ بھی لوگوں کو آزادی مل گئی ہے کہ ان کی وفات کو پچاس برس ہو گئے ہیں۔

قرآن شریف شائع کرنے والوں کی کوئی حد نہیں ہے۔ ہر شہر میں آپ کو پبلشر مل جائے گا۔ اسی طرح پکی روٹی اور بہشتی زیور، ہر شہر میں چھپتا ہے۔ نہیں ملتے تو اچھے پبلشر کہ اچھے پبلشر، اپنے مصنّفین کو بار بار فرمائش کر کے کتاب حاصل کرتے ہیں۔

مجھے پھر سنگِ میل کا مرحوم اعجاز یاد آنے لگا ہے۔

عالم گردی

ساری دنیا میں سفر کرنے کے مواقع نے بہت سے شناسا فراہم کیے جن میں سے کچھ دوست بن گئے۔ ان میں وہ بھی تھے جو مجھے گزشتہ چالیس برس سے مختلف زبانوں میں پڑھ رہے تھے اور وہ بھی تھے جو حکومتوں کی مضحکہ خیز حرکتوں کے باعث مجھے بہت جرأت منداور مختلف خاتون سمجھ رہے تھے۔

جاپان میں اردو کے فروغ کے لیے میرے دو دوستوں نے کام کیا ہے۔ ٹوکیو میں اساڈا اور اوساکا میں یمانے نے۔ دونوں لوگ ہمارے بہت سے استادوں کی طرح یونیورسٹی میں اردو پڑھاتے ہیں مگر ساتھ ساتھ تحقیق اور طالب علموں میں زبان کی تہذیب کو فروغ دینے کے لیے دیوانگی کی حد تک کام کرتے ہیں۔ جب بھی جاپانی بچے پاکستان آتے ہیں، بکنی کی جگہ کرتہ شلوار پہنتے، سلیقے سے دوپٹے اوڑھتے اور مزالے لے کر پاکستانی کھانا کھاتے ہیں۔ میرے گھر میں تو شازیہ کے ساتھ مل کر تنور میں روٹیاں بھی لگاتے ہیں۔ یہ دونوں استاذ ہر سال نئی تحقیق کا لنگر اٹھاتے ہیں۔ یمانے آج کل تحقیق کر رہا ہے کہ پاکستان کے کن شہروں میں فصیل بنائی گئی تھی اور کیوں؟ اسی طرح اساڈا، تحقیق کر رہا ہے کہ جاپان میں خاص کر ہیروشیما میں بم جو 1945ء میں گرایا گیا تھا، اس کا اثر آج تک نسلوں پر کتنا ہے۔ ہمارے محققین ڈر جاتے ہیں ایسے موضوعات پر کام کرتے ہوئے۔

جاپان میں بہت چھوٹے گھر ہوتے ہیں مگر جتنے سفیر پاکستان میں رہ چکے تھے، ان سب نے مجھے اپنے گھر بلا کر کھانا کھلایا۔ پاکستان کے سفیر کو بھی بلایا اور وہ حیران تھے کہ ہم نے تو سنا ہے آج تک کسی جاپانی نے اپنے گھر نہیں بلوایا۔

یہی صورتحال جنوبی کوریا میں ہوئی۔ وہاں کے سفیر تو شاعر' فوٹوگرافر اور بہت ملنسار تھے۔ وہ پاکستان میں رہتے ہوئے پارٹیاں بھی بہت کرتے تھے اور بہت پاکستانیوں کے گھر جاتے تھے۔ ان کی بیگم نے غریب بچیوں کے لیے ساری بیگمات کے ساتھ مل کر سکول بھی کھولا تھا۔ یہ سکول اسلام آباد میں ہے اور اب تک چل رہا ہے۔

مصر کے سفیر ڈاکٹر جلال بہت پڑھے لکھے آدمی تھے۔ وہ ہر اس تقریب میں آتے جو آرٹ اور کلچر سے متعلق ہوتی۔ ان کی میری لڑائی ہوتی' بھنڈی پکانے کے طریقے پر۔ ان کی بیگم پینٹر تھیں۔ ایک دفعہ ان کی تصویروں کی نمائش ہوئی۔ اسی طرح ساری تصویریں منٹوں میں فروخت ہوگئیں جیسے الجزائر کے سفیر کی بیگم کی ساری پینٹنگز ایک گھنٹے میں فروخت ہوگئی تھیں۔

اٹلی کے سفیر کی بیگم کو پیانو بجانے کا شوق تھا۔ وہ جب اکیلی ہوتیں مجھے بلالیتیں اور ہم دونوں پیانو سے مسحور ہوتے۔ یہ رشتے اسی طرح قائم ہیں جس طرح ہندوستان کے واپس جانے والے سفیروں سے آج بھی دلی میں ملاقات ہوتی ہے' چاہے گجرال صاحب گھر پر سب کو بلالیں چاہیں نرملا دیش پانڈے جی۔

امریکہ میں ہر جاننے والے کو دوست تو نہیں کہہ سکتی مگر خالد حسن جیسا دوست کم ہی کسی کو ملے گا۔ بالکل کھرا اور سچا دوست۔ جو پاکستان رہنا تو چاہتا ہے' مگر جیسے حکمران ہیں ان کے ساتھ گزر بھی نہیں کرنی چاہتا۔ بس اسی میزان پر جھولتا رہتا ہے۔ کام کرنے میں یکتا ہے۔ منٹو کی کہانیوں کا خوبصورت ترجمہ کیا ہے۔ پاکستان کی چار شخصیات بھٹو اور نور جہاں کے علاوہ سیالکوٹ اور پاکستان ٹائمز کی شخصیت کو اس نے جس طرح کھنگالا ہے یہ اسی کا حصہ ہے۔ اکمل علیمی کے ساتھ اس وقت تک گہرے روابط رہے جب تک وہ پاکستان میں تھا۔ ایسے جیسے احمد مشتاق ہم سب کی دل و جان تھا مگر جب سے امریکہ گیا ہے' پرایا کیا غیر ہوگیا ہے۔

کولمبیا میں میری ملاقات 150 ملکوں کے شاعروں سے ہوئی۔ ویسٹ انڈیز سے لے کر عراق' لبنان' روس' سبھی ملکوں کے شاعروں کو مدعو کیا گیا تھا۔ دن میں تین دفعہ شعری نشست ہوتی تھی اور ہر جگہ ایک ہزار سے کم لوگ نہیں ہوا کرتے تھے۔

کینیڈا میں بہت عزیز دوست اشفاق حسین' خالد سہیل اور بیدار بخت ہیں۔ سالوں نہ ملو میل پر رابطے نے یہ مشکل حل کر دی ہے۔ کتاب اور ای میل یہ دو تعلق مسلسل قائم ہیں۔

میں چونکہ مشاعرے نہیں پڑھتی اس لیے قطر سے لے کر سعودی عرب تک شناسائیاں تو ہیں، دوستیاں نہیں ہیں۔

بالکل اسی طرح جیسے پاکستان کے ہر شہر میں بہت سے ہم عصروں اور نوجوان بچوں سے جب ملو تو محبت سے ملاقات اور گفتگو ہوتی ہے مگر دوستی کی تہہ کچھ اور بنیادیں بھی چاہتی ہیں۔ روایت اور تجربہ ہے کہ ہر چند سال بعد، موسموں کی طرح دوستیاں بھی نئے چہرے اختیار کر لیتی ہیں۔

مکان کو گھر بنانے والا۔ افتخار عارف

ہم نے اپنی ادبی زندگی میں لکھنوی تہذیب کے دو رنگ سنے ہوئے تھے۔ ایک تو پہلے آپ پہلے آپ والا۔ اور دوسرے وہ تہذیب جو امراؤ جان کے حوالے سے ہم تک پہنچی۔ تجربے میں یہ آیا کہ لکھنؤ کا رکشہ ڈرائیور بھی آپ سے پوچھے گا ''آپ کہاں تشریف لے جایئے گا۔'' جتنی خواتین لکھنؤ کے بازار میں ملیں یا پھر اپنے سے چھوٹوں سے بھی مخاطب ہوتیں، یہی کہتیں ''ارے بھیا! فلاں کام ہوگیا کہ نہیں۔'' کبھی کسی کو نام لے کر بلانے کو اس علاقے میں بدتہذیبی سمجھا جاتا تھا۔

بس یہی تہذیب، ادب و آداب لیے افتخار عارف کراچی وارد ہوئے۔ چونکہ ہندی اور وہ بھی شدھ ہندی میں مہارت ایسی تھی کہ آج بھی مہابھارت کے اقتباسات فرفر سنا سکتے ہیں۔ اس لیے ریڈیو پاکستان کراچی میں خبریں پڑھنے سے پاکستان میں پڑاؤ کا آغاز کیا۔ ہنر آوری اور عقلمندی کو دونوں ہاتھوں میں بطور مشعل لے کر روانہ ہوئے تو ٹیلیویژن کراچی سنٹر کے دروازے کھلتے چلے گئے اور کسوٹی پروگرام نے تو شہرت کو وہ چار چاند لگائے کہ آج بھی کوئی بزرگ راستے میں ملے تو وہ کسوٹی کے گن گاتا ہوا نہیں تھکتا ہے۔

ذہانت اور یادداشت کی آمیزش سے افتخار عارف نے پہچان کی پہلی منزل کسوٹی کے ذریعہ طے کرلی۔ چونکہ ٹیلیویژن پہ ملازم تھے تو کلام گائے جانے کا جواز اور سہولت، دونوں میسر تھیں۔ اس زمانے میں مقابلے کا سا عالم تھا۔ پروین شاکر اور افتخار عارف کے درمیان۔ کچھ کچھ رنجش بھی تھی ایک دوسرے پہ مصرعہ سرقہ کرنے کی تہمت چشمک کا لباس پہنے، لوگوں کو نظارہ بازی کا سامان فراہم کررہی تھی۔ ان کو ناز تھا کہ انکم ٹیکس میں ہیں اور خوبصورت ہیں۔ ان کو زعم تھا کہ ٹیلیویژن میں ہیں اور مرد ہیں۔

بہرحال یہ طعن و تشنیع جاری تھی کہ دونوں کی کتابیں طبع ہوئیں۔ اب تک افتخار لندن

کی فضاؤں میں شبانہ روز، دوستی اور شاعری کی منزلیں طے کر رہے تھے اور پروین نے امجد اسلام امجد سے لے کر دیگر ہم عصروں کو بھائی بنایا ہوا تھا اور قاسمی صاحب کو عمو جان کہتی تھیں۔ اس لیے جب میں نے افتخار کے مجموعۂ کلام کی تقریبِ اجرا منعقد کی تو بہت سے دوستوں نے معہ قاسمی صاحب کے، اس تقریب میں شرکت سے معذرت چاہ لی۔ صفدر میر نے اس جلسے کی صدارت کی تھی۔

ٹریفلگر سکوئر کے قریب، بہت خوبصورت دفتر، جس میں کام یہ تھا کہ جو بھی غریب الدیار شاعر، ادیب، دنیا کے کسی بھی کونے سے ہو مگر اردو میں لکھتا ہو، اس کو بلایا جائے، اگر پہلے ہی سے نامور ہو تو شام منعقد کی جائے جس میں اس کی توصیف ہو اور کلام یا گفتگو سنی جائے، ورنہ عام سا شاعر، ادیب ہو تو چائے تو ہر وقت چلتی ہی تھی۔ اس کو چائے پلائی جائے۔ اگر ادیب دوپہر تک ٹھہر جائے تو کباب پراٹھے جو باقاعدگی سے دوپہر میں موجود لوگوں کے لیے بطور لنگر، منگوائے اور تقسیم کیے جاتے تھے۔ اس کا مزہ لے اور گھر جائے۔ اس دوران فیض صاحب کا کلام بہت زرفشانی سے شائع کیا گیا۔ حبیب جالب کی مدد مقصود تھی تو ان کو بلایا گیا، کلام شائع بھی کیا، کتاب کی فروخت کی سب آمدنی، علاج کے علاوہ بھی جو کچھ مقدور ہوا، دیا گیا۔ اسی طرح کبھی روس سے، کبھی ہندوستان سے، کبھی امریکہ یا کینیڈا سے مہمان ادیب بلائے جاتے۔ ان ملکوں سے بھی جواباً افتخار عارف کے لیے دعوت نامے آتے۔ یوں چھوٹی عمر میں ہی بین الاقوامی شہرت کے حامل افتخار عارف ہو گئے۔ ان تعلقات کے علاوہ اس عرصے میں کہی جانے والی شاعری بھی کمال فن کا نمونہ اور ملک سے دوری کا خوبصورت نوحہ تھی۔

دو شخصیات جن کا بہت اثر اور کنٹرول تھا افتخار پر، وہ تھیں عابدی صاحب اور برنی صاحب کی، مگر دو شخصیات ابھی باقی ہیں، جنھوں نے افتخار کو اپنی بزرگی اور شفقت سے بے پناہ نوازا۔ ان میں ایک تو الطاف گوہر تھے جنھوں نے South میگزین کے توسط، دنیا بھر میں بی سی آئی کی شاخیں کھلوانے میں کمال کردار ادا کیا تھا۔ دوسری اہم شخصیت تھی اور آج تک ہے وہ مشتاق احمد یوسفی صاحب کی۔ وہ شعر اور لفظ کی باریکیوں کو بھی سمجھاتے اور آدابِ نوکری بھی کہ یہ نوکری تھی صاحب سلام جتنی۔ باقی اس میں نہ پائیداری لانی مقصود تھی اور عمل میں اس کے لیے کوئی منصوبہ بندی نہیں تھی۔

یہ زمانہ تھا ضیاء الحق کے مارشل لاء کا۔ کئی خودساختہ اور کئی باقاعدہ جلاوطن لوگ، درجنوں کے حساب سے یہاں جمع تھے۔ ٹیلی ویژن سے نکالے ہوئے شاہد محمود ندیم جیسے، فرخندہ کے باعث ملک

سے نکالے گئے شہرت بخاری جیسے امین مغل، صفدر جیسے سیاسی دانشور، خودساختہ جلاوطنوں میں کبھی فیض صاحب شامل ہو جاتے اور کبھی احمد فراز۔

یہ وہ زمانہ تھا جب افتخار عارف اور احمد فراز کی دوستی، دانت کاٹی روٹی کے محاورے والی تھی۔ دونوں ایک دوسرے کے رازدان تھے۔ پیغام بر تھے اور صبح سے شام تک، فراز کی آماجگاہ، اردو مرکز ہی ہوتا تھا۔ وہ تو نوکری حاصل کرنے اور گریڈ کی رقابتوں نے دوستیوں کو معدوم کر دیا۔ مشفق خواجہ سے لے کر یوسفی صاحب صلح کرانے کی ناکام کوششیں کرتے رہے۔ ان میں سے ایک شخص کو موردِ الزام نہیں ٹھہرا سکتے ہیں بلکہ دونوں نہلے پہ دہلا بن کر کھیلتے رہے ہیں۔ کبھی کسی کی چت، کبھی کسی کی پٹ ہو جاتی تھی مگر افتخار، اپنی ملائمیت کے باعث، شریف سمجھے جاتے ہیں جبکہ فراز اپنی پٹھانیت کے باعث فتنہ گر مشہور ہوئے۔

جس طرح ہر صبح کی شام ہوتی ہے۔ بالکل اسی طرح بی سی سی آئی کا یکا یک تختہ الٹا گیا۔ راتوں رات سب دفتروں میں تالے پڑ گئے جن کے پیسے ڈوبے انہوں نے بھی اور جن کے نہیں ڈوبے، انہوں نے بھی شور مچایا۔ ''لوٹے گئے، برباد ہو گئے'' مگر جن کی نوکری گئی، ان میں باقی سب چاہے روشن علی بھیم جی تھے، وہ اپنی کمپنی میں آ کر بیٹھ گئے۔ الطاف گوہر نے ٹیلی ویژن پہ قرآن کی تفسیر شروع کر دی اور یوسفی صاحب نے جی لگا کر لکھنا شروع کر دیا۔ اب رہ گئے افتخار عارف، دوبارہ کسوٹی کرنے کا پروگرام جی کو نہیں بھایا۔ لندن کے سیاسی تعلقات کو کھنگالا۔ ان میں سے ایک صاحب سندھ کے چیف منسٹر تھے، بس مراد بر آئی۔ اکیڈمی آف لیٹرز کے باغیچے میں تازہ پھول کھلا۔ ہنستے کھیلتے بقول خود ان کے، سب سے چھوٹی عمر میں گریڈ 22 حاصل کیا، مراد پائی، شاہ کو دعا دی اور دعاؤں کی عادت جو لندن میں پہلے ہی تھی، اب تو تسبیح بھی لے آئی۔ بس اتنا فرق رہ گیا کہ لوگ تعویذ نہیں مانگتے ورنہ قرآئن ایسی تمام باتوں پر صاد کرتے ہیں۔

ذاتی زندگی میں بہت فقیری کا سا طریق ہے۔ گفتگو اور یادداشت میں نظیر نہیں ملتی۔ دریا بھی ان کے آگے پانی بھرتا ہے۔ محبتوں میں سیماب پا تھے۔ پہلے ایک در کے نہ تھے مگر اب وہ دروازہ، گویا درگاہ ہو گیا۔ جبین نیاز وہیں خم ہوتی ہے۔ لوگ کہتے ہیں کہ لکھنوی آداب میں خوشامد شامل ہے تو گاہے گاہے اس کی رمق نظر آتی ہے۔ میرے ہمسائے ہونے کے ناطے، میرے بہت سے مسائل کو وہ اپنے مسائل سمجھ کر حل کر بھی نہ سکیں تو کم از کم حرفِ تسلی تو عطا کرتے ہیں۔ اس رفاقت میں، رقابت کا زہر شامل نہیں ہے۔

افتخار، لندن میں تھے تو بہت مزے کی باتیں سناتے تھے۔ مثال کے طور پر کل وہ جب سب وے میں جا رہے تھے تو ان کے ساتھ ایلیٹ کی بھتیجی سفر کر رہی تھیں۔ پرسوں چرچل کی بھانجی سے واسطہ پڑا۔ لندن میں، میں ہمیشہ ان کے گھر ٹھہرتی تھی۔ ان کی بیوی ریحانہ بڑی مزیدار روغنی ٹکیاں بنا کر کھلاتی تھیں۔ پاکستان واپس آ کر افتخار عارف کو نوکری نے بہت پابند کر دیا ہے۔ اب تو وہ فرقہ صدارتیہ میں شامل ہو گئے ہیں۔

گنگا کنارے

ایک دفعہ بچپن میں ہندوستان سے آنے کے بعد، 1985ء میں پہلی دفعہ پاکستانی شاعر کی حیثیت سے ہندوستان گئی۔ یہ رشتہ قلم کے توسط تو کم از کم 20 سال سے قائم تھا۔ ہر شہر میں کم از کم ایسا دوست تھا جو حرف کی تہذیب میں مجھ سے اور میرے نام سے واقف تھا۔ ضیاء الحق کے زمانے میں یہ رشتہ اور مستحکم ہوگیا کہ وہ نظمیں اور افسانے جو پاکستان میں نہیں شائع ہو سکتے تھے، وہ ہم لوگ لندن میں ساقی فاروقی کو بھیج دیتے اور وہ ہندوستان میں بلراج مین را، محمود ہاشمی، شمیم حنفی اور گوپی چند نارنگ تک پہنچا دیتے۔

1985ء میں جانا، گویا چہرہ بہ چہرہ، روبہ رو کی پہلی تمثیل تھی مگر نہیں کہ اس سے پہلے علامہ اقبال کی صد سالہ تقریبات پہ پروفیسر آلِ احمد سرور، علی سردار جعفری اور جگن ناتھ آزاد سے ملاقاتیں خوب رہی تھیں۔ آزاد صاحب کے ساتھ تو مجھے کینیڈا اور امریکہ میں 1984ء میں مشاعرے پڑھنے اور ساتھ ساتھ رہنے کا شرف حاصل ہوا تھا۔ وہیں ہمارا ساتھ منیر نیازی کے تجربے سے بھی گزرا تھا۔ جہاں منیر نیازی نے ہر شہر میں ہر شخص کو کہا تھا کہ ''کشور ناہید کو حکومت نے میری مخبری کرنے کے لیے بھیجا ہے۔'' میرا قصور یہ تھا کہ جب منیر نیازی نے کہا کہ میں اس کے کپڑے استری کردوں۔ تو میں نے جواباً دیا تھا کہ میں آپ کی خدمت گزار نہیں، ہم عصر شاعر کی حیثیت سے آئی ہوں۔'' بس یہیں سے چپقلش شروع ہوگئی تھی۔

ہندوستان میں ادیبوں کی چپقلش کچھ ایسی ہی، بلکہ کئی جگہ تو اس سے بھی ابتر درجات تک پہنچی ہوئی ہے۔ میں ہندوستان پہنچی تو ادیبوں کے دو قافلے میرے استقبال کے لیے آئے ہوئے تھے۔ ایک طرف ڈاکٹر گوپی چند نارنگ جو جہاز کے اپرن تک پہنچے ہوئے تھے، دوسری طرف مین را سے لے کر

زبیر رضوی تک لاؤنج کے باہر کھڑے میرا انتظار کر رہے تھے۔

مجھے آنے سے قبل یہ بریفنگ مل چکی تھی کہ انتظار حسین جب ہندوستان گئے تو ان کے ساتھ کیا ہوا اور کس طرح ہابیل اور قابیل کی لڑائیاں ہوئیں۔ اس لیے میں پہلے سے تیار تھی کسی بھی ایسے مرحلے کا مقابلہ کرنے کے لیے۔

سیدھے پہنچے ڈاکٹر نارنگ کے گھر، مہمان تھے کہ امڈے آ رہے تھے، اس دوران ہر فون کے جواب میں کہیں سے یہ ٹکڑا نارنگ صاحب کھودلاتے تھے کہ ایئر پورٹ پر ان کے چرقنات دوست بھی آئے ہوئے تھے۔ ایک دفعہ تو میں چپ رہی، دوسری مرتبہ کے فقرے کو ٹیلی فون پر ہی پکڑ کر میں نے کہا۔ ''جیسے بھی ہیں۔ وہ میرے دوست ہیں۔ آپ اپنا پروگرام باقاعدگی سے کرلیں۔ بعد میں اپنے دوستوں سے میں اپنی مرضی سے ملوں گی۔''

ڈاکٹر نارنگ طوطئی ہندوستان ہیں اور اڑتی چڑیا کے پر گن سکتے ہیں۔ بس یہی مرحلہ تھا کہ ہماری دوستی، اپنی اپنی حدوں میں پکی ہوگئی۔ ہندوستان والوں کے فاصلے اپنی جگہ، میری دوستی، سب سے حسب مراتب اپنی جگہ۔

ڈاکٹر نارنگ اکیلے شاید اتنے کامیاب سوشل راؤنڈر نہ ہوتے اگر منورما ان کے ساتھ نہ ہوتیں۔ علم اور تعلقات میں جہاں کہیں ذرا جھول آیا، یہ خاتون دونوں جانب کی لٹیا ڈوبنے سے بچا لیتی ہے۔ جہاں تک علمیت اور فضیلت کا تعلق ہے تو نارنگ صاحب کو سوتے میں جگا کر کہو کہ میر کی آشوبِ ذات پہ تقریر کرنی ہے تو وہیں سے بلند آہنگ اور شعروں کی مثالیں دیتے ہوئے ایسی مدلل تقریر کریں گے کہ آپ کے پاس بغلیں بھی نہیں رہیں گی جھانکنے کو۔

اس تقریر کے دوران صرف ایک شخص بڑبڑاتا اور دلیل سے انکار کرتا اپنے آپ سے ہم کلام ہوتا ہوا نظر آئے گا۔ وہ ہوگا شمس الرحمٰن فاروقی اور اگر اونچی آواز میں للکارتا ہوا نظر آئے تو سمجھ لیں کہ یہ وارث علوی ہیں یا پھر باقر مہدی۔

ادب کے ذریعہ جتنا عالمی عروج مل سکتا تھا، وہ ڈاکٹر نارنگ نے حاصل کرلیا ہے۔ رہا سیاسی عروج تو آجکل تو ادبی عروج بھی، سیاسی سیڑھی کے بغیر، ہندوستان، پاکستان میں نہیں ملتا ہے۔

اسی لیے حکومت بدلتے ہی زبیر رضوی کو اردو اکیڈمی سے فارغ کر دیا گیا اور وہ کل وقتی مشاعرے پڑھنے والے ہوگئے مگر جس طرح فارغ کیا گیا۔ وہ خلش بارہا اپنے خوبصورت جریدے ''ذہن جدید'' میں لکھ چکے ہیں۔ جب زبیر ریڈیو پر رہے اور آل انڈیا ریڈیو کی سینئر ترین پوسٹ پر رہے

چونکہ کوئی وقت نہیں آیا تھا کسی کی دوستی کے امتحان کا بلکہ خود ہی دوسروں کو ریڈیو پر بلا کر، شکرگزار ہونے کا موقع دیتے تھے۔ اس لیے جب کھلے آسمان تلے، ذرا بھی توجہ یا محبت میں کمی پائی، زبیر نے گلہ مندی میں خصت نہیں کی۔ زبیر نے کبھی یہ تمنا نہیں کی کہ اس کا گھر فلاں جیسا ہو یا زندگی کی سیڑھی پہ وہ کیوں نہیں ہے۔ چپل پہن کر پیدل چلنا اس کو پسند ہے۔

پیدل چلنا تو شمیم حنفی کو بھی پسند ہے مگر میری طرح ہر دو قدم کے بعد اس کو کوئی شاگرد مل جاتا ہے۔ پورے ہندوستان میں راس کماری سے آسام تک وہ یونیورسٹیوں میں وائیوا لینے گھومتے رہنے، روز ایک آدھ صفحہ لکھنے، چار صفحے پڑھنے اور اپنی دونوں بیٹیوں کے ساتھ انٹرنیٹ پر گفتگو کرنے کو زندگی کا حاصل نہ صرف سمجھتے ہیں بلکہ پاکستانی ادب کے منفرد نقاد ہونے پر بجا طور پر فخر کرتے ہیں۔ منورما کی طرح صبا نے بھی شمیم کی زندگی میں حلاوت پیدا کی ہے۔ میں جب ان کے گھر جاؤں تو ان کی نوکرانی سوہنی تک کو معلوم ہے کہ مجھے کھانے میں کیا پسند ہے۔

باقر مہدی اور شمیم حنفی یہ دونوں ناقد، اولین صف میں ہیں کہ جنہوں نے ستر کی دہائی میں فیمنیزم پہ لکھنا شروع کیا۔ وارث علوی کو تو ابھی تک توفیق نہیں ہوئی حالانکہ وہ چلتی ہوا سے لڑنا جانتے ہیں۔ میں نے ان کو کئی دفعہ طعنہ بھی دیا مگر ان کی جگہ جس شخص نے بہت سنجیدگی سے اس موضوع کو عالمی تناظر میں معکوس کیا، وہ ہیں شمس الرحمٰن فاروقی۔ لفظ ''تانیثیت'' (ہرچند مجھے اتفاق نہیں) بھی ان ہی کی ایجاد ہے۔ ادب کی خدمت بھی چاہے شب خون کے ذریعہ ہو کہ ان کی دیگر مطبوعات کے توسط، بہت دیرپا بلکہ دائمی کام ہے۔ پہلے وہ نوکری کے سلسلے میں دلی اور جمیلہ نوکری سے سلسلے میں الہ آباد رہتی تھیں۔ اب ریٹائرمنٹ اور کچھ دل کی تکلیف کے باعث بڑھاپے میں یکتائی، دونوں کو بھلی لگ رہی ہے۔ شب خون کے چالیس سالہ نمبر میں ببلوگرافی کی زحمت ان جیسا دقیق نظر ہی کر سکتا تھا۔

منورما، صبا اور جمیلہ کا ذکر ہو تو خیری کا ذکر تو بھلایا ہی نہیں جا سکتا ہے۔ باقر مہدی کی جنونیت اور ادب میں دیوانگی کو اگر ہنس کر سہہ سکی تو وہ خیری تھی۔ تین بیڈ روم کے کمرے میں ایک بیڈ اور ایک صوفے کی جگہ رہ گئی تھی، ورنہ پورا گھر کتابوں نے اپنا لیا تھا۔ دل نے دغا کرنا چاہی، اس نے دبوچ لیا۔ لقوے نے اس کا منہ بند کرنا چاہا۔ وہ بولتا رہا۔ وزیروں نے اپنے القاب کو قائم رکھنا چاہا۔ اس نے ٹوک دیا مگر دوستوں سے طلب کرتا رہا کہ وہ بھی دوستی نبھائیں۔ انور سجاد کا قلم خاموش ہو گیا لکھنے سے وہ دکھی ہو گیا۔ انتظار حسین اچھا لکھتے رہے وہ نہال ہو گیا۔ خاموشی سے منسٹروں کی تقریریں لکھتا اور انہیں برا بھلا کہتا رہا۔

پوری بمبئی میں اس کا ایک ہی دوست ہے۔ ساگر سرحدی، جس نے فلم کی کہانی ''میں ہوں نا''، لکھی تھی۔ ہم تکون ہیں دوستی کے، میں بمبئی جاؤں تو اب یہی تکون باقی ہے۔ نہ اخترالایمان ہیں، نہ سردار بھائی نہ مجروح اور نہ کیفی بھائی۔ اپنی دوست شبانہ اعظمی یا جاوید اختر، کاموں میں اتنے الجھے ہوئے ہیں کہ ان کو اپنے حال پہ چھوڑ دینا ہی مناسب ہے۔ گلزار نے میری طرح موبائل فون نہیں رکھا۔ دینہ کو یاد کرتا ہے مگر ساگر کی طرح ڈرتا ہے کہ ذہن میں جو یادیں ہیں وہ کہیں مندمل نہ ہو جائیں۔ اِسی ڈر کو گود میں لیے سریندر پرکاش مرگیا۔ وہ مجھے بارہا کہتا میں لائل پور جانا چاہتا ہوں۔ میں نے اسے بتایا میں تو بلراج مین را اور قرۃ العین حیدر کو فیصل آباد تک لے گئی تھی۔ سارے ادیب خوش ہو گئے تھے۔ مین را اپنے گھر کو دیکھ کر جذباتی ہو گیا تھا۔ سریندر پرکاش یہ سب سن کر آبدیدہ ہو جاتا مگر فیصلہ کرنے میں اتنی دیر کی کہ دنیا ہی سے چلا گیا۔

بالکل ایسے جیسے امرتا پریتم مجھ سے ہمیشہ کہتیں ''چل اب کے وعدہ پاکستان آؤں گی'' اگلے برس بولیں۔ ''کس کے لیے، وہ نامراد جھوٹا سجاد حیدر تو پہلے ہی چلا گیا۔ میرے گھر کی لاہور میں سیڑھیاں چڑھ سکتا تھا تو دلی کے گھر کی سیڑھیاں چڑھ کر کیوں نہیں آیا۔'' پھر اگلے برس بولیں۔ ''اب کیا ہے لاہور میں۔ وہ وڈا شاعر احمد راہی وہ تو مرگیا۔ میں کس سے ملنے آؤں۔ پھر جو اگلے برس آئے تو امروز نے کہا۔ ''مت آ تو دیکھ کر رو پڑے گی۔ وہ اب بیٹھ بھی نہیں سکتی ہے۔ میں اپنے ہاتھ سے کھانا کھلاتا ہوں۔''

کتنے سفر تمام ہوئے میرے دیکھتے دیکھتے، بمبئی کا احوال تو لکھ چکی، علی گڑھ کی سمت مڑ کر دیکھتی ہوں تو جذبی صاحب بیٹھے نظر آتے ہیں۔ بینائی ختم ہو گئی۔ کہتے ہیں بس باتیں کرو۔ شعر سناؤ۔ میں ان کے شعر سناتی ہوں۔ وہ آبدیدہ ہو جاتے ہیں۔ ان کے جانے کے کچھ عرصہ بعد، پروفیسر آلِ احمد سرور کے کان بند ہو گئے۔ چلا بھی نہیں جاتا تھا۔ وہ شخص جو شگفتگی میں بے مثال تھا۔ اب صرف مثالیں دینے کو رہ گیا ہے۔ یہ وہ عالم تھا جس نے ہم جیسے کم علموں کو شاباش دی۔ مجھے کہا ''میری ایک آرزو ہے۔ تم میرا ایسا انٹرویو کرو جیسا کہ راشد کا کیا تھا۔'' ٹیلی ویژن اور ریڈیو پہ ہندوستان کے ادیبوں کے انٹرویوز پر پابندی تھی۔ حسرت دل ہی میں رہ گئی۔ علی گڑھ یونیورسٹی میں جب میں پہلی دفعہ داخل ہوئی تو بالکونی سے طالب علموں نے گلاب کی پتیاں پھینکیں مجھے حجاب آیا۔ پروفیسر آلِ احمد سرور نے کہا ان بچوں کو ہم نے تمہارے انٹرویو سنوائے ہیں۔ قاضی عبدالغفار نے کہا۔ ''میں نے اپنے لیے الگ سیٹ بنوالیا ہے۔ مجھے بھی وہ انٹرویو بہت پسند ہیں۔'' ہندوستان میں یہ حال تھا۔ پاکستان میں شاید وہ ریکارڈ میں بھی نہ ہو!۔

آج بھی جب صبح کو اخبار پڑھ رہی ہوتی ہوں تو جانتی ہوں کہ صبح 8 بجے کس کا ٹیلی فون ہوگا۔ یہ میرا دوست شہریار ہے۔ مشاعرے پڑھتا ہے۔ پیسے لگا کر تاش کھیلتا ہے پھر مشاعرے پڑھتا ہے اور یوں شب و روز گزرتا ہے۔ نجمہ سے الگ ہوکر، خود کو اکیلا نہیں سمجھتا، اپنے چھوٹے سے فلیٹ میں شاعری کے ساتھ زندگی بسر کر رہا ہے۔

دلی میں ہوتے ہوئے بھی کچھ لوگ دلی میں رہتے محسوس نہیں ہوتے۔ بلراج مین را، نے مدت سے سب سے ملنا جلنا چھوڑ دیا ہے۔ بیوی کا انتقال ہوا تو بھی کسی کو ملنے کی اجازت نہیں دی۔ محمود ہاشمی اور ثریا، اپنے آپ میں مگن ہیں۔ اتنا اچھا لکھنے والا، اب کچھ چھپ چھپا کے کرتا ہے، شاید روٹی روزی کے لیے مگر ثریا تو اب ٹیلی ویژن کی بڑی افسر ہے مگر بہت ملے تو عبید صدیقی سے مل لیے۔ عبید بہت اچھا شاعر اور بہت محبت والا شخص ہے۔ ایک مدت کے بعد اور وہ بھی دوسری شادی کے بعد ایک بیٹی کا باپ بن کر بالکل انور سجاد کی طرح پھولے نہیں سماتا ہے۔ حیدرآباد میں جیلانی بانو اور مغنی تبسم کا دم غنیمت ہے۔ مغنی اور شہریار مل کر شعر و حکمت جیسا خوبصورت جریدہ نکالتے ہیں، جیلانی بانو، اپنی عورتوں کی سرگرمیوں میں ملوث ہیں جن کا اثر کہیں کہیں افسانوں میں بھی نظر آتا ہے۔

دلی جاؤ اور اجیت کور سے نہ ملو یا دلی کا ذکر ہو تو اجیت کور کا ذکر نہ ہو یہ تو ناممکن ہے۔ اس ہمت والی عورت نے سڑک کے کونے سے اٹھ کر، اپنی ہمت سے اور اپنی بیٹی کی دوسراہت سے ایسی عالی شان گیلری اور رہنے کے لیے ٹھکانہ بنایا ہے مگر اتنی بڑی جگہ میں ایک بھی مہمان نہیں ٹھہر سکتا۔ گھر مہماں کی روایت کو ان کے گھر میں پسند نہیں کیا جاتا۔ کام کرنے کے لیے بیسیوں لوگ اور سوچنے کے لیے وہ خود سو پر بھاری۔ نت نئے منصوبے اور مدد کے لیے ارپنا..... خوبصورت آرٹسٹ بس ایک منزل ہے جو بہت بھاری پڑتی ہے۔ وہ کسی کی سنیں تو اس وقت جب وہ خود بولنا بند کریں۔ اسی معصومیت میں لوگوں کی عزت کرنا بھول جاتی ہیں۔ آنے والے مہمان کے کم از کم ہمارے ملک میں نخرے اٹھائے جاتے ہیں۔ وہ تو بلا کر احسان جتاتی ہیں۔ سچ اکثر کڑوا لگتا ہے اور پھر اتنا اوکھا سچ۔

دلی کے قریب میں ہوں تو عینی آپا سے ملنا، چاہے ناشتے پر ہی ہو کہ روغنی ٹکیہ اور خاگینہ کھانے کا مزہ، صبا کے علاوہ عینی آپا کے یہاں آتا ہے۔ سارے زمانے میں وہ باتیں جن میں ذرا بھی بقراطیت نہ ہو، کھل کے اور ہم عمر سمجھ کر عینی آپا سے کی جاسکتی ہیں۔

جوگندر پال، بلراج کومل، قدوائی اور انامیکا، یہ وہ دوست ہیں کہ جن سے برسوں بعد بھی ملو تو فاصلے محسوس نہیں ہوتے مگر اتنا وقفہ خوشونت سنگھ جی سے ملاقات میں پڑ جائے تو وہ بہت برا مانتے ہیں۔

ہر چند ان کی بار صرف ساڑھے سات سے ساڑھے آٹھ بجے تک کھلتی ہے۔ اس سمے کوئی وقت لے کر اور کوئی کامنا یا سعدیہ جیسا ہو بلا تکلف ان کے پاس آ سکتا ہے۔ گفتگو میں ذرا دیر کو سکینڈل سنوائی کہ کھڑکی کھلتی ہے اس شرط کے ساتھ کہ یہ سکینڈل اس درودیوار سے باہر نہیں جائیں گے۔ میرے ساتھ ملاقات میں وہ ہر دفعہ پوچھتے ہیں۔ کیسی ہے.....Letter from Bahawalpure والی.....انہیں اس کے کالم پورے کے پورے یاد ہیں۔

ایک میری دوست کامنا پرشاد ہے۔ شکل اور عقل دونوں خوبصورت ہوں تو پورا ہندوستان دم بھرنے لگتا ہے۔ ایک بیٹی لے کر پالی ہے۔ اس کو گیتا پڑھانے کو الگ اور قرآن پڑھانے کو الگ استاد آتے ہیں۔ وہ اس کو نہ ہندو بنانا چاہتی ہے نہ مسلمان۔ بلکہ برصغیر کا ایک انسان۔ راجھستانی لباس اس پر بہت جچتا ہے۔ سال کے سال مشاعرہ کرواتی ہے۔ یہ اس کا شوق ہے۔ خشونت سنگھ کی دوست ہے۔

کلکتہ میں میری دوست نونیتا سین ہے۔ اس کی شادی ڈاکٹر امرتا سین (نوبل انعام یافتہ) سے ہوئی تھی۔ نبھی نہیں۔ انگریزی کی پروفیسر ہیں۔ میرے بہت ترجمے کیے ہیں۔ فیمنزم ان کا محبوب موضوع ہے۔

زم زم شخصیت۔ نیاز احمد

ایک دن گھر پر ڈاکٹر سلیم اختر، ایک صاحب کو لائے، بولنے میں کم گو، مسکرانے میں متین، صرف ڈاکٹر سلیم اختر بولے، وہ بھی کیا بولے ہوں گے۔ مدعا تھا کہ آپ اپنی سوانح لکھیں اور ہمیں دیں۔ علاوہ ازیں باقی سب کتابیں بھی ہم شائع کریں گے۔

یہ زمانہ تھا 80 کی دہائی کے آغاز کا۔ مجھ پہ فوجی حکومت کا بہت کرم تھا۔ حیران ہوئی کہ جانتے ہیں میں کون ہوں، کیا ہوں پھر بھی آگ میں جھلسنا چاہتے ہیں۔ میں نے حامی بھرلی۔ ابھی کوئی سرا ہاتھ نہیں تھا کہ ان کے ساتھ خاندانی دوستی کا رشتہ جمتا چلا گیا۔ سوال چاروں طرف گھوم رہا تھا۔ میں اور اپنی سوانح!

میرے اوپر چند برس بعد ہی بیوگی کی ابتلاء آ گئی۔ نیاز صاحب نے کتابوں کے ایڈیشن شائع کر کے، میری جیب میں گزر بسر کے چند سکے ڈال دیئے۔

دونوں بیٹے اعجاز اور افضال باپ کے تعلقات کو دیکھ رہے تھے اور چاہتے تھے کہ وہ باپ سے بھی کام اور معیار میں آگے نکل جائیں۔ اعجاز کو اللہ نے کتاب کی فروخت کا ایسا ہنر دیا تھا کہ وہ چاہتا تھا تو ایک ہزار کتاب ایک ہفتے میں ختم ہو جاتی تھی۔ اس کا دل نہیں کرتا تھا تو وہ کتاب شیلفوں میں پڑی بڑھیا ہو جاتی تھی۔ اعجاز کی کم علمی اس کی بلند ہمتی پہ کبھی حاوی نہ آ سکی۔ اس نے میٹرک بھی پاس نہیں کیا تھا کہ باپ کے ساتھ کام میں لگ گیا تھا۔ مٹی کو ہاتھ لگاتا، سونا ہو جاتی۔ اپنے اس ہنر کو اللہ کے نام کر کے، نماز پڑھ کے وہ بہت خوش رہتا۔ دوسروں کو بھی اپنی خوشی میں شامل کرتا۔

چونکہ بچپن میں غربت دیکھی تھی۔ بڑے ہو کر عسرت نے پیٹ کا منہ کھول دیا۔ کوشش ہوتی کہ دنیا کی ساری نعمتیں پیٹ میں اتار لیں۔ یہ عمل صرف اپنے لیے نہیں، جتنے ملنے والے تھے، سب کے

لیے خلیفہ ہارون رشید کا دسترخوان بن جاتا۔ دوپہر کا کھانا، دفتر میں موجود عملے اور مہمانوں کے لیے کبھی کم نہیں پڑا۔ رات کے کھانے میں دوسروں کے گھر پتیلے اس لیے جاتے کہ کچھ رکھ رکھاؤ اور وہ بھی مشرقی رکھ رکھاؤ ملحوظ رکھتے۔ دوسروں میں بھی بہت ہی عزیز دوست جس میں اصغر ندیم سید یا میرا گھر کہ جامِ جم سے لے کر بٹیرے تک، سبھی ان کی تواضع کی دین ہوتے۔

مستنصر حسین تارڑ سے لے کر، کتنے ہی ادیب تھے جن کا تعارف میں نے نیاز صاحب سے کروایا۔ اب میں بلا اعلان، ان کے گھر کی فرد بن چکی تھی۔ میں ہی نہیں بانو قدسیہ ہوں کہ اشفاق احمد، قدرت اللہ شہاب ہوں کہ واصف علی واصف، بیدار بخت کینیڈا سے ہوں کہ محمد عمر میمن امریکہ سے اور پھر انتظار حسین، عبداللہ حسین، اکرام اللہ، یہ سب رفیق بلا تکلف، نیاز صاحب کو کبھی کبھی امتحان میں بھی ڈال دیتے مگر وہ شخص اگلے دن چیک لیے مسکراتا ہوا، سامنے آتا۔ ایسے خوش کہ یوں رائلٹی وصول کر کے ان لوگوں نے احسان کیا ہے۔

اعجاز کے کام کرنے کا انداز بالکل مختلف تھا۔ اشفاق صاحب نے ذکر کیا کہ اب کے رائلٹی ملے گی تو وہ کمپیوٹر خریدیں گے۔ اگلے دن صبح کاریگر، اشفاق صاحب کی سٹڈی میں کمپیوٹر لگا رہے تھے۔ میں نے ایک شام روٹی کھاتے ہوئے کہا۔ ''کہاں ملتا ہے ایسا تنور'' اور اگلے دن کیریئر کے ذریعہ اسلام آباد میں میرے گھر تنور موجود تھا۔ کسی ادیب کا گھر بن رہا ہو کہ بچی کی شادی ہو، اعجاز اپنے انداز میں صبح صبح پہنچ جاتا اور گھر والوں کو حیرت میں ڈال دیتا۔

نماز اور جوس، بس یہ خاصیتیں، کسی کے گھر میں بھی ہوا سے چاہئیں تھیں مگر صرف میرا اور اصغر کا گھر تھا جہاں ریفریجریٹر کھول کر وہ اپنی مرضی کی چیزیں نکال لیتا۔ اسے معلوم تھا کہ میرے گھر میں جائے نمازیں کہاں رکھی ہیں۔ کھانا کیسے مائیکرو ویو میں گرم ہونا ہے اور کس وقت لگایا جانا ہے۔ لیچیاں مجھے کس قدر پسند ہیں، وہ آتا اور میرا ریفریجریٹر بھر جاتا۔

نیاز صاحب کو اصغر کی پہلی بیوی مرحومہ فرزانہ کا کھانا بہت پسند تھا۔ وہ خود فرمائش کر کے کھانا بنواتے اور دوپہر کا کھانا کھاتے۔ کم گوئی کو ہم لوگ کم خوراکی کے ساتھ ملانا چاہتے تھے مگر خواہش شکم ہر دفعہ حاوی آجاتی۔ یہ خاصیت اعجاز، افضال اور نیاز صاحب تینوں میں یکساں رہی ہے۔ ابھی دفتر میں کسی بھی کالج کا چپڑاسی یا پرنسپل پہنچا نہیں فوراً کولڈ ڈرنک، جوس یا موسم کے مطابق مشروب موجود، اس کے ڈرائیور کے لیے بھی اور دیگر ساتھیوں کے لیے بھی تواضع کا سامان حاضر۔

اعجاز نے جس طرح زندگی میں ہم سب کو حیران کرنا اپنا وطیرہ بنایا ہوا تھا، بالکل اسی طرح اس

نے موت کا انتخاب کیا۔ بالکل نامعلوم طریقے پر، بالکل مانوس انداز میں ہسپتال تک گیا۔ سب بچوں کے لیے میکڈونلڈ کا آرڈر دے کر گیا۔ بس ہسپتال کے بستر تک پہنچا، بڑا بے وفا نکلا، افضال ساتھ میں تھا۔ اس کو بھی خدا حافظ نہیں کہا۔ باپ سے ہر بات کی اجازت لیتا تھا۔ زندگی ختم کرنے کی اجازت مانگی تک نہیں۔

وہ گھر جس میں خوشیاں لکھی گئی تھیں، وہاں سسکیاں، پانی کی طرح بہہ رہی تھیں۔ اس کی بہن سعیدہ لندن سے آئی۔ یہ دیکھنے کے گھر والے کتنے سچے ہیں۔ سعیدہ، نیاز صاحب کی اکلوتی بیٹی ہے۔ اس نے بھی سیروں اذیتیں سمیٹی ہیں۔ پہلی شادی ختم کرنے کی کوشش اگر خود نیاز صاحب کی تھی تو اس کی دوسری شادی کرنے کی ہمت بھی انہوں نے ہی کی۔ زندگی نے ابھی امتحان لینا بند نہیں کیا تھا۔ بیوگی سعیدہ کے انتظار میں گھوم رہی تھی۔ اس دفعہ خاندانی چپقلش نہیں، کینسر بن کر آئی اور دو بچوں کو پالنے کی ذمہ داری دے کر چلی گئی۔

نیاز صاحب ہمالہ پہاڑ کی طرح خاموش، صبر پوش رہے۔ پہاڑ جس طرح اپنے وجود سے گلیشیر پگھلا پگھلا کر، اپنے بوجھ کو کم کرتا ہے۔ نیاز صاحب بھی افضال کے بعد علی، ایاز اور سب بہن بھائیوں، ان کے بچوں کو بلا کسی پہ احسان دھرے، ہنر میں طاق کرنے کا گر جانتے ہیں۔

افضال کو ساتھ بٹھا کر، خاطر تواضع کرنے اور بزنس کے رموز سمجھانے میں انہیں ذرا بھی دقت نہیں ہوتی۔ انہوں نے اپنے گرد ادب کے نورتن اکٹھے کیے ہوئے ہیں۔ ان نورتنوں کی ذمہ داری یہ ہے کہ مجھ جیسی خاتون نے اگر کہیں گستاخانہ زبان استعمال کی ہے تو وہ بدل دی جائے یا پھر درخواست کی جائے کہ اسے بدل دیں۔ سبب یہ ہے کہ وہ ایک طرف خالدہ حسین یا کشور ناہید کو شائع کرتے ہیں تو دوسری طرف رضیہ بٹ اور سلمیٰ کنول کو بھی شائع کرتے ہیں۔ وہ مستنصر کو سب سے زیادہ فروخت ہونے والا مصنف کہتے ہیں مگر اتنے ہی پیار سے وہ انتظار حسین کو بھی شائع کرتے ہیں۔

زندگی جب بہت کچھ دیتی ہے تو بہت کچھ خراج کی صورت میں مانگتی بھی ہے۔ مانگنے والے کو زندگی کا چلن معلوم ہو جائے تو نیاز صاحب کی طرح مہاتما بدھ بن جاتا ہے۔ وہ والا بدھا جسے گیان ملا تھا۔ وہ والا بدھا نہیں جو اپنا گھر چھوڑ گیا تھا۔

ساقی گری۔ ساقی فاروقی

فاعلاتن ،فعلن ،فعل، یہ مصرعے کا وزن ہے۔اب اس کے مطابق تم اپنی پوری غزل دیکھو۔
یہ ہے میری ملاقات میں بلاتکلف مکالمہ جو میرے اور ساقی فاروقی کے درمیان ہوتا ہے۔ اس ملاقات میں برس ہا برس کا بعد ہو جاتا ہے کہ برس کے برس ملاقات ہو۔ میں خود ساقی سے پوچھتی ہوں بولو یہ مصرعہ مجھے مناسب نہیں لگ رہا۔

یہی کام مشفق خواجہ کیا کرتے تھے۔ ہر چند ان کی سوچ اور ان کا رجعت پسند لوگوں سے قرب عزیز مجھے کھلتا تھا مگر ساقی ان کو اپنا گرو مانتے تھے۔ میں ساقی اور شمس الرحمٰن فاروقی کو شاعری کے وزن کے سلسلے میں اپنا گرو مانتی ہوں۔

ساقی نے لندن آ کر بڑی مشکل زندگی گزاری۔ یہ صرف ساقی کے ساتھ نہیں ہوا، بیشتر لوگ جن میں میرے بچے بھی شامل ہیں، سب کو ابتدا میں مشکل حالات کا سامنا کرنا پڑا ہے۔

ساقی سے میری دوستی اس لیے نہیں ہے کہ وہ گنڈی کا شوہر ہے اور گنڈی میری دوست ہے۔ ساقی اپنی جگہ میرا بہت عزیز دوست ہے۔ یہ وہ شخص ہے جس کو بڑے بڑے شاعروں جن میں راشد اور فیض بھی شامل ہیں اور یہاں یہ بالکل باقر مہدی پر گیا ہے۔ ان بزرگوں کے پڑھنے کے دوران، یہ دونوں شاعر یعنی ساقی اور باقر مہدی ٹوک دیا کرتے تھے اور وہ لوگ چونکہ ذہنی طور پر بڑے تھے، برا نہیں مانتے تھے۔ یہی بات اگر قاسمی صاحب کے سامنے کہہ دی جائے تو وہ معصوم خود کچھ نہیں کہتے تھے لیکن ان کے حاشیہ بردار، طومار باندھ دیتے تھے۔ بات دشمنی کی حد تک پہنچ جاتی تھی۔

ساقی نے بہت بہروپ بدلے، ایک زمانے میں 'کھوا پالا' گلے میں مالا پہنی، خدا سے انکار کے بہت سے زاویے وضع کیے اور پھر خود ڈر کر پاکستان نہیں آئے۔ مغربی شاعری کے اثرات کے تحت

''نارپھل''، جیسی نظمیں لکھیں اور صلاح الدین محمود جیسے شریف النفس شعراء کو حیرت میں ڈال دیا۔ پھر ہدایت نامہ شاعر لکھ کر خوبصورت نثر اور تنقید کا امتزاج پیش کیا۔ چلتی ہوا سے لڑنے والا شاعر ساقی فاروقی، چونکہ جانتا تھا کہ وہ لندن میں بیٹھا ہے اور ہر ادھر سے گزرنے والا ادیب، اس سے صاحب سلام تو کرے گا ہی اس لیے چھیڑ خوباں سے چلائے جاتا تھا۔ جب چاہا افتخار عارف سے ناراض ہو گیا۔ دل کیا تو احمد فراز کی شاعری کھنگال ڈالی۔ بہت محبت آئی تو ڈاکٹر وزیر آغا اور احمد ندیم قاسمی کی صلح کروا دی۔ ان میں سے کوئی بھی چیز پائیدار نہیں نکلی مگر اس لیے ساقی نے قدم بھی نہیں اٹھائے تھے۔ اسے تو لفظوں اور شاعروں سے اٹکھیلیاں کرنے کی عادت ہے۔ ''صنم کدہ ہے جہاں لا الٰہ الا اللہ''

جب کچھوا مر گیا تو نہ صرف اپنے خوبصورت لان میں اس کی قبر بنائی، اس کا نوحہ بھی لکھا۔ پھر کتا پالا۔ لاڈ کرنے کے لیے دنیا بھر کا کتوں سے متعلق ادب پڑھ ڈالا۔ جب اس کی زندگی کا آخری ورق لکھا گیا تو اسی لان میں کتے کی قبر اور اس کا نوحہ، بعدازاں انسانیت میں مساوات کو فروغ دینے کے لیے دو بلے پالے، ایک کا نام رکھا شیر خاں اور دوسرے کا رام راج۔

ہندو بلا پہلے مر گیا اور اب صرف شیر خاں راج کرتا ہے۔ میں نے اتنے کئی سالوں میں شیر خاں کو سارے گھر اور لان میں ٹہلتے دیکھا ہے مگر کبھی اس کی آواز نہیں سنی کہ اس گھر میں آواز گونجتی ہے تو صرف ساقی کی۔ وہ بھی اس وقت تک جب تک جرمن فوجیں، گنڈی کی شکل میں گھر میں وارد نہ ہو جائیں۔ تازہ پھولوں سے پرانی کتابوں تک، ہر چیز کی دیکھ بھال گنڈی نے کرنی ہے۔

جو بہت کم لوگ دھم کر کے ساقی کے گھر کود پڑتے ہیں، ان میں سے ایک میں بھی ہوں۔ مقامی دوستوں میں پہلے تو یہاں زہرہ نگاہ اور سحاب قزلباش بھی ہوتی تھیں مگر زمانے نے ایک کو کراچی اور دوسری کو عدم آباد روانہ کر دیا ہے۔ ساقی کے گھر نو آموز شاعروں کی وہ فوجِ ظفر موج ہوتی ہے کہ جن کے ساقی سے عشق اور فریفتگی سے حسد بھی کیا جا سکتا ہے۔ ساقی سب کے شعروں کی بخیہ گری کرتا ہے مگر کبھی اعلان نہیں کرتا ہے۔

ساقی گری کی 35 سالہ روایت کو ڈاکٹر جاوید شیخ کی سربراہی میں دیگر ڈاکٹروں نے ایک آن میں توڑ ڈالا۔ جگر نے الارم بجا دیا اور سب ڈاکٹروں نے ہاتھ جوڑ کر، اس ریڈ وائن کو بھی بند کرا دیا جو صبح ہوتے ہی ساقی کی رفیق ہوتی تھی۔ ریٹائرمنٹ کے بعد اس رفیق کی فرقت نے دو اور ہم نوالہ شریعت پرستوں کو ساتھ کر دیا۔ ایک تو جم جانا کہ وہاں کم از کم نازک بدن بننے کی خواہش لیے، کئی ایسی نظر پڑتیں کہ ساقی بظاہر شاداں لوٹتے۔ پھر مشتاق احمد یوسفی کے بتائے عنوان ''پاپ بیتی'' لکھنے کے

لیے جو وقت ملتا اس میں محبتیں اور کثافتیں، دونوں کا انخلاء لفظ و معانی کی چاشنی کے ساتھ دو آتشہ ہو کر سامنے آ رہے ہیں۔ اب یہ لوگوں کی مرضی کہ وہ ان کے سات سالہ منحنی وجود میں سولہ سالہ الھڑ لڑکے کی سی عیاری اور سوئی ہوئی عورتوں کے جسموں پر ہاتھ پھیرنے کے عمل کو، دروغ گوئی کے زمرے میں ڈال دیں کہ ہم نے بچپن میں تو دیکھا ہے کہ لڑکیاں اور لڑکے اپنی عمر کے بچوں کے جسموں کو ہاتھ لگا کر، چھو کر دیکھ کر حیران ہوتے تھے اور ہنستے تھے مگر تجربہ اپنا اپنا۔

ساقی، اردو شاعری میں ایک مختلف آواز ہیں۔ ان کو ہمارے نقادوں نے وہ منصب نہیں دیا ہے جو ان کی شاعری کا حق تھا۔ شاید وہ اپنے ساتھ شامیں منوانے کے ہنر سے ناواقف ہیں۔ نہیں یہ بھی نہیں۔ تو کیا ان کی ملاقات جید ناقدین سے نہیں ہوئی ہے۔ بالکل ہوئی ہے۔ ڈاکٹر جمیل جالبی سے لے کر ڈاکٹر گوپی چند نارنگ سب سے مجادلہ ہوتا رہا ہے۔ البتہ ایک کام جو ساقی نے نہیں کیا کہ اپنے اوپر کتاب مرتب کر کے خود ہی چھپوانے کا اہتمام مگر ایسا کام تو احمد فراز نے بھی نہیں کیا۔ تو سمجھ لیا جائے کہ بڑے اور منفرد شاعر یوں خود کو منوانے کے حربے استعمال نہیں کرتے ہیں۔ مگر میرے اوپر تو کتاب شائع ہوئے بھی سولہ برس ہو گئے ہیں۔

کراچی میں دوستوں کی بستیاں

کراچی مجھے کبھی پسند نہیں آیا۔ اس شہر میں میرے بہت دوست ہیں۔ شاید یہ شہر مجھے بہت عزیز ہے۔ یاد نہیں کہ کونسا سن تھا مگر یہ یاد ہے اخبارِ خواتین کا دفتر تھا۔ میری ملاقات یوں تو سب سے ہی ہوئی، مسرت جبیں، شمیم اختر، انیس، نوشابہ، ش فرخ..... سبھی میری پہلی ملاقات میں دوست بن گئیں مگر جیسے دوستی، سمجھنے والی اور ایک دوسرے کی عزت کرنے والی دوستی تھی وہ ش فرخ سے ہوئی۔ ہر چند میں دوستوں کے معاملے میں بہت پرکھ کرنے والی اچھی خاتون نہیں ہوں مگر یہ کہ دوستی ش فرخ کے ساتھ نبھی جا رہی ہے، میرا کوئی کمال نہیں۔ یہ سب اس کی توجہ، محبت اور دلداری ہے۔ میری شدید بیماری سے لے کر عام آمد و رفت کو وہ ایک واقعہ بنا دیتی ہے۔ ایک نئی مسرت سے ہمکنار کر دیتی ہے۔ مجھے غیر معمولی بنا کر، وہ بہت خوش ہوتی ہے۔ میں اس سے اور وہ مجھ سے دنیا بھر کی بلکہ دوستوں کی کمینگیاں شیئر کرتے ہیں۔

ش جب لاہور آتی تھی تو مکمل فہرست بنا کر لاتی تھی۔ کیا کچھ خاص لاہوری کھانے، شخصیت اور جگہیں دیکھنی ہیں۔ ہریسہ کھا لیا اور وہ بھی صبح چار بجے گوالمنڈی جا کر، فوراً لسٹ میں نشان لگ گیا۔ بھاٹی جا کر مچھلی کھالی، ایبٹ روڈ ٹکہ ٹک کھا لیا، مزنگ چونگی سے بے نظیر قلفہ کھا لیا، بھٹی کے تکے کھا لئے، نیاز بھائی کے گھر کے پکے بٹیرے کھا لیے، پھجے کے پائے اور کوز ینسٹ کا کھانا..... یہ تو اس کی بچپن کی یادگاریں ہیں، جن کو وہ ڈھونڈتی ہوئی لاہور آ نکلتی ہے۔ پھر ملاقاتوں کی فہرست، فیض صاحب زندہ تھے تو ان سے ملنا ہے۔ سلیمٰی اور شعیب سے ملاقات کرنی ہے، اسلام آباد میں مظہر السلام سے ملنا ہے۔

عشق بھی کیا، شادی بھی کی، ضروری تو نہیں، زندگی کے ہر شعبے میں انسان کامیاب ہو۔ اپنے آپ کو بہترین اردو کالم نویس سمجھتی ہے اور اس میں صداقت بھی ہے۔ پاکستان کے تمام آرٹسٹوں پر اس

کے کالم، اردو میں آرٹ پر پہلی کتاب ہو، اگر وہ شائع کردے۔

بہن بھائیوں سے زخم بھی کھاتی ہے اور پیار بھی کرتی ہے۔ اپنے آپ کو بڑی بہن ہونے کے ناطے ماں برابر سمجھتی ہے۔ کاش دوسرے بھی اسی طرح اسے سمجھیں۔

جب بھی کالم لکھنا ہوتا ہے، شہر میں ہر طرف شور ہوتا ہے، آج ش کو مت چھیڑا جائے، آج اسے کالم لکھنا ہے۔ ہم لوگ جو مستقل قلم مزدور ہیں جب بیٹھتے ہیں، الٹا سیدھا لکھ لیتے ہیں۔

جس طرح ش کے ساتھ میں ساری بدگمانیاں اور کمینگیاں شیئر کرتی ہوں، اسی طرح شہناز امام اور نوشابہ کے ساتھ پروگرام بنتا ہے۔ مہینوں کے گزرے واقعات ریویو کرنے کا۔ ان تمام باتوں میں ادب کا کوئی ذکر نہیں ہوتا۔ بس انسانی سطح پر لوگ کیسے آنکھیں پھیرتے، پیٹ پیچھے کیا باتیں کرتے، حسد اور پیار کے تعویذ گھول کر کس طرح پیتے ہیں، یہ سب باتیں ذکیہ سرور کے ساتھ بھی ہوتی ہیں مگر ذرا کم کم کہ وہ گھر کی ذمہ داریوں میں ابھی تک گھری ہے اور ہم لوگ آزاد ہیں۔

کراچی جتنے خانوں میں بٹا ہوا شہر ہے، اتنی ہی دوستیوں کے کابک میں نے بنائے ہوئے ہیں۔ ابن انشاء زندہ تھا تو اس کا دفتر، سارے شہر کے ادیبوں کا جمگھٹا ہوتا تھا۔ نورالحسن جعفری زندہ تھے تو انجمن ترقی اردو کے دفتر میں شور و غوغا ہوتا تھا۔ جنگ کراچی کے دفتر میں کبھی محمود شام تو کبھی اطہر نفیس کا کمرہ، قہقہوں سے گونجتا تھا۔ سندھ حکومت کے انفرمیشن کے دفتر میں جمال احسانی، فاطمہ حسن، ہنگامہ خیزی کرتے، یہیں شہر میں ہوتی تو پروین شاکر نکل آتی۔ ہم لوگ مل کر برنس روڈ پر نہاری کھانے نکل جاتے۔

اردو بازار کی ایک پتلی گلی میں اتنا ہی مختصر دفتر افکار کا ہوتا تھا، جتنے کہ مختصر صہبا لکھنوی صاحب خود تھے۔ ان کے دفتر میں داخل ہونے سے پہلے ذرا نیچ کے اوپر چڑھنا پڑتا تھا کہ ایک پرنالہ باقاعدگی سے اور تمام عمر سے اپنی مرضی کررہا تھا۔ کسی کو اس کے اوپر غلاف چڑھانے کی ضرورت محسوس نہیں ہوئی تھی۔ یہیں ڈاکٹر فرمان فتح پوری اور ڈاکٹر محمد علی صدیقی سے ملاقات ہو جاتی تھی۔

محمد علی صدیقی سے ملاقات ایک اور کراچی کے کونے کی سمت لے جاتی تھی۔ حسن عابد، راحت سعید، مسلم شمیم، واحد بشیر، یہ جنونی لوگ ترقی پسند مصنّفین کانفرنس کرتے اور مسلسل ''ارتقاء'' نکالنے میں بے مثال ہیں۔

آصف فرخی سے ملاقات کا مطلب ہے کہ یہاں افضال سید، تنویر انجم، فاطمہ حسن، ذیشان ساحل اور فہمیدہ ریاض سے ملاقات ہو جاتی ہے۔ سارے ادبی مخمصے اور نئی پڑھی ہوئی کتابیں زیر بحث

آتیں۔ اگر کبھی موڈ ہوتا بوٹ کلب جانے کا، یوسفی صاحب سے عرض گزارنے کی ضرورت ہی پیش نہ آتی۔ بس بہت سی خواتین جن کے خواندہ یا ناخواندہ ہونے کی شرط بالکل نہیں ہوتی تھی، وہ سب معہ بٹرفلائی پرانز، موجود ہوتیں، چپکے چپکے چٹکی لینا تو حسرت موہانی نے بھی استعمال نہیں کیا مگر یوسفی صاحب اس کا عملی مظاہرہ کرتے ہیں۔ یہ الگ بات کہ ہم فیمنسٹ کہہ اٹھتی ہیں کہ یوسفی صاحب، عورتوں کا احوال بیان کرتے ہوئے بالکل بہشتی زیور سے الٹ باتوں کی تلقین کرنے لگتے ہیں۔

زہرہ نگاہ کا گھر میرا اپنا تیسرا گھر ہے جہاں بیٹھ کر سکون ملتا ہے۔ باتیں اور وہ بھی رضا کاظم سے لے کر حسین صاحب، قمر جلالوی سے لے کر جگر مرادآبادی، فیض صاحب سے لے کر ساقی فاروقی، ہر ایک کا الگ رنگ اور شخصیت ان کی باتوں سے جھلکتی ہے۔ مردوں کی باتوں میں جو خباثت ہوتی ہے اس سے بالکل مختلف، محبت اور رس بھرے فقرے، زہرہ آپا کی شخصیت کا حصہ ہیں۔ انہوں نے مجھے اور فہمیدہ کو بولڈ مضامین پہ لکھنے پر بہت شاباش دی، ہمت دی اور حوصلہ دیا کہ اپنی بات کہنے کے لیے بلند آہنگی ضروری نہیں ہے۔

سرراہے گاہے ملاقاتوں میں ادیبوں کی پوری تین نسلیں شامل ہیں مگر خواتین لکھنے والیوں سے ایک الگ طریقے کا تعلق ہے۔ نافراموش ہونے والا، نہ کبھی بھولنے والا اور نہ کبھی مٹنے والا۔

کبھی نہ مٹنے والا نقش ملاقات نہ ہونے پر بھی ایک خط کی صورت میں شاہد احمد دہلوی صاحب کی جانب سے آیا تھا۔ اتنی محبت اور خوش خطی میں بے مثل، مجھ جیسی نانہجار، اس کو سنبھال کر بھی نہ رکھ سکی۔

کچھ یادیں جو دھندلی ہونے کے باوجود رمق دے رہی ہیں، ہمارے ملک کے اتنے بڑے سائنس دان ڈاکٹر سلیم الزماں صدیقی جو اکیلے رہتے، اپنے ہاتھ سے کافی پلاتے اور غالب کے فارسی اشعار، ڈھیروں ڈھیر سنا دیتے، پینٹنگ بھی کرتے تھے، میں نے ظہور الاخلاق کے کہنے پر ان کی پینٹنگز پر مشتمل ماہ نو کا سپیشل نمبر بھی شائع کیا تھا۔

یہیں کہیں مجھے مجنوں گورکھپوری بھی کھڑے نظر آتے ہیں جن کا انٹرویو کرنے کے لیے میرے ساتھ جون ایلیا بھی گئے تھے۔ یہ وہ زمانہ تھا جب وہ مجھے بہت پیار کرتے تھے۔ مجنوں صاحب سے مکالمہ بھی میں نے ماہِ نو میں شائع کیا تھا۔ اپنے زمانے کے سارے ادیبوں، فراق صاحب اور جوش صاحب، سب کے بارے میں زبردست گفتگو کی تھی۔

ممتاز حسین اور مجتبیٰ حسین، یہ دونوں قدآور شخصیات مجھے محبت کی وہ ڈھیریاں دیتے رہے ہیں

کہ مجھ میں لکھنے کی قوت اور ابھر ابھر کر سامنے آتی گئی ہے۔

لکھنے پہ داد دینے میں پروفیسر کرار حسین کی شخصیت نے میرے اندر یہ جو کبھی کبھی ملائمت آجاتی ہے، وہ سب کرار صاحب کے لہجے کی دین ہے۔

ترنم میں حبیب جالب کے علاوہ ایک اور شاعر جو واہ سے ہوتا ہوا، کراچی چلا گیا تھا وہ راز مراد آبادی تھے۔ شعر تو کوئی خاص نہیں تھے البتہ ترنم بہت لطف دیتا تھا۔

کچھ کچھ ملاقاتیں مختار زمن اور شان الحق حقی سے ایسے رہیں کہ ہم سب ایک ہی وزارتِ اطلاعات میں ملازم تھے۔ کبھی دفتر میں اور کبھی شام کی نشست ہو جاتی مگر بے تکلفی کی منزل نہیں آئی۔ ابھی پچھلے دنوں شان صاحب کی ہزلیات ساقی فاروقی کے پاس دیکھیں۔ صرف بیہودہ لفظ استعمال کرنے سے بھلا ہزلیہ شاعری معراج پہ پہنچتی ہے مگر ایک رخ ان کی شخصیت کا، مصطفیٰ زیدی کی طرح یہ بھی تھا۔

ہمارے ساتھ نیشنل سنٹر کی ابتدائی ٹیم میں انور عنایت اللہ صاحب بھی تھے۔ کمال کے ترجمے کہانیاں، تبصرے اور اخباروں کے لیے مضامین لکھتے تھے۔ نیشنل سنٹروں میں خاص کر پیر علی محمد راشدی کے زمانے میں کم ہی لوگ ٹھہر پاتے تھے۔ انور عنایت اللہ خود ہی ناراض ہو کر چھوڑ گئے اور امریکن سنٹر میں نوکری کر لی۔

لاہور سے کراچی تک گاہے گاہے اور وہ بھی بتوسط جمیلہ ہاشمی، ڈاکٹر جمیل جالبی سے ملاقات ہوتی تھی۔ بڑی ثقہ شخصیت، تحریر و تقریر میں سنبھالا، متانت نیا دور نکالتے ہوئے بہت محنت کرتے، اتنی ہی محنت، اردو ادب کی تاریخ مرتب کرتے ہوئے اور دیگر کتب کے حوالے سے اب تک جاری رکھے ہوئے ہیں۔

اردو سے والہانہ محبت میں بے مثل جمیل الدین عالی ہیں۔ کبھی مجھ سے بے پناہ محبت کرتے ہیں اور کبھی بے پناہ ناراض ہو جاتے ہیں۔ یہ سچ ہے کہ انہوں نے اپنی ہر سانس کو اردو کے لیے مقید کر رکھا ہے۔ سرکار سے لے کر انفرادی لڑائیاں بھی اردو ہی کے لیے لڑی ہیں۔ ادھر ہسپتال داخل ہوئے ادھر لیٹے لیٹے کالم لکھنا شروع کر دیا۔ کالم کا لطف یہ ہے کہ آپ جہاں سے مرضی پڑھنا شروع کر دیں یا چھوڑ دیں، کوئی مضائقہ نہیں۔ اب تک دوہے اسی جوانی کی للک کے ساتھ ترنم سے پڑھتے ہیں کہ آج کے بچے منہ کھولے حیرانی سے دیکھتے ہیں اور ہم جیسے پرانے دھرانے سر ہلاتے رہتے ہیں۔ انہیں یہ بھی فخر ہے کہ ''بھیا کہہ گئی نار'' اور یہ بھی ان کے فخر کا حصہ ہے کہ ''جیوے جیوے

پاکستان'' پاکستان کے واحد قومی ترانے کے علاوہ اتنا مشہور ہے کہ ٹیلی فون کال کے وقفے میں بھی ان کے ہی شعروں اور ترنم کی گونج ہے۔ یہ لڑائی ایک زمانے میں مشہور ہوئی تھی بلکہ کئی جگہ قتیل شفائی صاحب نے خود سنائی تھی کہ ''اے وطن کے سجیلے نوجوانو'' قتیل صاحب نے لکھا مگر نام ازروئے محبت، وہ بھی بوجہ رائٹرز گلڈ عالی صاحب کے نام کر دیا تھا۔ ہم نے جب بھی یقین نہیں کیا اور اب تو اعتبار کی منزلیں رہی ہی نہیں۔

جن لوگوں سے ہمیشہ ادب کی منزلیں قائم رہیں ان میں ڈاکٹر اسلم فرخی، مشفق خواجہ، جمال پانی پتی اور حفیظ ہوشیار پوری شامل رہے ہیں۔

کراچی میں جن لوگوں سے بے پناہ عقیدت تھی۔ ان میں محشر بدایونی، تابش دہلوی اور رئیس فروغ شامل تھے۔ یہ تینوں شاعر میری پسند کے شاعر تھے۔ ویسے تو جلدی چلے جانے والوں میں سرور بارہ بنکوی کی میں بہت چہیتی تھی کہ کئی دفعہ وہ اور میں بنگال اکٹھے گئے تھے۔ وہ فلموں کے حوالے سے اور میں ادب کے حوالے سے۔ یہیں میری ملاقات ڈاکٹر عندلیب شادانی سے ہوئی۔ وہ بولے ''آپ کی ہم نام ایک سینئر شاعرہ بھی ہیں۔ بہت اچھے شعر کہتی ہیں۔'' میں نے ہنستے ہوئے کہا ''وہ بوڑھی روح میں ہی ہوں۔'' وہ بالکل یقین کرنے کو تیار نہیں تھے مگر شعر سن کر اور صلاح الدین محمد کی تائید پاکر، وہ نہ صرف مطمئن ہوئے بلکہ بہت محبت سے بعدازاں تذکرہ بھی کرتے رہے۔

بنگال کا ذکر چلا ہے تو وہاں دینک پاکستان کے ایڈیٹر احمد حسن اشک بھی تھے۔ ان سے دوستی عالی جی کے توسط ہوئی تھی اور ہماری انفرمیشن سروس کے ساتھی حسن حفیظ الرحمان تھے۔ اشک صاحب تو فسادات کی نذر ہوئے اور حسن سے ماسکو میں ملاقات ہوئی تو اندازہ ہوا کہ ایک ملک جب دو حصے میں تقسیم ہو جائے تو ذہنی فاصلے کتنے بڑھ جاتے ہیں۔ حسن نے بھی زندگی کا ساتھ بہت کم دیا۔ دل کی دھڑکن بند ہو گئی اور وہ دنیا سے رخصت ہو گیا۔

جیئے بھٹو کی بازگشت

میں سیاسی آدمی نہیں مگر سیاسی ذہن اس زمانے سے ہے جب نہر سویز پر قبضہ ہوا تھا اور ریڈیو پہ میں نے جمال عبدالناصر کی رندھی ہوئی آواز میں صدارت چھوڑنے کا اعلان سنا تھا۔

سیاسی ذہن نے ہی سارے سیاسی جلسے دیکھنے اور سننے کے لیے مجھے بارہا موچی دروازے کے باغ، گول باغ اور مینار پاکستان کے باغ میں لے گیا تھا۔ سچی بات ہے یوسف کامران ساتھ ساتھ لے کر جاتا تھا۔ سیاسی طور پر ہماری بڑی دوستی تھی۔ جب بھٹو صاحب پارٹی بنانے لگے تو ہم جوان، ان کے پیچھے پیچھے، ایک دفعہ حسین نقی یوسف اور میں بھٹو صاحب کے پاس انٹرکانٹی نینٹل ہوٹل میں بیٹھے باتیں کر رہے تھے کہ ایک چٹ آئی۔ لکھا تھا ''کوثر نیازی''۔ میں نے چیخ کر کہا۔ ''یہ آپ کے پاس بھی پہنچ گیا''۔ بھٹو صاحب نے کہا ''چلو اب تم لوگ..... ''سیاست میں ہر طرح کے لوگوں سے ملنا ہوتا ہے۔

یہ بات ہے 1967ء یا 68ء کی۔ اس کے بعد میں بھٹو صاحب سے 1973ء تک باقاعدہ نہیں ملی۔ جلسے جلوس احتجاجی مظاہرے، سب میں شامل رہی مگر براہ راست ملاقات نہیں ہوئی۔ خدا بھلا کرے کوثر نیازی کا کہ انہوں نے مجھے اور فراز..... دونوں کو الگ الگ الزامات لگا کر نوکری سے برخاست کر دیا۔ اخباروں میں بہت شور مچا۔ بھٹو صاحب نے کئی دفعہ زبانی کوثر نیازی کو کہا مگر وہ اپنی ضد پر اڑے رہے۔ آخر کو ایک دن یوسف بچ جو انہی دنوں نئے نئے امریکہ سے واپس آئے تھے، مجھے بلا بھیجا۔ کہا کہ جاؤ اندر بھٹو صاحب تمہیں بلا رہے ہیں۔ میں کمرے میں داخل ہوئی۔ بھٹو صاحب کھڑکی کی طرف منہ کر کے کھڑے تھے۔ وہیں سے پلٹ کر بولے: ''کشور ناہید تم نے جو ہوٹل میں کوثر نیازی کے بارے میں بات کی تھی، وہ لگتا ہے اس نے سن لی تھی۔'' مجھے واقعی یاد بھی نہیں تھا۔ پھر کہنے لگے: ''تم نکلی بالکل لوکل، اگر کسی اور ملک میں ہوتیں اور وزیر سے پھڈا لیا ہوتا تو بہت بڑا اسکینڈل بنتا۔ چلو اب جاؤ

اپنی نوکری پہ واپس اور لوگوں سے مسکرا کر بات کیا کرو۔"

میں حیران ہوئی تو اس بات پہ کہ اتنے سالوں بعد، بھٹو صاحب کو میرا نام یاد ہے جس اپنائیت سے اس دن ملے، وہی اپنائیت اس وقت بھی تھی جب فوجی بغاوت سے تین ماہ پہلے حامد جلال صاحب کے کمرے میں ملاقات ہوئی تھی۔ وہی اپنائیت اس وقت بھی تھی کہ جب غریب ملکوں کا اتحاد 77ء کے نام سے بھٹو صاحب نے بنوایا تھا۔ اس قرارداد کی نقل کے لیے انہوں نے شیخ رفیق کو کہا تھا کہ اس کی کاپی حامد جلال کے پاس ہوگی یا پھر شاید کشور ناہید کے پاس ہوگی۔ میں نے بتایا کہ میں نے جلال صاحب کے کمرے میں پڑھی ضرور تھی مگر مجھے کوئی ضرورت محسوس نہیں ہوئی تھی کہ میں اس کی کاپی اپنے پاس رکھوں۔

بھٹو صاحب لاہور ہائی کورٹ میں پیشی کے لیے آتے۔ ہم سب دیوانہ وار وہاں پہنچ جاتے۔ ایک دن عبداللہ ملک کے پاس بھٹو صاحب کا پیغام آیا کہ آپ اور کشور ناہید مل کر وہ سارا لٹریچر جو بھٹو صاحب کے قید ہونے اور ضیاء الحق کی بربریت پر لکھا جا رہا ہے، وہ اکٹھا کر کے ایک پرچہ مرتب کر لیں۔ بات دل کو لگی۔ ہوا یوں کہ میرے گھر دو نشستیں ہوئیں جس میں احمد مشتاق، انور سجاد، سلیم شاہد، صفدر میر، احمد بشیر کے علاوہ ہم دونوں میاں بیوی اور عبداللہ ملک موجود تھے۔ دو میٹنگز کے بعد مجھے ہوم سیکرٹری کا فون آیا کہ تم پر آگے پیچھے پولیس لگی ہے اور تم ابھی بھی بھٹو صاحب کے حق میں کام کرنے سے باز نہیں آ رہی ہو۔ میں ان کے دفتر گئی۔ یہ سچ ہے کہ جو باتیں وہاں طے کی گئی تھیں، وہ سب کی سب رپورٹ کی شکل میں وہاں لکھی ہوئی موجود تھیں۔ یہ ثبوت دیکھ کر میں آج تک حیران ہوں کہ یہ ساری باتیں کون پہنچا سکتا تھا اور کیسے یہ کام ہوا ہوگا۔ ملک صاحب اور میں نے فیصلہ کیا کہ سارا کام ہم دونوں مل کر کریں گے اور کوئی میٹنگ نہیں ہوگی۔ گل نصیر خاں بھی جیل میں تھے۔ ان سے کوئٹہ جیل سے نظم منگوائی۔ عباس اطہر جیل میں تھے۔ اس کی بہت ہی خوبصورت نظمیں حاصل کیں۔ حتیٰ کہ افتخار عارف اور پروین شاکر تک نے اس شمارے کے لیے بہت سی چیزیں بھجوائیں۔ ملک صاحب کے پاس۔ "احتساب" نامی پرچے کا ڈیکلیریشن تھا۔ سارا پرچہ سنسر بھی کرایا۔ تیار ہوا، مگر اس سارے مجموعے کے آنے سے ایک دن پہلے بھٹو صاحب کو پھانسی دی جا چکی تھی۔

3 اپریل کی رات کو سب لوگ میرے گھر جمع تھے۔ پتہ نہیں کیوں ہمیں آسمان بالکل سرخ نظر آ رہا تھا۔ ہم سب سہمے ہوئے تھے۔ معلوم نہیں کب اور کس دن بھٹو صاحب کو پھانسی ہو جائے گی۔ ہم اس یقین کو دھندلانے کے لیے کبھی دعائیہ انداز میں باتیں کرتے کبھی صحن میں نکل کر آسمان کو دیکھتے۔

یوں بارہ بجے کے بعد، بڑی بے دلی سے ایک دوسرے سے رخصت ہوئے۔

اس زمانے میں ہم چھت پر سویا کرتے تھے۔ صبح چار بجے کے قریب ٹیلی فون کی گھنٹی بجی۔ میں بھاگی بھاگی نیچے اتری۔ ادھر سے آواز سنی۔ اے ٹی چودھری کی آواز سن کر دل ڈوب سا گیا۔ چودھری صاحب اس زمانے میں ''مسلم'' کے ایڈیٹر تھے۔ میں نے فوراً کہا۔ ''ہوگیا''۔ انہوں نے بجھی ہوئی آواز میں کہا۔ ''رات دو بجے ہوگیا''۔ بس اس کے بعد نہ میں بات کرسکی اور نہ چودھری صاحب۔

اس منحوس خبر کو سننے کے بعد بھی دفتر گئی کہ اس زمانے میں جرنیل سیکرٹری تھا۔ وہ خاص طور پر فون کر کے پتہ کرتا تھا کہ میں دفتر میں ہوں کہ نہیں۔ اس دن دفتر کیا تھا۔ ماتم کدہ تھا۔ ہر ملنے والا شخص روتا بلکتا ہوا داخل ہوتا۔ گلے ملتے اور پھر خاموشی پورے ماحول کو اپنی گرفت میں لے لیتی۔

اسی دن گول باغ میں نمازِ جنازہ دوپہر دو بجے رکھی گئی۔ نمازِ جنازہ شروع ہوتے ہی چاروں طرف ایسے لگا کہ بمباری ہو رہی ہو۔ پٹرول پمپ جلائے جا رہے تھے۔ لائٹ سگنل توڑے جا رہے تھے۔ پولیس تھی کہ گیارہ گیارہ سال کے بچوں کو پکڑ رہی تھی۔ اس زمانے میں کسی بھی شخص کو پکڑے جانے کے آدھے گھنٹے میں سزا سنا دی جاتی اور اگلے آدھے گھنٹے میں اس کو کوڑے لگا دیئے جاتے تھے۔ ایک صرف مسعود اللہ خاں تھے جو اپنی معذوری کے باعث کوڑے کھانے سے بچے تھے کوڑے لگاتے وقت اس شخص کے منہ کے سامنے مائیکروفون رکھ دیا جاتا تھا کہ سارے جیل میں قید لوگ، اس کی چیخیں سنیں۔ کوئی چالیس ہزار لوگوں کو کوڑے لگائے گئے تھے۔

کچھ دن بعد، ہم بہت سی عورتوں نے برقعے اوڑھ کر لاڑکانہ جانے کا پروگرام بنایا۔ بیگم بھٹو اور بے نظیر تو قید میں تھیں۔ ہم لوگ بھٹو صاحب کی پہلی بیوی امیر بیگم سے ملنے کے لیے گئے۔ لمبے قد اور متوازن جسم کی عورت امیر بیگم ہمیں دلاسہ دے رہی تھیں اور ہم سب بلک بلک کر رو رہے تھے۔

اب زمانہ اور سختیوں کا شروع ہوا۔ مجھے پولیس کی نگرانی میں دے دیا گیا۔ دفتر جاتے ہوئے بھی آگے جیپ، پیچھے موٹر سائیکل ہوتی تھی۔ دوستوں نے ملنا چھوڑ دیا تھا۔ ان ہی آنکھوں نے دیکھا کہ لوگ معافی ناموں پر دستخط کر کے جیل سے باہر آ رہے تھے۔

اب وہ پرچہ ''احتساب'' شائع ہو چکا تھا۔ اس کی تقریب بھی عبداللہ ملک صاحب کے لان میں منعقد کی گئی۔ یہ تقریب کچھ دن بعد ہوسکی کہ پرچہ آنے کے فوراً بعد ملک صاحب سوویٹ یونین چلے گئے تھے۔ مجھے بڑا فخر ہوتا ہے کہ احتساب کا حوالہ دنیا بھر کے ادب احتجاجی ادب کے بہترین مرقع

کے طور پر دیا جاتا ہے۔

ہمارے ساتھ کمیونسٹ رہنما' خواتین وحضرات کے تمام تر بچے پہلے ماسکو یونیورسٹی میں پڑھتے اور پھر توفیق ہوتی تو امریکہ چلے جاتے تھے۔ ہم لوگ جو نوجوان تھے' بہت طیش کھاتے تھے کہ سینئر کمیونسٹوں کو تو خواب واڈ کامل رہی ہے' ماسکو کے دورے' میڈیکل چیک اپ' بچوں کی تعلیم مل رہی ہے اور ہم لوگوں کو دھکے۔ تالی بجانے کا رول یا کمی کمین کا کام مگر دل یہی کہتا تھا کہ لینن اور ماؤ کو پڑھو' ویسی ہی زندگی گزارو۔

ویسے یہ سارے کمیونسٹ' بھٹو صاحب کے ساتھ تھے۔ بھٹو صاحب کی کتاب "If I am assasinated" ہم لوگ مل کر پڑھتے اور ترجمہ کرتے رہے۔ بھٹو صاحب کی پھانسی پہ بہت عمدہ نظمیں لکھی گئیں۔ سلیم شاہد جو کہ سٹیٹ بینک میں ملازم تھا' اس نے اپنے پیسوں سے سب کی نظمیں جمع کیں چونکہ سنسر شپ تھا' اس لیے سب کے نام کی جگہ' ناموں کے حروف لکھ دیئے گئے۔ مثلاً میرے نام کی جگہ ''ک۔ن'' لکھ دیا گیا۔ جاوید شاہین کی جگہ ''ج۔ش'' جب مجھ سے پوچھ گچھ کی گئی تو میں نے کہا' یہ تو میرا نام ہی نہیں۔ یہ تو کوثر نیازی کی نظم ہوگی۔ بات بڑھتے بڑھتے اتنی پھیلی کہ سلیم شاہد کو گرفتار کرلیا گیا۔ چھ ماہ بعد رہائی ملی۔ اس زمانے میں بھی اچھے افسر کہیں کہیں مل جاتے تھے۔ سلیم شاہد کے افسر نے اس سے چھ ماہ کی چھٹی کی درخواست وصول کی اور پرانی نوکری پہ لگا دیا۔ زندگی نے جب تک وفا کی' سلیم شاہد قلم کے مزدور کے نام سے ہر سال یکم مئی کو جلسہ کرتا رہا۔ 4 اپریل کو بھی تقریب منعقد کرتا تھا۔ بس اسی دیوانگی میں مبتلا رہا۔ دوپہر کے کھانے کے بعد کرسی پر بیٹھا۔ پھر نہیں اٹھا۔ پیپلز پارٹی اقتدار میں آئی اور گئی۔ پھر آئی۔ پھر گئی۔ چمچہ گیروں کو کف گیر ملے' سلیم شاہد اسی مزنگ والے گھر میں رہا اور مر گیا۔

1986ء آیا۔ بے نظیر کے آنے کا غلغلہ اٹھا۔ لگتا تھا کہ پورا پاکستان لاہور ایئرپورٹ پر امڈ آیا ہے۔ رنگ ریز' پیپلز پارٹی کے رنگ کے دوپٹے رنگ رہے ہیں۔ لوگ خود دیگوں کے پکانے کا سامان لا رہے ہیں۔ فٹ پاتھ ہو کہ گرین ایریا' قافلے ہیں کہ بڑھتے ہی چلے جا رہے ہیں۔ ہم سب لوگ ایئرپورٹ کے نزدیک ایک گھر کی چھت پر کھڑے تھے۔ اعتزاز احسن بھی ہمارے ساتھ تھے۔ لفظ ٹھہر نہیں سکتے۔ اُس عالم کو بیان کرنے کے لیے جو اس وقت جشن کے عالم میں بے نظیر کے ساتھ جلوس کی شکل میں چل رہے تھے۔ ایئرپورٹ سے نکل کر' ہم کونے کھدروں سے ہوتے ہوئے' الفلاح میں شریف جنجوعہ کے دفتر پہنچے۔ وہاں سر ہی سر تھے۔ جلوس تھا کہ ہلکے ہلکے آگے بڑھ رہا تھا۔ اب ہمارا سب دوستوں کا قافلہ اقبال پارک پہنچ گیا۔ راوی روڈ کے دوسری طرف گھروں کی چھتوں تک پہ جم غفیر تھا۔

حکومت وقت بے بس تھی۔ لوگ اُمڈے چلے آ رہے تھے۔ ہم نے تو ایک رات پہلے بھی دو بجے کے قریب جلسے کی تیاریاں دیکھی تھیں۔ نیم اندھیرے ماحول میں مجال ہے کوئی کسی کو چھیڑ جائے، لوگ کام کرتے جاتے تھے اور کہتے جاتے تھے "جیے بھٹو..... جیوے جیوے بھٹو" بے نظیر نے شاید سوچا بھی نہ ہو کہ لوگ اس کے باپ سے اتنا پیار کرتے تھے مگر آج بھی سب پلٹ پلٹ کر پوچھتے ہیں۔ وہ لوگ جو 1986ء میں اتنے والہانہ نکلے، وہ بھٹو کی پھانسی کے وقت کیوں گھروں سے نہیں نکلے۔ کیوں ہوا کہ بھٹو کے کچھ ساتھی تو اسی رات اپنی دعوتِ ولیمہ کر رہے تھے۔ ہمارے پاس ان سوالوں کے جواب نہیں مگر تاریخ نے اتنا خوبصورت استقبال کسی رہنما کا نہیں دیکھا۔ شاید یہی نشہ، بعد میں لاپروائی سے حکومت کرنے پر منتج ہوا کہ آج تک مقدموں کی دیواریں کھڑی ہیں اور صلاح کاروں میں وہ لوگ شامل ہیں جنہیں آج سے 20 برس پہلے بھی کارندوں کے نام سے یاد نہیں کیا جاتا تھا۔

بھٹو کی ذہانت اور دیانت کی بات آج تک ہوتی ہے۔ وہ شخص جس کے پھانسی چڑھنے پہ لکھنؤ سے لے کر لندن تک لوگ رو رہے تھے۔ اس نے کیا کیا طریقے اختیار کیے تھے۔ عام آدمی کے دل پر راج کرنے کے۔ اس نے کرتہ پاجامے کو عوامی سوٹ ایسا بنایا کہ آج تک ہر غریب سے غریب اور امیر سے امیر، کرتہ شلوار پہننے کو اپنے لیے فخر کا نشان سمجھتا ہے۔ بہت لوگوں نے جو کروفر والے تھے، سوٹ بوٹ والے تھے کہا تھا کہ یہ کیا نائٹ سوٹ میں پہنے جانے والا کرتہ شلوار کو اس شخص نے دفتروں میں پہننے والا لباس بنا دیا ہے۔

بھٹو صاحب نے حماقتیں بھی کیں۔ اپنے سارے وزیروں کے لیے بینڈ باجوں والا یونیفارم بنوا دیا۔ بلوچستان کی حکومت کو بلاوجہ ختم کر دیا۔ ولی خاں جیسے لیڈر پہ مقدمے چلائے، خیر سے ان کے بعد بھی یعنی بے نظیر کے دور میں ولی خاں صاحب کے ساتھ زیادتیاں کی گئیں۔ بھٹو صاحب اپنی ہی پارٹی کے سینئر ممبران کو بلا کر، دوسرے ممبران کے سامنے اس طرح بے عزتی کرتے تھے کہ لوگ پارٹیاں بدلنے پر مجبور ہو جاتے تھے۔

یہاں بیگم بھٹو کے صبر کا تذکرہ بہت ضروری ہے۔ اس خاتون نے چاہے وہ وزیر کی بیوی تھیں یا پھر وزیر اعظم کی بیوی، انہوں نے دوسری خواتین کو گھر میں آتے جاتے دیکھا اور خاموش رہیں۔ انہوں نے افواہیں سنیں، دوسری عورتوں کے فون سنے خاموش رہیں۔ خدا کو شاید ان کے صبر کا امتحان لینا تھا۔ شاہنواز کی موت کی خبر ہم سب عورتوں نے نیروبی کانفرنس سے واپسی پر ایئرپورٹ پر ہی سن لی تھی۔ کتنا صبر کیا اس عورت نے۔ پھر ایک اور المناک امتحان، مرتضیٰ کی ہلاکت کی شکل میں نمودار رہا۔

اللہ میاں ان کی زندگی ہی میں کھال کھینچے چلا جا رہا تھا۔ اذیت ان کے اندر ابھی تک کچوکے لگا رہی ہے۔

مجھے یاد ہے 1975ء میں عورتوں کے دس سالہ جشن کا آغاز بیگم بھٹو کی تقریر سے ہونا تھا' مجھے خاص طور پر یاد کیا کہ میں ان کا تلفظ دیکھوں اور تقریر کے دوران ان کے ساتھ رہوں۔ ابھی انہوں نے ایک پیرا پڑھا۔ میں نے آگے بڑھ کر کہا۔ آپ تقریر پڑھ رہی ہیں۔ آپ دل سے بولیں۔ تھوڑی دیر بعد وہ اٹھ کر ریٹائرنگ روم میں آ گئیں۔ ایک سگریٹ سلگایا' کافی پیتے ہوئے کہنے لگیں: ''ظلم برداشت کرنے والی عورت' بس ایسے ہی بول سکتی ہے' جیسے میں بول رہی ہوں۔''

بیگم بھٹو کی تو میں وہ حالت نہیں بھول سکتی' جب کہا جا رہا تھا اور بیگم بھٹو کو یقین تھا کہ بھٹو صاحب نے ایک خاتون سے شادی کر لی ہے۔ بیگم بھٹو نے کچھ ایسی قاتل چیز غصے اور غم کے عالم میں کھالی تھی کہ وہ کئی دن ہسپتال رہی تھیں۔ یہ وہی زمانہ ہے جب شملہ معاہدہ ہونے والا تھا۔ اس عالم ناراضگی میں بیگم بھٹو کشمیر بھی نہیں گئی تھیں اور ایک نوجون اٹھارہ سالہ ان کی بیٹی بے نظیر کشمیر گئی تھی۔

بیگم بھٹو کی ناراضگی کا وہ عالم بھی نہیں بھولتا جب احمد فراز کے نظم لکھنے پہ پکڑے جانے کے بعد' رہائی کے لیے میں نے بڑی التجا کی۔ بیگم بھٹو نے کہا ''میں نے بھٹو سے بھی بات کی ہے۔ وہ کہتا ہے یہ کوئی وقت تھا اس طرح کی نظم لکھنے کا۔'' اور انہوں نے فون بند کر دیا تھا۔

مجھے خالد حسن نے بتایا تھا کہ بھٹو صاحب ''پنجاب پنچ'' کے خلاف انتہائی اقدام اٹھانے کے لیے کہہ رہے تھے مگر جب خالد حسن نے اس کی مخالفت کی تو بھٹو صاحب خاموش ہو گئے تھے۔ وہ کبھی کبھی کسی کی بات سن لیا بھی کرتے تھے۔

بھٹو صاحب کو اپنی ماں کی ناقدری کا ہمیشہ دکھ رہا۔ اس کا ذکر وہ اپنے قریبی دوستوں میں بھی کیا کرتے تھے۔ اس کا حوالہ انہوں نے خالد حسن کو بھی دیا تھا۔ شاید غریبوں سے محبت کی ان کے اندر یہی طاقت تھی جوان کو آج تک عوام کے اندر زندہ رکھے ہوئے ہے۔

ڈاکٹر نصیر شیخ' بھٹو صاحب کے معالج تھے۔ انہوں نے بھٹو صاحب کو مشورہ دیا اور عمل بھی کروایا کہ وہ بس شام کو ایک پیگ لے لیا کریں۔ اب وہ فلوریڈا میں رہتے ہوئے آج بھی ڈاکٹر نصیر شیخ افسوس کرتے ہیں کہ اگر بھٹو نے اتنی چھوٹی عمر میں مر جانا تھا تو میں اس کو پینے دیتا' اس پہ بندشیں تو نہ لگاتا۔

بھٹو صاحب کی قید اور جیل سے عدالت میں پیشی کے دوران' میں برقعہ اوڑھ کر' کسی اور کے گھر سے بیگم خاکوانی کے گھر جاتی تھی۔ میرا بڑا بیٹا میزو میرے ساتھ ہوتا تھا۔ بیگم بھٹو جب کبھی

ایئرپورٹ پر بھی میزو کو دیکھتیں، بڑی اپنائیت سے آواز دیتیں "میزو! اپنی ماں سے میرا پیار کہنا۔"

وہ پیار کرنے والی ماں کئی سالوں سے خاموش ہے۔ فنا اور موت نے پہلے ہی خاموشی کی چادر ان کے لیے بچھا دی ہے۔ کوئی نہیں جانتا کہ وہ کب تک اس منزل پر رہیں گی جہاں وہ اپنی سانسیں بھی شمار نہیں کر سکیں گی۔

پیپلز پارٹی کے قائدین کی ساری نالائقیوں کے باوجود، آج بھی لوگ ذوالفقار علی بھٹو کو یاد کرتے ہیں۔ جیئے بھٹو کا نعرہ، خواب میں بھی کوئی دیوار سن لے تو اس کے مکین سڑک پر جلوس بنا دیتے ہیں۔

تہذیب کا ارتقاء- سید سبط حسن

1970ء تک میری شاعری پر صرف دو مضامین لکھے گئے تھے۔ ایک مختار صدیقی نے اور دوسرا مضمون سید سبط حسن نے۔

میری ان سے ملاقات لیل و نہار کے دفتر میں ہوئی تھی۔ وہ اس زمانے میں 1857ء پہ نمبر نکال رہے تھے۔ بہت مصروف تھے۔ ان کے کمرے میں ایک جید ادیب داخل ہوئے اور کہا کہ پرچہ تیار ہے، صرف آپ کے اداریے کی ضرورت ہے۔ سید صاحب نے کہا کہ مجھے اگر 1857ء پہ اداریہ لکھنا ہے تو پھر ان دو سو صفحات کے پرچے کی کیا ضرورت تھی۔

سید صاحب سے میری ملاقات سرِ راہے، کبھی ذکیہ سرور کے گھر، کبھی فیض صاحب کے یہاں، کبھی فیروز سنز کے دفتر ہوتی رہی۔ باقاعدہ ملاقاتیں، جس میں دوستی والی محبت بھی شامل ہوگئی تھی وہ شاکر علی کے توسط ملاقاتوں کے ذریعہ ہوئی۔ ان کی کتاب شہرِ نگاراں پڑھ کر اور مرزا اظفر الحسن سے ان کی خوبصورتی کی حکایات اور بیگماتِ اودھ اور حیدر آباد کا ان پر نثار ہونے کا قصہ سن کر، یقین کرنا پڑا کہ جس بڑھاپے میں ہم سے ملاقات ہوئی۔ وہ زمانہ بھی ان کے حسن اور وجاہت کا زریں زمانہ تھا۔

اب یہ ملاقات کچھ زیادہ ہی سیاسی نوعیت کی ہوگئی۔ پہلے تو فیض صاحب اور سید صاحب نے کراچی سے دوبارہ لیل و نہار کا اجرا کیا۔ ہم سب نوجوان معتقدین میں شامل تھے۔ ترجمے کرتے، انٹرویو کرتے اور تازہ تخلیقات لیل و نہار کے لیے روانہ کرتے۔

پھر مالی صعوبتوں کے باعث لیل و نہار بند ہوگیا۔ سید صاحب روشن علی بھیم جی کے یہاں ملازم تھے۔ میں جب کراچی جاتی سید صاحب، بھیم جی صاحب اور میں بیچ لگژری ہوٹل کے لان میں سمندر کے کنارے بیٹھ کر، چہرہ فروغِ مے سے فروزاں بھی کرتے اور گفتگو بھی کرتے۔ پاکستان میں

بدترین مارشل لاء کا زمانہ تھا۔ سید صاحب نے پاکستانی ادب کے نام سے پرچہ نکالا، پرچے کی رفاقت کبھی سعیدہ گزدر کرتیں، کبھی زاہدہ حنا اور کبھی فہمیدہ ریاض۔ اسی پرچے سے اصغر ندیم سید نے نظمیں لکھنی شروع کیں۔ اس طرح ہمارے بعد کی آنے والی نسل نے سوشلزم اور رجائیت کو اپنایا (یہ الگ بات کہ اب یہ نظریہ اور نظریہ ساز بیتا ہوا خواب ہو چکے ہیں)۔

ای-ایف-یو میں کام کرتے ہوئے، بھیم جی صاحب نے نیچے کونے میں ایک کمرہ دے دیا، جہاں پاکستانی ادب کے نام پہ جو پرچہ نکلتا تھا، اس میں نشستیں بھی ہوتی تھیں۔ سرور بارہ بنکوی، مشتاق گزدر، عطا صاحب، ظفر اللہ پوشنی، ان سب سے ملاقاتیں، پرانے کامریڈز کی کہانیاں ہمارے لوگوں تک پہنچانے اور ہمارے ذہنوں کو بالیدگی فراہم کرنے کا سامان کرتی تھیں۔

یوں تو روشنائی پڑھ کر علم ہو گیا تھا کہ مولانا شبلی نعمانی سے لے کر، سید سلمان ندوی تک برطانوی تسلط کی مخالفت میں، سخت نیشنلسٹ اور ترقی پسند مصنّفین کے حمایتی تھے۔ ان واقعات کا آنکھوں دیکھا حال، سید صاحب ہمیں سناتے تھے۔

وہ علامہ نیاز فتح پوری کے ہمیشہ گن گاتے تھے کہ ان کی تحریریں پڑھ کر، سید صاحب کہتے ہیں کہ میری سوچ کو صحیح سمت ملی اور ملاّئیت سے چڑ پیدا ہوئی۔ سید صاحب کو میں نے کہا کہ ہمارے گھر میں کام کرنے والیوں کو کہارنیں، چمارنیں کہا جاتا تھا۔ اس کا کیا مطلب ہوتا تھا کہ گھر میں جب کسی سے پوچھتی تھی تو مجھے ڈانٹ کر چپ کرا دیا جاتا تھا۔ سید صاحب نے کہا کہ یہ سب جاگیرداری نظام کی دین تھا۔ لوگوں سے بیگار لی جاتی تھی۔ ان لوگوں سے کام لینے کے بعد، فصلوں کا کچھ حصہ دے دیا جاتا تھا۔ وہ اُسی پہ خوش رہتے تھے۔

سید صاحب مجھ سے خوش اس لیے تھے کہ میں نے اپنی عملی زندگی کا آغاز، ایک پرچے کی ادارت سے کیا تھا، وہ کہتے تھے کہ جس نے پروف ریڈنگ اور کاپی جوڑنا سیکھ لیا، سمجھو اُسے طباعت کی سمجھ آ گئی۔ باقی رہی موضوعات کی بات تو وہ مجھے اکثر اپنی لائبریری سے کتابیں دے دیا کرتے تھے۔ کسی کسی کتاب کے نوٹس بنا کر میں رکھ لیتی اور کوئی کتاب پڑھ کر واپس کر دیتی۔ سید صاحب نے خود ''بمبئی کرانیکل'' میں باقاعدہ کام کرنے کی تربیت حاصل کی۔ پھر حیدرآباد دکن میں قاضی عبدالغفار سے اردو صحافت کی تعلیم حاصل کی۔ پھر لکھنؤ میں پنڈت نہرو کے اخبار نیشنل ہیرالڈ میں کام کیا اور اُسی زمانے میں کمیونسٹ پارٹی سے وابستہ ہو گئے۔

چونکہ وہ 1951ء سے 1955ء تک پسِ زنداں رہے، مجھے اس زمانے کا کوئی علم نہ تھا کہ میں

بہت چھوٹی تھی۔ البتہ جب وہ جیل سے رہا ہوئے تو پھر فین روڈ پر زوار حسن کے ساتھ ان سے ملاقات ہو جاتی تھی مگر وہی فاصلہ جو بزرگوں اور بچوں میں ہوتا ہے۔

یہ تو لیل و نہار تھا جس میں میری غزل ''اتر اغبارِ درد والم مدتوں کے بعد'' شائع ہوئی اور انہیں علم ہوا کہ میں شاعری بھی کرتی ہوں۔ میں کرید کرید کر کبھی سجاد ظہیر کے بارے میں' کبھی ڈاکٹر محمد اشرف کے بارے میں اور کبھی مخدوم محی الدین کے بارے میں ان سے سوالات کرتی۔ انہی جوبات میں ایک دن انہوں مسز سروجنی نائیڈو سے ملاقات کی تفصیل بھی سنا ڈالی تھی اور مولانا حسرت موہانی سے ہمیشہ دلی تعلق کا احوال سنایا تھا۔

سید صاحب نے بتایا تھا کہ کمیونسٹ پارٹی آف انڈیا نے 1942ء میں مسلم لیگ کو ترقی پسند جماعت تسلیم کیا تھا (کتنے شرمندہ ہوں گے مرحومین آج کا حال دیکھ کر)۔

میں جرمنی سے واپس آئی تو سید صاحب کو بتایا کہ کس طرح گرین پارٹی والے اپنے پرچے خود سڑک کے کنارے کھڑے ہو کر بیچتے ہیں اور یوں پارٹی فنڈ اکٹھا کرتے ہیں۔ سید صاحب نے کہا کہ ہم لوگ بھی پیپلز وار پرچہ خود سڑکوں پہ کھڑے ہو کر بیچا کرتے تھے۔ اس طرح فنڈز اکٹھے کرتے تھے۔

انہوں نے مجھے روشنائی پڑھنے کو دی۔ کمیونسٹ پارٹی کا منشور پڑھنے کو دیا اور دنیا بھر میں سامراجیت کے خلاف تحریکوں سے متعلق مواد پڑھنے کو دیا۔ میں جیتنا پڑھتی جاتی' اتنا ہی مرے اندر ابال اٹھتا۔ ہم کدھر جا رہے ہیں۔ پھر اس ابال کو ٹھنڈا کرنے کے لیے انہوں نے کہا چلو ترقی پسند مصنّفین کا جلسہ کرتے ہیں۔ بلاؤ پورے پاکستان سے ادیبوں کو۔ میں نے اپنے قلم کو تیز کیا۔ چھوٹے سے چھوٹے شہر میں خط بھیج دیا اور لکھا کہ فلاں تاریخ' فلاں ٹرین سے ہم لاہور سے روانہ ہوں گے۔ اس وقت ملک میں ضیاء الحق کا مارشل لاء تھا۔ اس کے باوجود ہر شہر سے یہ تصدیق ہوگئی کہ چار یا پانچ ادیبوں پہ مشتمل وفد' ہماری ٹرین میں شامل ہوتا جائے گا۔ یقین کیجیے' لگتا یہ تھا کہ جیسے بارات جا رہی ہے۔ اپنے دوستوں کو میں نے یہ بھی کہا تھا کہ ہر سٹیشن پر پچاس' ساٹھ ادیبوں کے لیے کھانے پینے کا سامان فراہم ہو۔ ان لوگوں کو دوبارہ کہنے کی زحمت نہیں اٹھانی پڑی۔ ملتان پہ حبشی اور سوہن حلوے کے ڈبے سب کے لیے موجود تھے' بہاولپور پہ بریانی' کھویا' کھیر اور بے شمار پھل موجود تھے۔ رحیم یار خاں چونکہ صبح کو پہنچے تھے تو پوریاں پراٹھے' آملیٹ اور چکن روسٹ' سب کچھ موجود تھا۔ ہم لوگوں سے دوڑ بے بھرے ہوئے تھے۔ سب نہال ہو رہے تھے اور ذائقوں کا لطف لے رہے تھے۔

کراچی پہنچے تو استقبالیہ وفود ہمارے منتظر تھے۔ تین دن کی یہ کانفرنس منظرنامہ تھی کہ ظہیر کاشمیری اور حبیب جالب کی کیسے چشمک ہوتی رہی۔ کیسے فخرزماں حیران رہے۔ جب ہر سٹیشن پر کوئی نہ کوئی لذیذ کھانے کا اضافہ ہوجاتا۔ کانفرنس کا سارا انتظام چونکہ سید صاحب کے سپرد تھا۔ اس لیے کسی چیز کی کمی نہ تھی۔ مقالے بھی بھرپور اور اس پر بحث کرنے والے بھی توپ لوگ تھے۔

سید صاحب نے عمر کے آخری حصے میں بہت جان مار کے، کتابیں تحریر کیں۔ بار بار کہتے بھی تھے، کام بہت ہے، وقت کم ہے۔ میں کہتی تھی ''آپ لکھتے جائیے، براہِ کرم صوفی صاحب یا مختار صدیقی کی طرح مت کیجیے گا کہ ابھی بہت وقت ہے، لکھ لیں گے۔'' وہ ہمیشہ جواب دیتے ''مجھے معلوم ہے کہ میرے پاس وقت بہت کم ہے۔''

یہ فقرہ انہوں نے فیض صاحب کی وفات کے بعد کہنا شروع کیا تھا۔ وہ بہت افسوس کے ساتھ سناتے تھے کہ کس طرح فیض صاحب سے ان کی بیٹی نے اس گھر کا کرایہ مانگا تھا، جس گھر میں وہ رہتے تھے کہ وہ کوٹھی اس بیٹی کے نام پہ خریدی گئی تھی۔ جب سید صاحب نے ڈانٹ کر خط لکھا اور کہا کہ تم مجھے بیوپاری لگ رہی ہو تو اس نے کہا تھا ''ہاں میں ہوں بیوپاری آخر گھر میرے نام ہے۔ مجھے کرایہ چاہیے۔'' سید صاحب بڑے افسوس کے ساتھ کہتے ''شکر ہے کہ میرا گھر، ہر چند بیٹی کے ساتھ ہے۔ مگر میں نے خود بنایا ہے۔'' میں تڑپ کر کہتی ''فیض صاحب نے بھی خود ہی گھر بنایا تھا۔ خود کرسی پہ بیٹھ کر پھلوں کے پودے لگوائے جاتے اور سگریٹ پیتے جاتے تھے۔''

شکر ہے کہ آج سید صاحب یہ دیکھنے کو موجود نہیں ہیں کہ فیض صاحب کا وہ گھر نابود ہو چکا ہے، نئی بستیوں والے مکین بس یہ جانتے ہیں کہ فیض صاحب، ان کے نانا تھے۔

مشاعروں کی طرح داریاں

میں نے 1960ء سے لے کر 1965ء تک مشاعرے پڑھے۔ شوق بھی تھا اور ضرورت بھی کہ میں اپنے پہلے مشاعرے کی کمائی سے ایک الماری کپڑے رکھنے کے لیے خرید کر لائی تھی۔ ہمارے گھر میں فرنیچر نام کی کوئی چیز نہیں تھی۔ وہ الماری مجھے لگا کہ جیسے جنت مل گئی ہو۔ اس رات میں اور یوسف بار بار اٹھ کر اس الماری کو ایسے دیکھ رہے تھے جیسے کوئی خوبصورت کھلونا' کوئی خواب' کوئی بچہ ہمیں مل گیا ہو۔ بہت پرانی بات ہے مگر یہ سچ ہے کہ کوئی پچیس برس پہلے' میں اور بانو قدسیہ مل کر بیٹھتے تو ہنس ہنس کر یاد کرتے کہ کس کس ڈرامے/ رائلٹی یا مشاعرے سے ہم نے گھر کی کیا کیا چیزیں بنائی ہیں۔

مجھے مشاعرے پڑھتے ہوئے یہ تو علم ہوا ہی تھا کہ قاسمی صاحب کے گروپ میں کون کون شاعر ہیں۔ طفیل ہوشیار پوری کا کیا گروپ ہے۔ احسان دانش کا کیا گروپ ہے۔ البتہ کچھ شاعر ایسے تھے جو اپنے وجود کے باعث بہر طور بلائے جاتے تھے۔ مثلاً عدم صاحب' جوش صاحب' حفیظ جالندھری' ثاقب زیروی اور فیض صاحب۔ جو لوگ کم کم مشاعرے پڑھتے تھے مگر پڑھتے تھے اپنے ٹھسے اور وقار کے ساتھ' ان میں صوفی صاحب اور عابد علی عابد خصوصاً مشہور تھے۔ ایک دفعہ ایک کالج کے مشاعرے میں گوجرانوالہ میں' مجھے اور عابد علی عابد صاحب کو بلایا گیا' عابد صاحب نے آخر میں چار شعر یہ کہہ کر سنائے کہ ابھی راستے میں موزوں ہوئے ہیں۔ جیسے ہی عابد صاحب نے وہ چار شعر ختم کیے۔ مجمع میں سے ایک لڑکا اٹھا' بولا ''اس غزل کے باقی شعر مجھے یاد ہیں' میں سنائے دیتا ہوں۔''

اس طرح کے چٹکلے مشاعروں میں ہوتے تھے۔

ہر مشاعرے میں بنی ہوئی شاعرات' اصل شاعرات سے زیادہ ہوتی تھیں۔ ایک دفعہ ہم سرگودھا جا رہے تھے۔ ٹرین میں سفر کر رہے تھے۔ ایک نئی شکل سے تعارف ہوا۔ ہم لوگوں کو یہ

معلوم کرنے کی کھجلی ہو رہی تھی کہ یہ خاتون، شاعر تو ہیں نہیں، پر ہیں کس کی دریافت، خیر جب ہم کھانے پر مشاعرے سے پہلے مدعو تھے تو اس خاتون نے قتیل صاحب کے پاس آ کر کہا ''مجھے پھر بھول گیا ہے، مطلع کیا ہوتا ہے۔'' میں نے اتنا سنا، باقی سب دوستوں کو شاعرہ بننے والی کا راز بتا دیا۔ وہ خاتون، دوستی کی منزلیں بدلتی رہیں، مشاعرے پڑھتی رہیں، پانی کے گھر میں رہتی رہیں اور عمر کے ساتھ معدوم ہو گئیں۔

جب قادیانیت پہ بندش لگی تو بے چارے ثاقب زیروی زیرِ عتاب آئے۔ اب لوگ ان کو مشاعروں پہ بلانے سے گریز کرنے لگے۔ بالکل اس طرح جیسے افسر، حبیب جالب کا نام سنتے ہی اپنی نوکری کا واسطہ دینے لگتے تھے۔ وہ اگر کہیں پہنچ بھی جاتے تو جالب صاحب کو گاڑی تک سے اترنے نہیں دیا جاتا تھا۔ لوگ شور مچاتے ''حبیب جالب، حبیب جالب۔'' اعلان ہوتا، وہ نہیں آئے ہیں حالانکہ وہ باہر گاڑی میں زبردستی بند بٹھائے جاتے تھے۔

میں نے مشاعرے پڑھنے کیوں چھوڑے۔ اول تو دفتر سے بہت چھٹی نہیں مل سکتی تھی اور میں دوسرے شاعروں کی طرح خود کو بدنام نہیں کرنا چاہتی تھی مگر سب سے بڑی بات جس نے مجھ سے مشاعروں سے توبہ کروائی، وہ یہ تھی کہ ہم کسی چھوٹے شہر میں مشاعرے پڑھنے گئے ہوئے تھے۔ شاعرات بھی ایسے سج بن کر آئی تھیں جیسے سٹیج پہ پرفارم کرنے جا رہی ہوں۔ ویسے چونکہ وہ بنی ہوئی شاعرات ہوتی تھیں کہ ایسے مصرعے بھی پڑھ جاتی تھیں ''بڑے آئے مرا چاکِ گریباں دیکھنے والے''۔ ہم سب شاعرات کو الگ جگہ ٹھہرایا جاتا تھا۔ وہیں سے شاعرات اکٹھی مشاعرہ شروع ہونے کے بعد بلائی جاتی تھیں۔ ہم لوگ مشاعرے میں شامل ہونے کو جا رہے تھے۔ یہ بات ہے 1965ء کی۔ پیچھے سے لونڈے سے بولے ''لے بھئی کنجریاں وی آ گئیاں نیں۔'' بس وہ دن اور آج کا دن، میں شاذ ہی کسی مشاعرے میں شرکت کے لیے جاتی ہوں۔

جن مشاعروں میں کوثر نیازی صدارت کرتے تھے تو اپنے لیے توصیفی فقرہ لکھ کر خود ہی بھیج دیا کرتے تھے۔ مجھے وہ بھی عبرتناک تقریب یاد ہے جب کوثر نیازی کی کتاب کی تقریب تھی۔ یہ مجموعۂ کلام بہت پہلے چھپ چکا تھا۔ وزیر بنے اور جوش صاحب کو وزارت کا مشیر، بھٹو صاحب کے کہنے پہ لگایا گیا۔ اب جوش صاحب کی شامت آ گئی۔ ان کو پرانا مجموعۂ کلام، تصحیح کے لیے کوثر نیازی نے میرے ذریعہ بھجوایا اور کتابت کی نگرانی کا کام جو کہ مولانا نفیس رقم کر رہے تھے، وہ بھی میرے سپرد تھا۔ وہ تو میری بے وقوفی کہ میں نے وہ تصحیح شدہ مسودہ اپنے پاس نہیں رکھا۔ اس زمانے میں فوٹو کاپی کی سہولت بھی نہیں

تھی۔ جوش صاحب نے لاہور کی تقریب میں آنے جانے کا بل بنا کر دیا تھا، جس میں پاندان کا خرچ، ٹانگے کا کرایہ، سب کچھ انہوں نے اپنے ہاتھ سے لکھا تھا۔ اس زمانے میں وہ کرشن نگر، کسی صاحب کے گھر ٹھہرا کرتے تھے۔ جوش صاحب جب کراچی کے مشاعرے میں شرکت کے لیے آتے تو انہوں نے ایک ہاتھ ڈاکٹر عالیہ امام کے کندھے پر رکھا ہوتا۔ ڈاکٹر امام نے ہمیشہ کی طرح جوڑے میں پھول لگایا ہوتا، سلیولیس بلاؤز پہنا ہوتا۔ دونوں بڑے طمطراق سے پنڈال میں داخل ہوتے۔ زمانہ اچھا تھا۔ کوئی سکینڈل بھی نہیں بنتا تھا۔

یہ تھا جوش صاحب کے عروج کا زمانہ۔ پھر انہوں نے اسلام آباد رہتے ہوئے کہنے کو تو ایک انٹرویو ریکارڈ کروایا کہ یہ ان کی وفات کے بعد نشر ہوگا مگر کسی ستم گر نے اخبار میں بلا اجازت پورا انٹرویو تحریر کر دیا۔ خدا کے بارے میں یگانہ اور دیگر شعرا نے کیا کچھ نہیں کہا تھا۔ جوش صاحب کا کہنا تو قیامت ہوگیا۔ لوگوں خاص کر مولویوں نے مغلظات عطا کیں۔ نوکری سے خارج ہوئے۔ نالائق اولاد کے ہاتھوں بیماری اور بڑھاپے کو اس طرح کاٹا کہ ایک دفعہ میں اور سحاب قزلباش ان کے گھر گئے، اتفاق سے گھر پر کوئی نہیں تھا۔ ہم سیدھے جوش صاحب کے کمرے میں پہنچ گئے۔ کمرہ پیشابوں کی بدبو سے متعفن تھا، ان کے ہاتھ میں پلاسٹک کا مگ تھا جس پر مکھیاں نثار ہو رہی تھیں۔ میں نے کمرہ دھویا اور سحاب نے جوش صاحب کا بستر ٹھیک کیا۔ اتنے میں گھر والے واپس آ گئے۔ خشمگیں ہوئے کہ ہم بلا اطلاع کیوں پہنچ گئے۔

جوش صاحب کے جنازے میں بارہ تیرہ لوگ تھے جس میں فیض صاحب بھی شامل تھے۔

عدم صاحب بھی جوش صاحب کی طرح، مشاعرے میں بہت مقبول تھے۔ وہ بھی مشاعرہ ختم ہونے کو ہوتا تو ایسے پنڈال میں داخل ہوتے جیسے ہم چاند پہ چلتے ہوئے آدمی کو دیکھتے ہیں۔ لوگ کھڑے ہو جاتے تھے عدم صاحب کو داد دیتے ہوئے۔ پھر عدم صاحب ریٹائر ہوگئے۔ مشاعروں میں جانا کم اور شراب پینا بھی کم ہوگیا۔ اپنے کمرے میں بڑھی ہوئی داڑھی کے ساتھ پڑے رہتے۔ میں اور یوسف ان سے ملنے گئے۔ میری اور ان کی دونوں کی آنکھوں میں آنسو آ گئے۔ داڑھی کے علاوہ ان کے ناخن بھی بڑھے ہوئے تھے۔ میں نے چپکے سے یوسف کو اشارہ کیا کہ نیل کٹر لے آؤ۔ وہ بازار سے خرید لایا۔ میں نے ناخن کاٹے۔ میرے سر پہ بہت پیار سے ہاتھ پھیرا۔ میں پھر رو پڑی۔

مشاعروں میں کبھی تو ایسا ہجوم ہوتا ہے جو کمال کی فقرہ بازی کرتا ہے اور کبھی ہجوم پتھر کی طرح خاموش۔ ایک ایسے ہی خاموش ہجوم کے سامنے شاعر آتے، کلام پڑھتے اور چلے جاتے، لوگ گم سم۔

اب باری تھی ظہیر کاشمیری کی۔ وہ بلند آہنگ شاعر تھے‘ دو شعر پڑھے۔ ماحول وہی گم سم۔ رُک گئے‘ سامنے والے شخص کو اشارے سے اپنے پاس بلایا اور بولے ”جاؤ باہر سے اینٹ اٹھا کر لاؤ۔ ارے کچھ تو کرو۔ شاعر کو داد یا بیداد تو دو۔“ بس پھر مجمع جاگ اٹھا۔ شاعروں کو دوبارہ بھی سنا گیا۔ ظہیر کاشمیری نے ایک فلم بنائی نام تھا ”تین پھول“، تیار ہو کر یعنی کالا سوٹ‘ سرخ بو لگا کر اور سرخ رومال جیب میں رکھ کر سینما ہاؤس‘ فلم شروع ہونے کے بعد آئے۔ جب رعب ڈالنا ہوتا تھا تو انگریزی بولتے تھے۔ چوکیدار سینما ہاؤس کا دروازہ باہر سے بند کر کے بیٹھا تھا۔ ظہیر کاشمیری نے دروازہ کھولنے کے لیے کہا۔ چوکیدار نے انکار کر دیا۔ غصے میں بولے "I am the writer, director & producer of the film."

چوکیدار کی سمجھ میں یہ انگریزی کہاں سے آتی۔ بولا ”ارے او انگریز! تیرے اندر جانے کا خطرہ مول نہیں لے سکتا۔ مشکل سے میں تین آدمیوں کو اندر فلم دیکھنے کو روک سکا ہوں۔ جاؤ انگریز بابا اپنا کام کرو۔“

مشاعرے کے ہجوم کی فقرہ بازی کمال کی اس وقت تھی۔ جب منیر نیازی‘ 35 دن کے بعد اپنی بیوی کا چالیسواں کر کے‘ 36 ویں دن نئی شادی کر چکے تھے اور مشاعرے میں نظم پڑھ رہے تھے ”ہمیشہ دیر کر دیتا ہوں میں۔“ انہوں نے نظم شروع کی تو پیچھے سے آواز آئی ”شادی کرنے میں تو دیر نہیں کی۔“

بہاولپور میں ایک صاحب تھے سیونگ ڈیپارٹمنٹ کے ڈائریکٹر۔ انہوں نے مشاعرے کا اہتمام کیا۔ ظہور نظر مشاعرے کی نظامت کر رہے تھے۔ بہزاد لکھنوی لمبی لمبی لٹوں کے ساتھ مشاعرہ ترنم سے پڑھ رہے تھے۔ میں نے ظہور سے کہا ”ان کی زلفیں دیکھ کر تو اپنے بال کٹوانے کو جی کرتا ہے۔“ ظہور نے کہا ”خبردار ایسا نہ کرنا۔ اختری بائی فیض آبادی نے زلفیں کٹوائی تھیں۔ وہ انہوں نے لگوالی ہیں۔“

مشاعرے کے مہتمم ظہور نظر کو بار بار چٹ لکھ کر بھیج رہے تھے کہ مجھے فیض صاحب سے پہلے پڑھوانا۔ ظہور ہر دفعہ چٹ مسل کر پھینک دیتا تھا۔ آخر کو اس نے فیض صاحب سے پڑھوا کر‘ مشاعرے کے ختم ہونے کا اعلان کر دیا۔ اب مشاعرے کے مہتمم صاحب سٹیج پر ٹہل ٹہل کر کہہ رہے تھے ”مشاعرہ مجھے نہیں پڑھوایا۔ پیسے تو میرے پاس ہیں۔ جاؤ‘ سب لوگ جاؤ۔“ فیض صاحب نے مجھے کہا ”دوبارہ مشاعرہ شروع کرو۔ اس دفعہ ظہور نہیں تم مشاعرہ کنڈکٹ کرو۔ میں نے آوازیں لگائیں ”آئیے۔ واپس آئیے۔ حضرات‘ مشاعرے کی دوسری نشست شروع ہے۔ ہم اور کلام سنیں گے فیض صاحب

سے۔'' میں نے مشاعرہ پڑھنا شروع کیا۔ سب شاعروں نے تھوڑا تھوڑا کلام سنایا۔ مہتمم صاحب کو فیض صاحب سے پہلے پڑھوایا۔ یوں مشاعرہ تمام ہوا۔ شاعروں کو پیسے ملے اور پھر ہم سب تین بجے رات کی ٹرین سے واپس لاہور روانہ ہوئے۔

مشاعرے میں اپنی باری کے لیے بڑے بڑے نخرے کرتے ہیں۔ احمد فراز اور منیر نیازی، ایک مشاعرے میں ہوں تو منیر نیازی باتھ روم جانے کا بہانہ بنا کر غائب ہو جاتے ہیں تاکہ وہ بعد میں پڑھیں۔ شاعر زیادہ تر رسالوں میں صرف اپنی غزل پڑھ کر، رسالہ بند کر دیتے ہیں۔ صرف یہ بات غور سے دیکھتے ہیں کہ ترتیب میں ان کا نام سینئر لوگوں میں آیا ہے کہ نہیں۔ یہی حال نثر لکھنے والوں کا ہے۔ آپ پرچے کے مدیر ہوں تو جان کو آ جاتے ہیں کہ میرا نام بعد میں کیوں شائع ہوا ہے۔

اب تو جہاز ہر جگہ جانے لگے ہیں، گاڑیاں بھی بہت ہو گئی ہیں۔ پہلے مشاعرے کے لیے ویگن کر لی جاتی تھی۔ سب لوگ ٹی ہاؤس جمع ہو جاتے اور وہاں سے بھر کے متعلقہ جگہ کے لیے روانہ ہو جاتے۔ ایک دفعہ فیصل آباد جانا تھا۔ منیر نیازی سیر ہو کر آئے تھے۔ اس لیے ہر آدھے گھنٹے بعد، ویگن رکوا کر نیچے اترتے تھے۔ جب یہ مرحلہ تین چار دفعہ ہو چکا تو خفیف سے ہو کر منیر نیازی نے پوچھا ''ابھی کتنا فاصلہ باقی ہے۔'' قتیل شفائی نے کہا ''بس آپ دو دفعہ اور اتریں گے۔''

شاعر، دوسرے ملک جاتے ہیں تو میزبان سے خوب فرمائشیں کر کر کے اپنی تواضع کرواتے ہیں۔ پھر جب وہ غریب الدیار پاکستان آ کر ان کو فون کرتے ہیں تو ہمارے کئی وضع دار شاعر، ان کو پہچاننے سے بھی گریزاں رہتے ہیں۔

آج کے مشاعروں میں اصل شاعرات کم اور جائیداد کی خرید و فروخت کرنے والی خواتین شاعرات ہاتھوں ہاتھ لی جاتی ہیں۔ وہ جواباً ان حضرات کو ٹکٹ بھیجتی ہیں۔ اپنے گھر تین ماہ رکھ کر، نئی کتاب کی مصنف بن جاتی ہیں۔ بڑے بڑے لوگ صدارتیں کرتے اور مضامین پڑھتے ہیں۔ یہ سودا پاکستان میں کم اور ہندوستان میں بہت فروخت ہوتا ہے۔ ملک بڑا ہے۔ وہاں اب مشاعرہ Entertainment کا کام زیادہ کرتا ہے۔ البتہ رومانٹک شاعروں کی مانگ پاکستان اور ہندوستان، دونوں میں یکساں ہے۔

عورتوں کی مسافت

بڑی ردّوکد کے بعد کالج میں داخلے کی اجازت ملی۔ ذہن بھی کھل گیا۔ رات کو اٹھ کر پڑھنے میں آزادی محسوس ہونے لگی اور اب غزل اترنے لگی۔ اس زمانے میں اسلامیہ کالج کوپر روڈ پر سالانہ زنانہ مشاعرہ ہوا کرتا تھا۔ پنجاب یونیورسٹی کے مشاعرے کے بعد زہرہ نگاہ کو دوبارہ اسلامیہ کالج کے مشاعرے میں سنا اور بے قرار ہو کر ان کے پاس گئے کہ آپ ہمارے کالج میں بھی مشاعرہ پڑھیں۔ انہوں نے کہا کہ میں تم لوگوں سے 500 روپے لوں گی ہر چند مشاعرہ پڑھنے کے ایک ہزار روپے لیتی ہوں۔ بعد میں کتنے ہی سالوں بعد جب میں نے زہرہ آپا کی اس بات کو دہرایا تو انہوں نے بتایا کہ ابا جلد مر گئے تھے اور ہم بہنوں نے گھر کا خرچ سنبھالا ہوا تھا۔ زہرہ آپا کے مشاعرہ پڑھانے کے لیے کالج کی لیکچررز اور دوستوں سے بڑی مشکل سے 500 روپے اکٹھے ہوئے اور یوں لاہور کالج میں بھی مشاعرے کی روایت اس وقت پڑی۔ اب یہ روایت نہ اسلامیہ کالج میں ہے اور نہ لاہور کالج میں۔

اسلامیہ کالج کوپر روڈ کے علاوہ انجمنِ حمایت اسلام کے جلسے میں باجی رشیدہ لطیف کو سفید دستانے اور جرابیں، کالا برقعہ اوڑھے مردوں کے درمیان تقریر کرتے سنا تھا۔ اسی زمانے میں بشریٰ رحمان کی بڑی بہن ہم سے سینئر کے طور پر مشاعرہ پڑھتی تھیں۔ میں اور شبنم شکیل کلاس فیلو تھے مگر شبنم اسلامیہ کالج میں اور میں لاہور کالج میں پڑھتی تھی۔

شادی کے اچانک طوق نے نوکری کو سہارا بنانے کے باعث، عورتوں مردوں کو مساوی دیکھنے کا رویہ میرے اندر مستحکم کر دیا۔ مجھے یہ احساس ہی نہیں ہوتا تھا کہ میں الطاف فاطمہ سے بات کر رہی ہوں کہ جاوید شاہین یا محبوب خزاں سے۔ میرے دفتر میں جسٹس اخلاق حسین کی بیگم بھی کام کرتی تھیں اور سیکرٹریٹ میں ستنام محمود۔ شاعری کے باعث، صوفی صاحب کے گھر یا ستنام کے گھر ہم

لوگ اکٹھے ہوتے تھے۔ نہ کبھی عورت مرد ہونے کا سوال پیدا ہوا نہ کبھی نابرابری کا۔ یہ الگ بات ہے کہ میرے کندھے پہ صوفی صاحب کا ہاتھ رکھ دینا، کبھی یوسف کو اتنا برا لگتا کہ ساری رات بحث میں گزر جاتی۔ مگر پھر بھی زندگی سب مرد، عورت دوستوں کے ساتھ بڑی ہمواری سے گزر رہی تھی۔

میں نے نوکری کی تو بنیادی جمہوریتوں کا دور شروع ہو گیا اور ساتھ ہی مسلم فیملی لاز نافذ ہو گئے۔ ستنام سے چونکہ ایک طرح کی دوستی ہو چکی تھی۔ وہ ہماری منسٹری میں بطور مشیر کام کر رہی تھیں۔ انہوں نے حکم دیا کہ تم فیملی لاز کا اردو میں ترجمہ کرو گی۔ میں نے کر ڈالا۔ ابھی بھی عورت مرد کی تخصیص کا کوئی شاخسانہ میری زندگی میں نہ تھا۔ روز اس بات پر لڑائی ہوتی تھی کہ تم مردوں کی طرح ہنستی ہو مگر نہ میرا رویہ بدلا اور نہ لڑائی بند ہوئی۔

بنیادی جمہوریتوں کے دفتر میں ہونے کے ناطے، ہم سب مرد، عورتیں دیہاتوں میں جاتے، کھلے میدان میں پلنگوں پہ بیٹھتے تھے۔ مقامی مسائل پہ بات چیت ہوتی تھی۔ کہیں یہ مسئلہ نہیں کھڑا ہوتا تھا کہ عورتیں الگ بیٹھیں، مرد الگ ہوں۔ ریسٹ ہاؤس میں بھی ہم سب اکٹھے ٹھہرتے، کھانا کھاتے اور گپ کرتے تھے۔

میں جب ڈائریکٹر ویمن ڈویلپمنٹ لگی تو اکیلی گاڑی میں بیٹھ کر بہاولپور سے سیالکوٹ اور اٹک تک، عورتوں کے پراجیکٹ کا معائنہ کرنے جاتی تھی۔ کبھی کسی نے اعتراض نہیں کیا تھا۔

1965ء کی جنگ کے فوراً بعد، میں جب چونڈہ، سیالکوٹ بالکل اکیلی پہنچی تو لوکل کمانڈر تک بہت حیران مگر خوش ہوئے کہ کوئی تو ان کی شجاعت کا ماجرہ دیکھنے آیا کہ یہاں سب سے بڑی ٹینکوں کی جنگ لڑی گئی تھی۔ جلے ہوئے درختوں سے ابھی تک دھواں اٹھ رہا تھا۔ دور دور تک کوئی شخص نہیں تھا۔ کہیں بوٹوں میں پڑی ہڈیاں بتا رہی تھیں کہ یہاں بھیڑیے ہیں۔

کھیم کرن کے بارڈر پہ میں تمام صحافی خواتین کو لے کر گئی تھی۔ کبھی کہیں یہ تخصیص نہیں ہوتی تھی کہ عورتیں اور مرد الگ الگ بیٹھیں گے۔

سمن آباد کے دفتر سے میں اٹھ کر وفاقی وزارتِ اطلاعات میں قاسم رضوی، ایڈیشنل سیکرٹری وزارتِ اطلاعات کے کہنے پر بطور فیچر رائٹر آ گئی۔ یہاں سب مرد تھے۔ باری علیگ کی بیگم، پروف ریڈر تھیں۔ یہاں میری پوسٹنگ پر جماعت اسلامی کے ایک اسسٹنٹ ایڈیٹر برافروختہ ہو گئے۔ میں خود اٹھ کر ان کے کمرے میں گئی اور کہا کہ چائے پلائیں تو اب وہ کتنے ہی بدتہذیب تھے، مجھے کمرے سے نکال تو نہیں سکتے تھے۔ پھر میں نے کہا اُٹھئے اپنے سٹاف سے ملوائیے۔ بے چارے کو یہ بھی کرنا

پڑا۔ یہاں پہلی دفعہ احساس ہوا کہ یہ شخص عورت سے حسد کرتا ہے اور مرد کے برابر کا نہیں سمجھتا۔ چونکہ سارا دفتر اس کے خلاف تھا۔ اس لیے میں پھر بھاری اکثریت میں ہوگئی۔

اس دوران ایوب خاں کے خلاف تحریک چلی۔ پہلی تحریک تو محترمہ فاطمہ جناح کے صدارتی الیکشن لڑنے کے باعث چلی۔ یہ بھی عورتوں، مردوں کی نامساوی حیثیت کے حوالے سے نہیں تھی۔ یہ تو آمریت کے خلاف تھی اور لطف کی بات یہ ہے کہ جماعت اسلامی بھی فاطمہ جناح کی حمایت کر رہی تھی۔ اس زمانے میں ساری عورتیں اور مرد، موچی دروازہ باغ میں تقریریں سننے جاتے۔ طاہرہ مظہر علی، نسیم شمیم، اشرف ملک آپا رضیہ اور بہت سی خواتین ہوتیں۔ ہم سب مرد، عورت اکٹھے جاتے، اکٹھے واپس آکر شیزان میں یا کافی ہاؤس میں چائے پیتے۔ فاطمہ جناح کو شکست دلوائی گئی۔ ایوب خاں نے اپنے فیلڈ مارشل ہونے کی تقریر کرنی تھی۔ وہ تقریر بھی اِدھر الطاف گوہر لکھتے جا رہے تھے۔ اُدھر میں ترجمہ کرتی جا رہی تھی۔ تقریر تیار ہوئی۔ گورنر ہاؤس میں مجھے بھی ساتھ لے گئے۔ باہر بہت آنسو گیس پھیلی ہوئی تھی، ٹھاہ ٹھاہ کی آوازیں سن کر میں نے گوہر صاحب سے کہا ''باہر کی حالت ذرا بتایئے تو فیلڈ مارشل صاحب کو۔'' گوہر صاحب اچانک غصے میں بولے ''تم خود کو حلقۂ اربابِ ذوق تک محدود رکھو۔'' میں چپ ہوگئی۔ جس زمانے میں قید سے رہا ہوئے۔ داڑھی رکھی ہوئی تھی۔ ایئرپورٹ پر ملاقات ہوئی۔ بولے ''کیا حال ہے ملک کا۔'' میں نے جھٹ سے کہا ''مجھے تو بس حلقۂ اربابِ ذوق کا حال معلوم ہے۔'' انہیں شاید فقرے کی چبھن یاد آ گئی۔ مسکرا کر آگے کو چل پڑے۔ ابھی بھی عورت مرد کا کوئی فرق نہیں موجود تھا۔

البتہ جب بھٹو صاحب نے خواتین کے لیے 20 نشستیں مخصوص کیں تو ذرا سا بندشوں کا احساس ہوا مگر ساتھ ہی زائل ہوگیا کہ انہوں نے فارن آفس سے لے کر سارے محکموں میں عورتوں کو آگے لانے کی تاکید کی۔ میں نیشنل سنٹر لاہور کی ڈائریکٹر ہوئی۔ اب تو مولانا سے لے کر حمید احمد خاں تک سبھی سیاسی اور غیر سیاسی لوگوں سے خوب میل ملاپ رہا۔ معترضین نے باتیں بنائیں کہ اس کے ایک اشارے پر سارے سیاسی رہنما تقریر کرنے آجاتے ہیں۔ تمام غلط باتیں اخباروں میں لکھنے کے باوجود، کسی نے یہ نہیں لکھا کہ عورت کیوں سربراہ ہے۔

PNA کی تحریک چلی تو ہمارے مقابل شاہین حنیف رامے، مہناز رفیع یہ سب دوسری طرف ہوتیں۔ ہم لوگ پیپلز پارٹی والے جلوس میں ہوتے۔ جماعت اسلامی کے جو لوگ نیلے گنبد پہ صبح نظر آتے، وہی شام یا سہ پہر کو مسجدِ شہدا پہ نظر آتے، باقی تو ہجوم ہوتا ہے جو یونہی جمع ہو جاتا ہے۔

PNA والوں میں اب ایک عورت کا نام ابھرا اور اس کے ساتھ برقعہ آیا۔ یہ تھیں آپا نثار فاطمہ۔ بس یہ پہلا حملہ تھا جو عورتوں پہ حجاب کی صورت میں کیا تھا۔

بھٹو صاحب کا تختہ الٹایا گیا۔ جو لوگ مجلسِ شوریٰ میں آئے ان میں آپا نثار فاطمہ بھی تھیں۔ پھر تمام جماعت اسلامی نے حکومت میں شمولیت اختیار کی۔ سلیم احمد مشیر لگا دیئے گئے۔ محمود اعظم فاروقی وزیر اطلاعات لگے۔ میری فائل پہ لکھا "Send her home"۔ یوں مجھے زبردستی کی چھٹی پر گھر بھیج دیا گیا۔ یونیسیف کا لاہور دفتر، ناہید عزیز چلا رہی تھی۔ اس نے مجھے کہا آؤ ہمارے ساتھ کام کرو کہ روٹی کے لیے پیسے آسکیں۔ اُسی زمانے میں اِدھر انور سجاد گرفتار ہوا۔ اُدھر مجھ پر پولیس تعینات کر دی گئی۔ اب میں ایک جیپ آگے اور ایک موٹر سائیکل پیچھے، شہر میں چلا کرتی۔ جیسے ہی وزارتِ اطلاعات اور حکومت سے جماعت اسلامی کی علیحدگی ہوئی، مجھے ماہِ نو کا چیف ایڈیٹر لگا دیا گیا مگر نگرانی جاری رہی۔ دفتر کے سامنے بیگم سلمیٰ تصدق حسین کا گھر تھا۔ ان سے ملاقات کے حوالے سے دوسری عورتوں کی انجمنوں سے واقفیت ہوئی۔ بیگم نسیم جہاں کی ایم۔ این۔ اے شپ کے دوران، بیگم شاہنواز اور بیگم میاں بشیر احمد سے ملاقاتیں رہیں مگر کہیں بھی عورت مرد کی نابرابری کی بات نہیں ہوئی۔

خیر سے بھٹو صاحب کی پھانسی اور عورتوں کے بارے میں حدود آرڈیننس آگے پیچھے آئے۔ پتہ چلا کہ جیلیں عورتوں سے بھر گئیں کہ کسی نے اپنی ماں کو، کسی نے بیوی کو اور کسی نے بہن کو زنا کے نام پہ اندر کرایا، جائیداد پہ قبضہ کیا۔ آزاد زندگی گزاری۔ اب ساری پڑھی لکھی اور بہت سی انگریزی بولنے والی خواتین کہ جنھوں نے شاید کبھی انگریزی میں قرآن پڑھا تھا۔ ان سب کو ہوش آیا کہ یہ اچانک عورت کے ساتھ کیا ہونے لگا ہے۔ پہلے پہل گھروں میں اکٹھے ہو کر غور کیا۔ سب عورتوں نے قرآن شریف نکال کر پڑھنے شروع کیے، پڑھے لکھے لوگوں یعنی مولانا جعفر شاہ پھلواروی جیسے لوگوں سے مشورے شروع کیے، قرآن کی تشریح کروائی۔ مجھے یاد ہے کہ جب 1981ء میں پندرہ عورتوں کا جلوس نکالا تھا تو یہ جلوس دیکھ کر مجھے ایس۔ ایم۔ ظفر نے کہا تھا "یہ پندرہ نہیں پندرہ ہزار عورتوں کا سمبل ہے۔"

بس پھر کیا تھا۔ ایک کے بعد ایک قانون آنے شروع ہوئے، حدود آرڈیننس کے بعد قانونِ شہادت آیا کہ عورت کو مارو تو 50 ہزار روپے اور مرد کو مارو تو دیت ایک لاکھ روپے ہوگی۔ اس کے بعد قصاص اور دیت قانون آ گیا۔ پھر قانونِ شریعت آ گیا۔ ضیاء الحق نے اپنی وداعیت سے پہلے آٹھویں ترمیم کے ذریعہ اپنے لائے ہوئے سارے قوانین کو مجلسِ شوریٰ کے ذریعہ قانونی حیثیت دلوائی۔ عورتوں نے ویمن ایکشن فورم بنایا۔ لاہور میں وائی۔ ایم۔ سی۔ اے ہال میں جلسہ کرایا۔

ساڑھے سات سو عورتوں نے شرکت کی اور یوں شہر در شہر ویف کی شاخیں کھلتی چلی گئیں، بہت سی شاخیں تو این۔جی۔اوز کی شکل اختیار کر گئیں۔ کام سب نے اپنے ذمے عورتوں کو چھنی گئی برابری کو واپس دلانا، منظور کیا۔ جماعت اسلامی نے مخالفانہ مورچہ سنبھال لیا۔ دونوں مورچوں پہ محاذ آرائی باقاعدہ جاری ہے۔ ایک اور مورچہ فاروق لغاری کے زمانے میں درسِ قرآن کی صورت میں کھولا گیا۔ فرحت ہاشمی سکول آف ٹھاٹ نے جنم لیا۔ الہدیٰ نے شہر شہر، ملک ملک ڈائمنڈ گروپ عورتوں کو حجاب پہنانا شروع کیا۔ برقعہ کے ہم رنگ لیپ ٹاپ ٹیلی ویژن پہ فروزاں ہوا۔ یہ تو پاکستان کا احوال تھا۔ ہندوستان میں حجاب والے برقعے کے ساتھ موٹر سائیکل چلانا، خاص کر علی گڑھ میں خوب مقبول ہوا۔

عورتوں کی نمائندگی کا مسئلہ 1973ء میں شروع ہوا تھا۔ جب اقوامِ متحدہ کے دفتر کا جائزہ شائع ہوا کہ ان کے دفتر میں 0.3 فیصد خواتین کام کرتی تھیں۔ فیصلہ ہوا کہ اس شرح کو معتد بہ حد تک بڑھایا جائے اور دنیا بھر کو ترغیب دی جائے کہ عورتوں کی ملازمت کی شرح اور فیصلہ کن حیثیت میں اضافہ کیا جائے۔ 1975ء میں عورتوں کا دس سالہ جشن کا آغاز دنیا بھر میں ہوا۔ میں نے ایسٹ برلن میں 1974ء میں کانفرنس کی ایجنڈا میٹنگ میں شرکت کی اور پھر 1975ء میں ماسکو کی کانفرنس میں کہ مغربی ملکوں کی کانفرنس میکسیکو میں ہوئی تھی۔

1985ء میں نیروبی کانفرنس میں ویف کا جو وفد لاہور سے نگہت سعید خاں کی سربراہی میں گیا اس میں، میں بھی شامل تھی۔ ہر چند 1984ء میں افتخار نسیم کے توسط گے۔ لوگوں کے بارے میں کافی معلومات ملی تھیں۔ اڈرین رچ کے ذریعہ سے لزبین کا پتہ چلا تھا مگر جب گروپ اور مجمع کی صورت میں جھنڈا اٹھائے ڈھیر ساری لزبین دیکھیں، ان کو اجلاس کے دوران اپنے لزبین ہونے پہ فخر کرتے اور پورے ہال کو تالیاں بجاتے، پاکستانی وفد کی عورتوں کو گرم جوشی سے حصہ لیتے ہوئے دیکھا تو عورتوں کی آزادی کے ایک نئے رخ سے نقاب اٹھی۔

جس طرح اپوا کے توسط، ہر شہر میں ڈپٹی کمشنر کی بیوی کی صدر متمکن دیکھ کر گھبراہٹ ہوئی تھی۔ اس طرح ویف کے توسط این۔جی۔اوز میں تبدیل ہوتی شکلیں دیکھ کر مجھے اس بہو کی طرح خاموش رہنا پڑا جسے دال چاول ملا کر، الگ الگ کرنے کو دے دیئے جائیں کہ اب زیادہ تر خواتین جذبے سے سوا، نوکری کے لیے یا نوکری کے ذریعہ عورتوں کے حقوق مانگ رہی تھیں۔ ہر چند اس میں ہاتھ ہمارے قلم ہوئے، والی پوزیشن تھی۔ کسی کا دفتر، جماعتی جلا رہے تھے، کسی کے خلاف زہر اگل رہے تھے۔

این۔جی۔اوز کو مغرب زدہ کہہ کر، اپنی برقعہ زدہ عورتوں کو مساوی تعداد میں باہر نکال رہے تھے۔ حکومتیں بھی خوب چوہے بلی کا کھیل کھیل رہی تھیں۔ جب جی چاہا، جس کا جی چاہا، جس کو چاہا، مشورے یا فیصلہ سازی میں شریک کر لیا اور ہماری عورتوں کی این جی اوز نے بھی کمال ہنرمندی سے عورتوں کو سیاست میں لانے کی کہیں دکانداری کی تو کہیں غیرت کے نام پہ قتل پہ واویلا کیا۔ بہرصورت یہ عورتوں کا شوروغوغا تھا اور ہے کہ اقوامِ متحدہ سے لے کر، آمریت تک میں یہ غلغلہ اٹھایا جاتا ہے کہ عورتوں کے ساتھ مساویانہ برتاؤ کے قوانین تیار ہو رہے ہیں۔ وہ اسمبلیاں جو اپنے لیے مراعات کے معاملے میں حزبِ مخالف یا موافق کا تردد چھوڑ کر ایک ہو جاتی ہیں۔ وہی اسمبلیاں عورتوں کے حقوق کے معاملے میں تقسیم ہو جاتی ہیں۔

ہندوستان میں کملا بھسین نے عورت کہا مساوات اس لیے زیادہ پرزور طریقے پر کہا کہ ہندو، دیوی کی پوجا تو کرتے ہیں مگر عورتوں کو ہماری قوم کی طرح پاؤں کی جوتی ہی سمجھتے ہیں۔ کملا نے گاؤں گاؤں جا کر کام کیا۔ بیٹی کی نوجوان موت کا زخم سہا۔ پھر بھی عورت کی برابری کی بات کرتی رہی۔ کملا کا کہنا ہے کہ ہماری دنیا کے بے شمار مرد، عورت کے نو ماہ کے حمل کے برابر کا پیٹ اٹھائے پھرتے ہیں۔ چونکہ ان میں خدا نے تخلیقِ انسان کی صلاحیت عطا نہیں کی ہے اس لیے وہ اس کا بدلہ لینے کو عورت پہ ہر طرح کے مظالم کو روا، سمجھتے ہیں۔

میں نے 1960ء میں عورت تھی تو عورت کی طرح لکھنا شروع کیا تھا۔ عورت کی این۔جی۔اوز 1980ء کی دہائی میں وجود میں آئیں اور اقوامِ متحدہ نے 70 کی دہائی میں اس بات کو برسرِ منبر کیا۔ میں حالات کے مطابق بدلی نہیں بلکہ جو بھی حالات تھے، ان کو بیان کرتی چلی گئی۔ اپنے ہی لوگوں سے الٹ پلٹ باتیں سنتی رہی مگر عورت پہ لکھنا میرا ایمان تھا اور رہا۔

میری نظموں کو بنیاد بنا کر ہندوستان سے لے کر لندن تک میں ڈانس ڈرامے تیار کیے گئے۔ تھیسس اور ڈاکٹریٹ کے پیپر لکھے گئے مگر میں اپنی اجڑی پجڑی عورت کے ساتھ ہی رہی۔ این۔جی۔اوز کے نام پہ کہیں محل بنے اور کہیں لوگ خاکستر ہوئے۔ عورت ہی سے منسلک دوسری تحریک جس نے تقویت پکڑی، وہ تھی امن کی تحریک۔ لوگ ایٹم بم بنانے پہ خوش تھے۔ عورتیں اور دانشور کہہ رہے تھے کہ جتنے میں ایٹم بم بنتا ہے۔ اتنے میں تو لاکھوں سکول کھولے جا سکتے ہیں۔ ''امن ملے میرے بچوں کو پانی صاف ملے۔'' یہ دعا، احمد مشتاق نے 1970ء میں، بھٹو صاحب کی تحریک کے زمانے میں لکھی تھی۔ آج تک ہم لوگ یہی دعا کر رہے ہیں، عورتیں ہیں کہ وزیر بن رہی ہیں، ممبر پارلیمنٹ بن

رہی ہیں، غیر ممالک کے دورے کر رہی ہیں، ملٹی میڈیا پریذینٹیشن کر رہی ہیں مگر عورت عام عورت، پہلے سے بھی زیادہ زخم خوردہ اور جنس خوردہ ہو چکی ہے۔

لطف کی بات یہ ہے کہ جب جلسہ جلوس ہو تو عوام کو بسوں، ویگنوں میں بھر کر بھیڑ بکریوں کی طرح لایا جاتا ہے۔ جس وقت فوٹوگرافرز سامنے آتے ہیں تو گنی عورتیں جھپٹ کر سامنے آ جاتی ہیں۔ ہمیشہ ان کی تصویر اخباروں میں نمایاں ہوتی ہے۔ یہاں مجھے یاد آتا ہے جب کالے قوانین کے خلاف لاہور میں جلوس نکلتا تھا تو کبھی عاصمہ تو کبھی اعتزاز یا کبھی حنا تصویر اترتے وقت میرے سامنے آ کر مجھے بچا لیتے تھے، ورنہ اگلے دن میں نوکری سے نکلی ہوتی۔ یہی حال اسلام آباد میں طاہرہ عبداللہ کرتی رہی ہے مگر ایک شخص تھا جو وزیر ہونے کے باوجود، جلوس میں سب سے آخر میں چلتا تھا۔ وہ تھا عمر اصغر خاں۔ کتنے جھوٹے لوگ ہیں جو کہتے ہیں اس نے خودکشی کر لی تھی۔

میں نے عورت ہونے کا سفر، پانچ سال کی عمر میں سل پہ مصالحہ پیسنے سے شروع کیا تھا۔ اب خود میری ذات کا مصالحہ پس چکا ہے مگر سڑک پہ روڑے کوٹتی عورت وہیں کی وہیں ہے۔ بقول جون ایلیا:

"یہ مجھے صبر کیوں نہیں آتا
ایک ہی شخص تھا جہان میں کیا"

کلچر کا رزمیہ

مجھے نیشنل کونسل آف دی آرٹس میں ڈائریکٹر جنرل کی حیثیت سے تعیناتی کوئی انوکھی اور نئی چیز نہیں معلوم دی۔ تمام فنونِ لطیفہ کے سینئر اور ہم عصر لوگوں سے دیرینہ ملاقاتیں تھیں، صحبتیں تھیں اور بے تکلفی تھی مگر یہ سارے مراکز دوستی کے تھے۔ اس نوکری نے تو مجھے ہر ایک کے گھر میں جھانکنے کا موقع دیا۔ وہ سینئر آرٹسٹ جن کی گائیکی سن کر، ہندوستان کی عورتیں، ان کے قدموں کی خاک اپنی مانگ میں بھرا کرتی تھیں، ان آرٹسٹوں کے گھروں میں خاندان در خاندان اتنے لوگ بھرتے جاتے تھے کہ پیٹ بھر کر کھانا نصیب ہونا، مشکل ہو جاتا تھا۔

استاد سلامت علی خاں کا گھرانہ ہو کہ استاد غلام حسین شگن کا کہ استاد فتح علی خاں، سب کے گھروں کا منظر ایک جیسا ہی تھا۔ یہ نہیں کہ پیسہ نہیں آتا تھا۔ جب بھی آتا، بے ترتیبی اور بدانتظامی کے باعث، چند دنوں میں پھر خالی ہاتھ ہوتے۔ اس ترتیب میں مہدی حسن بھی آتے ہیں۔ دو شادیاں کیں۔ 14 بچے پیدا کیے۔ جب موقع ملا عشق بھی کیا اور خوب کیا، اب ہر ایک تو احمد فراز ہوتا نہیں کہ خاطر مدارات کرنے والی محبوبائیں ملیں۔ یہ سارے استاد میرے پاس بے دھڑک چلے آتے تھے، کہ میں نے اپنے سٹاف کو منع کیا تھا کہ استاد کے درجے کا کوئی فنکار آئے تو اس کو عزت کے ساتھ اندر لے آئیں مگر وہ سٹاف ہی کیا جو اپنی اہمیت نہ جتائے۔ وہ یہ ضرور کرتے کہ چاہے ظہور الاخلاق ہو کہ مہدی حسن، اپنے پاس بٹھا کر مجھے فون پر مطلع کرتے کہ فلاں فنکار آیا ہے۔ میں خود اٹھ کر جاتی اور ان کو اپنے کمرے میں لا کر بٹھاتی۔

میڈم آزوری جب آئیں، روتی ہوئی آئیں۔ مکان کا کرایہ، کھانے کو روٹی نہیں ہوتی تھی۔ ہمسائے کی عورت ان کو سہارا دے کر لاتی، 80 سالہ وہ فنکارہ کہ جس نے پانی کے جہاز سے سفر کر کے،

لندن میں نہ صرف اپنے فن کا مظاہرہ کیا بلکہ وہاں کے اخباروں نے نمایاں باتصویر فیچر بھی شائع کیے۔ سرکار سے منظور کروا کر ڈھائی ہزار ریکمشت مل سکتے تھے۔ وہ بھی منسٹری کی اجازت سے۔ اس طرح کا احوال، دوسرے فنکاروں کا بھی تھا۔ بجٹ اتنا کم دیا جاتا تھا کہ کسی بھی آرٹسٹ کے ساتھ شام منانے کے لیے اوراس کو دس ہزار روپے دینے کے لیے سینکڑوں کشٹ کاٹنے پڑتے تھے۔ پھر ماشاء اللہ، ہمارے دفتر کے ساتھی آرٹسٹ، اتنے خوش اخلاق تھے کہ ہر اچھے کام کو برے لفظوں میں شکایت نامہ بنا کر، وزیر، کبیر حتیٰ کہ بادشاہ تک بھی پہنچا دیتے ہیں۔ چونکہ ہمارے ملک میں صدر، بادشاہ کے انداز میں حکومت کرتا ہے، اس لیے فوراً کاغذی کارروائی کرنے والے، فائل بغل میں دبائے، پہنچ جاتے تھے۔

یوں تو ہزاروں واقعات ہیں مگر کچھ عجب واقعات ہیں جو پیش آئے۔ ہمارے ملک کے صدر، فاروق لغاری تھے۔ انہیں شوق آیا کہ صدارتی محل میں، پورے پاکستان کی نمائندگی کرتی ہوئی پینٹنگز بنائی جائیں، لگائی جائیں۔ سارے ملک کے چیدہ آرٹسٹوں کو پہلے بلا کر، جگہوں کی نشاندہی کی گئی۔ سی۔ڈی۔اے کو راز دار بنایا گیا کہ پیسے انہوں نے دینے تھے۔ سارے ملک کے آرٹسٹوں میں خوشی کی لہر پھیل گئی کہ اب ان کی مرضی چلنے اوران کے فن کی نمائندگی کا زمانہ آیا۔ چھ ماہ لگا کر طلعت اور دبیر نے ٹیرا کوٹا میں سارے قلعوں کی شبیہہ بنائی۔ شہناز اسمٰعیل نے ٹیپسٹری کا سمبلاز بنایا۔ گل جی، مسعود اختر، غلام رسول۔ گویا پاکستان بھر کے آرٹسٹوں کا کام مکمل کر کے بڑے فخر کے ساتھ جب میں پریذیڈنٹ ہاؤس پہنچی تو ملٹری سیکرٹری نے رائے دی کہ یہ پینٹنگز لگ جائیں گی تو سارے صدارتی محل میں نماز پڑھنے کے لیے کوئی کونہ باقی نہیں رہے گا۔ اس لیے صدر صاحب نے اپنا فیصلہ بدل دیا ہے۔ یہ سارا اثاثہ سی۔ڈی۔اے کے حوالے کر دیا جائے۔ بمشکل سی۔ڈی۔اے سے آرٹسٹوں کو رقم تو دلوا دی مگر یہ معلوم نہیں ہوسکا کہ وہ تمام مایہ ناز پینٹنگز کا کیا بنا۔

یہ رونا ایک جگہ کا نہیں ہے۔ لاہور نیشنل سنٹر میں تین پنسل ڈرائنگ اور دو کلرڈ پینٹنگز، چغتائی صاحب کی تھیں، علاوہ ازیں اصلی بدھا کا مجسمہ، اصفہان کا سماوار، ان چیزوں پر مولانا کوثر نیازی کی نظر تھی۔ بار بار حکم بھیجا کہ یہ چیزیں میرے دفتر منتقل کر دی جائیں۔ میں نے ہی کان نہیں دھرے۔ کر دیتی تو شاید اسلام آباد کے وزیر کے دفتر میں محفوظ تو رہتیں۔ نہیں معلوم اب کس کے گھر میں ہیں۔

خیر میں تو اپنی نوکری کے دوران عجائبات دکھانے کے لیے، یہ تحریر پیش کر رہی ہوں۔ شاید 1995ء میں مسز کلنٹن اوران کی بیٹی چیلسی پاکستان کے دورے پر آئیں۔ پاکستان کی ممتاز خواتین سے بے نظیر بھٹو نے ملاقات کروائی۔ لنچ کا اہتمام تھا۔ لنچ کے بعد، ناہید صدیقی کا ڈانس تھا۔ ابھی سب

لوگ بیٹھے اور ناہید نے الاپ پہ ڈانس شروع کیا تھا۔ ابھی اس نے سلامی بھی پیش نہیں کی تھی کہ بے نظیر نے اس طرف دیکھنا شروع کیا جس طرف شہناز وزیر علی، رعنا شیخ اور میں کھڑے تھے۔ ہم تینوں اس زمانے میں کلچر کے مدارالمہام تھے۔ جب پہلی دفعہ بے نظیر نے دیکھا، شہناز نے کہا، ادھر دیکھو، ہی مت اس کا مطلب ہے کہ اب ختم کرو۔ ناہید کو ڈانس شروع کیے ابھی کوئی پانچ منٹ ہوئے تھے کہ ہم تینوں نے دیکھا کہ بے نظیر کھڑی ہوگئیں۔ لاچار ناہید نے ڈانس روک کر سلامی دی اور آنسو بھری آنکھوں کے ساتھ سٹیج کے پیچھے چلی گئی۔ مسز کلنٹن اور چیلسی پریشان بیٹھی تھیں، جب دیکھا بے نظیر تو انٹری گیٹ پہ پہنچ چکی ہیں تو وہ بھی کھڑی ہوگئیں اور ہمیں کہا کہ ہم لوگ آرٹسٹ سے ہاتھ ملانا چاہتی ہیں۔ میں مایوس اور روتی ہوئی ناہید کو دلاسہ دے کر باہر لائی۔ ان دونوں نے ہاتھ ملایا، یوں ناہید بے چاری کو ذرا تسلی ہوئی۔ یہ نمونہ تھا ہمارے تہذیبی شعور کا۔

پاکستان میں ہر سال مئی، جون تک، ان ناموں کا انتخاب ہوجاتا ہے جن کو اعزازات 14 اگست کو دیئے جاتے ہیں۔ ایک کمیٹی کی میٹنگ ہو رہی تھی۔ سیکرٹری کلچر، عدنان سمیع کے والد تھے۔ ان کا اصرار تھا کہ حسنِ کارکردگی کے لیے میں عدنان کا نام تجویز کروں۔ ابھی 1995ء میں عدنان نے باقاعدہ گانا بھی شروع نہیں کیا تھا بلکہ بچوں کے پروگرام میں گانا سکھاتا تھا۔ میں نے التجاعاً عرض کی کہ حضور، عدنان کو ذرا میچور ہونے دیجیے۔ آئندہ سالوں میں اس کا نام دیا جاسکتا ہے۔ بس میرا اتنا کہنا تھا کہ سیخ پا ہوگئے، جب تک میں دفتر پہنچوں یہ احکامات پہنچ چکے تھے کہ مجھے ٹریننگ پہ فوری طور پر کوئٹہ بھیجا جارہا ہے۔ یہ الگ بات کہ یہ آرڈرز شہناز وزیر علی نے رکوا لیے تھے۔

1996ء کی بات ہے، یونیسکو کی کلچر کانفرنس لاہور میں ہونا قرار پائی تھی۔ وزیر محترم نے کہا کہ افتتاح وزیر اعلیٰ پنجاب شہباز شریف کریں گے۔ ہماری کیا مجال کہ ان کے سامنے بول سکتے کہ وہ تو ایک منٹ میں تو تڑاخ پہ اتر آتے ہیں (یہ روایت اب تک سلامت ہے) اس دن بارش بہت شدید ہو رہی تھی۔ افتتاح کے وقت پچاس ساٹھ آرٹسٹ اور ادیب پہنچ سکے۔ وزیر موصوف، ہال بھرا ہوا دیکھنا چاہتے تھے۔ آخر کو کارپوریشن کے سارے ملازم اور پولیس کے لوگ سفید کپڑوں میں لاکر بٹھائے گئے۔ کوئی ڈیڑھ گھنٹہ تاخیر سے پروگرام شروع ہوا۔ مگر وزیر اور وزیر اعلیٰ دونوں خوش تھے۔ اس زمانے کے کلچر کے وزیر اور چیف منسٹر میں اتنی گاڑھی چھنتی تھی کہ کانفرنس سے اٹھ کر، وہ دونوں چائنیز کھانا کھانے گئے۔

1997ء میں کلچر منسٹری پہ ایسا ادبار آیا کہ سیکرٹری کلچر بھی پولیس سروس کا اور جوائنٹ سیکرٹری

بھی پولیس سروس کا۔ میں نے ایک نمائش کے افتتاح کے لیے کسی بڑے وزیر کو بلا لیا کہ ان دونوں کو بھی حاضری بھرنی پڑی۔ اب وزیر موصوف کے انتظار کے دوران سیکرٹری صاحب نے جوائنٹ سیکرٹری سے پوچھا ''یہ پروگرام کرنے کی اس نے ہم سے اجازت لی تھی۔'' جوائنٹ سیکرٹری فوراً بولے ''اجی یہ تو کسی کام کی بھی اجازت نہیں لیتی ہیں۔'' سیکرٹری صاحب نے فوراً حکم دیا ''اس کے خلاف ایف۔ آئی۔ آر کٹوادو۔''

1998ء میں کراچی کے حالات بہت خراب تھے، میں نے فیصلہ کیا کہ کراچی میں ڈانس فیسٹیول کرایا جائے۔ پاکستان میں گنی چنی کل چھ ڈانسرز تو ہیں۔ کراچی کے لوگ تو مہندی پہ بھی 11 بجے سے پہلے نہیں آتے ہیں۔ میں نے جب کہا کہ آپ لوگ میری گھڑی سے اپنی گھڑیاں ملالیں اور آٹھ بجے ہال کے دروازے بند ہوجائیں گے تو لوگوں نے کہا مانا۔ پونے آٹھ بجے ہال فل، دروازے بند۔ وزیر موصوف کے جگری دوست جو آج کل ٹی۔ وی۔ ون چلا رہے ہیں، بڑے نازونخرے سے ساڑھے آٹھ بجے تشریف لائے۔ اب دروازے کھل نہیں سکتے تھے۔ ان کو زعم کہ ان کو دیکھ کر تو سرکار کے دروازے کھل جاتے ہیں، بھلا یہ کون ہے جو میرے لیے دروازے نہیں کھلنے دے رہی ہے۔ ویسے مجھے معلوم بھی نہیں تھا کہ آٹھ بجے کے بعد، کون کون آیا اور کون بے مراد واپس چلا گیا۔ پتہ تو مجھے اس وقت چلا کہ جب اسلام آباد واپس آ کر میں میرٹ ہوٹل میں ساونی کا پروگرام کر رہی تھی کہ غصہ بھرا ردِعمل وزیر موصوف کا پتہ چلا کہ ''ہم سے پوچھے بغیر کام کرتی ہے، اس حکومت کو ڈانس فیسٹیول کروا کر بدنام کرتی ہے۔ اس کو فوراً نکال باہر کرو۔''

ڈائریکٹر جنرل پی۔ این۔ سی۔ اے ہونے کے باعث مجھے جاپان، آسٹریلیا، ازبکستان اور امریکہ کا دورہ کرنے کا وسیع موقع ملا۔ میری غیر موجودگی میں دفتر سے پینٹنگز غائب ہوتی رہیں۔ فائلیں غائب ہوتی رہیں اور جہاں جہاں شکایت نامے بھجوائے جاسکتے تھے، وہ بھی بھیجے گئے اور اخباروں میں بھی چٹ پٹی خبریں شائع کروائی گئیں۔ خبریں کیا تھیں ''یہ کون لوگ ہیں جو کشور ناہید کے پراجیکٹ کو فنڈنگ دیتے ہیں۔ یہ کون لوگ ہیں سفارتخانوں میں جو کشور ناہید کے پراجیکٹ منظور کر لیتے ہیں۔ کہ اس زمانے میں ہر روز کوئی نہ کوئی تقریب ہوتی تھی، پورا اسلام آباد خوش تھا۔ اب اسلام آباد کے بارے میں کہا جا رہا ہے کہ یہ نیویارک کے قبرستان سے آدھے رقبے پہ آباد ہے مگر خاموشی وہاں سے دوگنی ہے۔''

اسلام آباد کا منظر نامہ

اسلام آباد میں رہتے ہوئے مجھے بارہ برس ہو گئے ہیں۔ خوبصورت پہاڑیوں اور سبزے سے سرشار، یہ شہر، ہر پانچ سات برس بعد، عبرت کا منظر نامہ بن جاتا ہے۔ میں نے بے نظیر کی دوسری بادشاہت جانے پہ ایک نظم لکھی تھی۔ وہ یوں تھی:۔

وہ جو حدِ امکاں سے باہر کھڑے تھے
زمانے کی تاریخ میں مقبرے ان کے ناموں سے
موسوم، موجود تھے
طلسماتِ عقل و خرد سے ورا
ماسوا کے تحیر گرفتہ
وہ جو لامکاں کو مکاں جانتے تھے
زمانے کی تاریخ میں ان کے حجرے
مقاماتِ وارفتگی و محبت نشاں ٹھہرتے ہیں
زمانہ محبت کی جتنی دشائیں اٹھائے ہوئے ہے
وہ سب کی سب،
ایسے حجروں کی دہلیز پہ جاگتی ہیں
مگر اس زمیں پر، بہت اونچے اونچے
پرانے زمانے کے محلوں سے بھی خوبصورت
نئے سنگ مرمر کے پیکر بنے مقبرے ہیں

جہاں جانے والے
محبت نہیں، فائلوں کی ضعیفی کے
لاشے اٹھائے ہوئے
مردہ قدموں سے اندر کی جانب تو جاتے ہیں
پر لوٹتے ہی نہیں
لوگ ایسے مقابر محض دیکھنے کو بھی جاتے نہیں
کہ ان مقبروں میں نہ سچ ہے، نہ تاریخ
اور نہ محبت
منافق زمانے کی سازش
ستونوں سے لپٹی کھڑی ہے
یہاں سچ کہیں ہے تو بس
چوبداروں کی آنکھوں میں ہے
کہ دیکھیں جنھوں نے
حکمران جوتوں پہ لٹکی زبانیں
کہیں گردنوں کا، ستونوں سے
لپٹا ہوا واہمہ بھی نہ تھا
حرف تھے
جو کہ میت زدہ کاغذوں پہ برہنہ پڑے تھے

اسلام آباد کے بارے میں کہا جاتا ہے کہ اس جگہ سے 15 کلومیٹر کے فاصلے سے پاکستان شروع ہوتا ہے۔ اسلام آباد میں اب تو دوسرے لوگ بھی آباد ہیں مگر زیادہ تر سرکاری ملازم وہ ہیں جو ایک کوارٹر الاٹ کراتے ہیں۔ ایک کمرے میں خود رہتے ہیں، باقی دو کمرے کرائے پر اٹھا دیتے ہیں۔ صبح کو دفتروں میں نوکری کرتے ہیں، شام کو ریہڑی لگاتے یا کسی دکان میں نوکری کرتے ہیں اور اعلیٰ افسر اپنا گھر بنا کر کرائے پر اٹھا دیتے ہیں اور خود سرکاری گھر میں ریٹائرمنٹ کے بعد بھی اس وقت تک رہتے ہیں جب تک پولیس آن کر سامان باہر اٹھا کر نہیں پھینک دیتی ہے۔

اسلام آباد میں گریڈ کے مطابق واک کرنے کی جگہیں مقرر ہیں۔ کچھ لوگ جو بہت ہی اپنے

گریڈ کے بارے میں محتاط ہوتے ہیں۔ وہ اپنے کتے کی زنجیر پکڑے واک کرتے ہیں۔ ریٹائرمنٹ کے بعد، وہ وفادار ہی رہ جاتا ہے جو ان کے ساتھ چلتا ہے، ورنہ جس دن ٹرانسفر ہو، اس دن تو ان کا اپنا چپڑاسی بھی کھڑے ہو کر سلام نہیں کرتا ہے۔

چونکہ ادیب بھی گریڈ کے چکر میں ملازمت کے اسیر ہوتے ہیں، اس لیے ان کے ملنے والے بھی دو طرح کے ہوتے ہیں۔ ایک وہ جو اعلیٰ سرکار تک سفارش لے جاسکیں اور بوقت ضرورت کام آسکیں۔ دوسرے وہ جو چمچہ گیری کرسکیں۔ اس شہر میں سلسلۂ شہابیہ قائم تھا۔ یہ سچ ہے قدرت اللہ شہاب صاحب نے اپنے تمام دوستوں، ابنِ انشاء، اشفاق احمد، ممتاز مفتی، اعظمی صاحب، احمد بشیر حسبِ توفیق ان سب لوگوں کو عہدے، فائدے، جو ممکن تھا، بڑے سلیقے سے عطا کیے۔ جس طرح فیض صاحب جب اسلام آباد تھے تو عابد علی شاہ اور دیگر دوستوں کو پی۔ این۔ سی۔ اے میں لے آئے تھے۔ اس طرح ایوب خاں اور اس کے بعد کے زمانے میں شہاب صاحب نے خود اپنے لیے کچھ نہیں کیا مگر یاروں کے اتنے یار نکلے کہ ان کی اولادوں تک کو معراج پہ پہنچا دیا۔

شہاب صاحب کی طرح، الطاف گوہر نے بھی اپنے قریبی دوستوں اور ان کے بچوں کو اتنے مزے کرائے کہ آج تک ان سب کے گھروں میں دودھ کی نہریں بہتی ہیں۔ ان کے ملنے والے، دنیا بھر میں پاکستانی ادب کی نمائندگی کرنے جاتے تھے۔ ایک صاحب کلچر منسٹری میں جوائنٹ سیکرٹری تھے۔ ان کی بیگم لکھاری تھیں۔ بس جب تک وہ اس عہدے پر فائز رہے، ان کی بیگم، پاکستان کی نمائندگی کرتی رہیں۔ جب تک اپنے دوست ابنِ انشاء یا احمد فراز، اپنے عہدوں پر رہے، پاکستان کی خود ہی نمائندگی کرتے رہے۔ ڈاکٹر اجمل نے بھی اپنا کردار خوب نبھایا مگر پڑھے لکھے سیکرٹریوں کا تقرر بعد ازاں مفقود ہو گیا۔ سول سروس ایسی حاوی آئی کہ جن لوگوں نے چالیس، چالیس پلاٹ ہتھیا لیے تھے، وہ پرنسپل سیکرٹری لگنے لگے۔ پھر کھیل احتساب شروع ہوا۔ سول سروس کے لوگوں کی ایک خوبی ہے، وہ سب ایک دوسرے کو بچالیتے ہیں۔ ایک زمانے کے راندۂ درگاہ دوسرے زمانے کے نورتن بن جاتے ہیں۔ سب جانتے بوجھتے، یہ کڑوی گولی نگلتے ہیں۔

میں نے اسلام آباد میں ضیاء الحق کے زمانے میں ڈیڑھ گھنٹے کی یہ بحث بھی سنی ہے کہ عورتوں کو ساڑھی ٹیلیویژن پر پہننی چاہیے کہ نہیں۔ پھر اگلے دن ڈیڑھ گھنٹہ یہ بحث ہوتی رہی کہ بلاؤز کی آدھی آستینیں چل سکتی ہیں کہ پوری۔ عبرت کے لیے آج بھی آپ نورجہاں کی آواز میں جب بھی سنیں ''ہر لحظہ ہے مومن کی نئی آن نئی شان''، تو نورجہاں نے جوڑے پہ ساڑھی کا پلو

اٹکایا ہوا ہے اور پورے بازوؤں کا بلاؤز پہنا ہوا ہے۔ ضیاء الحق نے ایک شوشہ چھیڑا تھا کہ سائیکل پر افسر آیا کریں تو اس زمانے کے پی۔ ٹی۔ وی کے چیئرمین ضیاء الحق سے ملنے سائیکل پر گئے تھے۔ ضیاء الحق کے زمانے میں افسروں نے اپنے کمروں میں سفید ٹوپی، لوٹا اور جائے نماز رکھنی شروع کر دی تھی۔ افسروں نے اپنے چپڑاسیوں کو کہہ رکھا تھا کہ جب نماز کا وقت ہو تو فون آئے تو کہنا کہ میں نماز پڑھ رہا ہوں۔

ضیاء الحق کے زمانے میں آرڈر پاس ہوئے کہ ہر دفتر کا سربراہ خود نماز پڑھائے گا۔ میں نے سارے سٹاف کو کہا ''بچو! اب تو تمہیں میری امامت میں نماز پڑھنی ہوگی۔'' سب نے کہا ''معاف کریں، ہم خود ہی نماز پڑھ لیا کریں گے۔'' اسی زمانے میں حکم ہوا کہ ہر سرکاری پیڈ پر بسم اللہ لکھی ہوگی مگر جب دیکھا گیا کہ رشوت کے لیے بھی وہ کاغذ استعمال ہو رہے ہیں جن پر بسم اللہ لکھی ہوئی ہے تو پھر شرمساری نے بسم اللہ لکھنے کی ضد نہ کی۔

اسلام آباد میں نوکری کے لیے بڑے دل گردے کی ضرورت ہے۔ اول تو وزیر ٹھوک بجا کر یہ دیکھتا ہے کہ اس وزارت میں کتنی گاڑیاں، کتنے دورے، کتنے کھابے ہیں۔ میں نے جب کلچر منسٹری میں نوکری کی تو حکم ملتا تھا کہ آج سیکرٹری صاحب کے گھر پارٹی ہے اور آج وزیر صاحب کے گھر، مال و طعام کے علاہ، طاؤس ورباب کا اہتمام بھی ضروری ہے۔

شاہوں کے محل میں اِدھر مہمان کھانا کھاتے اُدھر سازندوں کو بٹھا دیا جاتا کہ وہ اپنی ٹن ٹن کرتے رہیں اور اُدھر چمچوں کی آوازیں گونجتی رہیں۔ جب سازندوں کو میں منع کرنے لگی تو وہ خود بول اٹھے، ہماری روزی پر لات نہ ماریں ہمیں کیا فرق پڑتا ہے کوئی کن رس ہے کہ نہیں۔

مقابلہ چلتا تھا اور چلتا ہے کہ آج کا پروگرام سیکرٹری کلچر کروائے کہ ڈی جی کلچر، کہ لوک ورثہ کہ ٹیلیویژن۔ یہ پروگرام ان کے علاوہ ہیں جو عید بقر عید یا سالگرہوں پر اونچے گھرانوں میں اونچے نجابت داروں کے لیے ہوتے ہیں۔

فارم ہاؤس کلچر اسلام آباد سے شروع ہوا تھا۔ اتوار کے اتوار، ان فارم ہاؤسز میں شرفا اکٹھے ہوتے ہیں، پالیسی سازی اور اقربا پروری کے طور اطوار جانچے پرکھے جاتے ہیں۔ اگلی اسمبلی کے لیے بھی خواتین کا انتخاب کچھ یونہی ہوتا ہے۔ اور کچھ نہیں تو ایجنسیاں بٹورنا، پرمٹ حاصل کرنا اور بینک کے قرضے حاصل کر کے، خود کو غریب ظاہر کرنا، یہ فیشن اسلام آباد سے شروع ہو کر پورے ملک میں پھیلتا ہے۔ ویسے ہی تو نہیں بڑے بڑے بزنس مین، صرف اِن فارم ہاؤس پرٹیز میں شرکت کے لیے خاص

اسلام آباد آتے ہیں۔ اب تو لاہور بیدیاں روڈ پر رائے ونڈ روڈ پر اور کراچی سے حیدر آباد تک بے شمار فارم ہاؤسز آپ کو نظر آئیں گے۔

اسلام آباد میں تو جنازے میں شرکت بھی صف اول ہی میں کھڑے ہو کر کی جاتی ہے۔ موت سے پہلے قبر الاٹ منٹ کی اجازت نہیں، ورنہ اسلام آباد میں رہنے کو جگہ نہ رہتی۔ یہ الگ بات کہ لاہور اور دیگر زمیندار شہروں میں حجرے بنا کر محفوظ کیے جاتے ہیں کہ یہاں فلاں صاحب کو دفن کیا جائے گا۔

اسلام آباد میں بندر نظر نہیں آتے مگر افسروں کی نقل اتارنے والے اور ان کی طرح لباس پہننے والے بہت نظر آتے ہیں۔ ہندوستان میں ململ کا کرتہ اور پاجامہ یا دھوتی، شدید گرمی میں پہنی جاتی ہے۔ اسی طرح بنگلہ دیش، سری لنکا اور نیپال میں، میں نے دیکھا ہے مگر پاکستان میں بینک سے لے کر باقی سارے افسر، شدید گرمی میں سوٹ پہنے ہوئے ہوتے ہیں۔ ٹائی لگائی ہوئی ہوتی ہے۔ وہ اِسے شرفاء کا لباس کہتے ہیں۔ بلکہ کچھ وزیر تو گرمیوں میں بھی تھری پیس سوٹ پہنتے ہیں۔

آپ نے سیکرٹری کی ابرو کا اشارہ نہیں سمجھا۔ بس سمجھ لیں بلکہ پکا یقین کر لیں کہ آپ کی اے۔ سی۔ آر خراب، گویا پروموشن گیا، اگلی تنخواہ میں بڑھوتری بھی ناممکن۔ سیکرٹری بننے کے بھی آداب ہوتے ہیں۔ گھر کا نوکر فون دفتر میں کرتا ہے، صاحب چل پڑے ہیں۔ دفتر کا پی۔ اے فوراً اپنی واسکٹ درست کرتا ہے، نیچے آ کر باادب کھڑا ہوتا ہے، گاڑی کا دروازہ کھولنے اور صاحب کے ہاتھ سے بریف کیس لے کر پیچھے پیچھے چلنے کے لیے۔

اب آئی بیگم کی باری، فون کیا کہ ایک گاڑی میرے لیے بھجوائیے مجھے فلاں فلاں پارٹیز میں جانا ہے۔ کبھی کبھی تو اوپر والے افسروں کے گھر اچار پہنچانا، حلیم اور پائے پہنچانے، یہ تو روزمرہ کی خوشامد کی باتیں ہیں۔ بڑے افسروں کے پاس بیگم کے ذریعہ، یعنی اپنی بیگم کے ذریعہ سفارش کروانا Delicasies میں شمار ہوتا ہے۔ اسلام آباد کلب اس لیے جایا جاتا ہے کہ وہاں بھی افسروں کو سلام کرنے کا نادر موقع مل جاتا ہے۔

صحافی تو سیاست دانوں کے گھروں اور اسمبلی میں چٹی پٹی باتوں اور راتوں سے سیراب ہو جاتے ہیں۔ ادیب کیا کریں۔ کبھی کبھی رابطہ کی شکل میں اکٹھے ہو جاتے ہیں، کبھی کسی جلسے میں وقت کاٹ آتے ہیں۔ پہلے پہل تو اکٹھے چار افسانہ نگار ابھرے تھے۔ مظہر السلام، منشایاد، رشید امجد، احمد داؤد۔ وہ تیز تیز چلے کہ کون نمبر ون ہے۔ داؤد تو خیر جوانی ہی میں چلا گیا۔ باقی تینوں کو اللہ سلامت رکھے۔ خوب متانت سے ملتے ہیں اور وہ بچپنے والی حرکتیں نہیں کرتے جو چشمک دو شاعروں کے درمیان

بدتمیزی کی حد تک گرفت میں لیے ہوئے ہے۔ وہ افسانہ نگاروں میں نہیں ہے۔

انگریزی میں شاعری میں سکہ منوایا تھا' توفیق رفعت اور داؤد کمال نے' پھر وقاص خواجہ نے مضمون اور شاعری شروع کی۔ بعد ازاں ہمارے دوستوں میں چنگیز سلطان' اطہر طاہر' عالمگیر ہاشمی اور اعجاز رحیم نے شاعری کو سنجیدگی سے لیا اور کتابیں بھی شائع کیں مگر وہ شاعری ابھی غیر ملکی سرحدوں میں داخل نہیں ہوئی ہے۔ کاملہ شمسی ایسی نوجوان لکھنے والی ہے جس کی کتابیں اندرونِ ملک اور بیرونِ ملک خوب شائع ہوتی ہیں۔

اسلام آباد کی دو خوبیاں اور ہیں۔ کسی کے گھر یا ہوٹل میں مفت کھانا کھانا اور مفت میں ملے تو ناچ گانا بھی دیکھ لینا۔ اس سلسلے میں منہ سے دعوت نامہ مانگ لینا' محبت کی نشانی سمجھی جاتی ہے۔ البتہ جواباً سال کے سال ایک آدھ کھانا کر لینا' بہت احسان کیا جاتا ہے۔ ورنہ بہت سے دوست تو اس نعمت سے بھی محروم ہیں۔

اسلام آباد میں ان مسجدوں میں نماز پڑھنا' عین ثواب سمجھا جاتا ہے جہاں اعلیٰ افسران جاتے ہوں۔ اگر ان کی صف میں کھڑے ہونے کے لیے جگہ مل جائے تو ''حج کا ثواب نذر کروں گا حضور کی۔''

اسلام آباد میں لاہور سے بھی زیادہ دلچسپ منظر دکھائی دیتے ہیں۔ وہ دن بھی یاد ہے جب سپریم کورٹ پہ حملے کے بعد' آوازیں لگ رہی تھیں۔ ''بس کرو بس کرو' چلو پنجاب ہاؤس' قیمے والے نان ٹھنڈے ہو رہے ہیں۔'' میں دفتر بیٹھی تھی۔ مبارک ورک کا فون آیا ''آپی جلدی سے ٹی وی کی طرف آئیں۔'' میں گئی تو دیکھا دیواروں پہ سپاہی چڑھ رہے تھے۔

ایسے ایسے سبکی کے لمحے دیکھے ہیں' میں انڈونیشیا میں تھی' ناشتے کی ٹیبل پہ سب مجھے طعنے دے رہے تھے' تمہارے ملک میں تو حکومت بدل گئی ہے۔ ایسا ہی ہوا' جب جنوبی کوریا میں تھی' یونہی اس وقت ہوا جب نیروبی میں تھی' بھٹو صاحب کے چھوٹے بیٹے کے قتل کی خبر آئی تھی۔ ایسے لمحوں میں اسلام آباد میں سب کو سانپ سونگھ جاتا ہے۔ جب کوئی چلا جاتا ہے۔ پھر اس کی کہانیاں ٹیلیویژن سنٹروں اور ڈائجسٹوں میں چٹخارے لے کر شائع کی جاتی ہیں۔ اسّی فیصد افسروں کے بچے باہر پڑھتے ہیں۔ کیسے پڑھتے ہیں اور پیسے کہاں سے آتے ہیں۔ یہ معمہ ظاہر بھی ہے اور راز بھی ہے۔

بیشتر افسران' ریٹائرمنٹ سے پہلے' کسی نہ کسی بڑی فنڈنگ ایجنسی میں کنسلٹنٹ کم از کم دو

سال کے لیے تو لگ جاتے ہیں' ورنہ پھر فیڈرل پبلک سروس کمیشن اور اس طرح کے بے شمار ادارے ہیں' جہاں صاحب کی نذرِ کرم ان کو فکس کروا دیتی ہے۔

اسلام آباد میں رشوت نہیں لی جاتی ہے۔ صرف تحفے لیے جاتے ہیں' چاہے زمین کے ٹکڑے کی شکل میں ہو کہ کسی اکاؤنٹ میں پیسے جمع کرنے کی رسید۔ یہاں جہاں پیروں کے مرید رہتے ہیں' وہاں پوسٹنگ اور ٹرانسفر کے معاملات طے پائے جاتے ہیں۔ ویسے تو اب بیرونِ ملک بھی پیر صاحب موجود ہیں۔ لوگوں کو سر ٹکانے کے لیے کوئی آستانہ چاہیے ہوتا ہے۔

اسلام آباد میں رات گئے نکلو تو بڑے بڑے سوز' سڑکوں پر ٹہلتے نظر آتے ہیں۔ کئی گاڑیوں کے خطرناک ایکسیڈنٹ بھی ہو جاتے ہیں۔ کچھ کو گولی مار کر گورے لے جاتے ہیں۔ ویسے ان کی بندش سلامت رہے۔ سب کو معلوم ہے کون کون سے سفارتخانوں کے عملے کی تنخواہ' شراب بیچ کر اور ویزے کی فیس وصول کر کے پوری کی جاتی ہے۔ سفارتخانوں نے آگے بہت سے کارندے رکھے ہوئے ہیں' جن کے پاس اس وقت سے موبائل فون ہیں جب کسی کسی کے پاس یہ سہولت موجود تھی۔ وہ پندرہ منٹ میں آپ کی پسند کی ڈرنک فراہم کر دیتے ہیں۔ آپ حوصلہ تو کریں۔ ویسے صرف اپنے لیے کپی میں ڈرنک لانے والے بھی بہت ہیں۔ اپنی جیب سے کپی نکالی' گلاس بنایا' کپی واپس جیب میں رکھی۔ ''رند کے رند رہے' ہاتھ سے جنت نہ گئی۔''

اسلام آباد میں ایک فرقہ' صدارتیہ ہے۔ ایک فرقہ تقریر یہ ہے۔ ایک فرقہ جلسیہ ہے۔ کچھ لوگ جلسے میں آتے ہیں اگر ان کی صدارت ہو' کوئی تخصیص نہیں کہ علمی جلسہ ہے کہ مذہبی۔ فرقہ تقریر یہ میں' وزیروں' صدر' وزیر اعظم کی تقریریں لکھنے والے لوگ ہیں۔ یہ لوگ Cut & Paste کر کے' ایک گھنٹے میں نئی تقریر تیار کر لیتے ہیں۔ ہر زمانے میں یہ لوگ اِن رہتے ہیں۔ اب صدر بھی میسر ہے' تقریر بھی لکھی ہوئی حاضر ہے تو کوئی جلسہ کرانے والے بھی تو چاہیے۔ ادبی اور سماجی شعبوں میں یہ شعبدہ باز' بڑی آسانی سے میسر آ جاتے ہیں۔ کچھ مال آپ لگائیں اور کچھ کا انتظام ہو ہی جاتا ہے۔ آخر ایجنسیوں کو بھی تو خدمت کرنی ہوتی ہے۔ ہم نے ایجنسیوں کے لوگوں کو رات کے ایک بجے' کرسیاں لگاتے' پریس کانفرنس کرواتے اور پیپلز پارٹی کے ٹکڑے کرواتے دیکھا ہے۔ ہم نے تیز طرار صحافیوں کی ٹھکائی کرتے اور بلوچستان میں نوجوانوں کو غائب کراتے ہوئے دیکھا ہے۔

اسلام آباد میں استقبالیے بہت ہوتے ہیں۔ تقریباً 181 سفارتخانے ہیں۔ سب

استقبالیوں میں افسر، معہ فیملی پہنچتے ہیں۔ سردیوں میں شام ساڑھے پانچ بجے، پورا خاندان کھانا کھا لیتا ہے۔ ان کے گھروں میں میرا خیال ہے، شام کا کھانا کم ہی پکتا ہے۔ بقدرِ ظرف کم ہی، ظرف سے زیادہ اکثر شراب انڈیلی جاتی ہے۔ بیگمات نے وہ زرق برق لباس پہنے ہوتے ہیں کہ ان کے خود دلہن ہونے کا گمان ہوتا ہے۔

اسلام آباد میں بہت سی دیواریں ہیں مگر کسی دیوار پہ نہیں لکھا جاتا جیسے لکھا گیا تھا ''صدر فضل الٰہی کو رہا کرو۔''

ستارۂ سحری ہمکلام کب سے ہے!

چونکہ نوکری میں سیاسی لوگوں سے ملاقات لازمی تھی۔ اس لیے چاہے ڈویژنل کونسل کی رپورٹنگ جو جس کی اردو کی تصحیح کمشنر لاہور مختار مسعود صاحب کیا کرتے تھے۔ اس زمانے میں رائے منصب علی سے لے کر چودھری انور عزیز یہ سب ڈویژنل کونسل کے ممبر ہوئے تھے۔ تھوڑے ہی دن میں ہمارے ون یونٹ کے وزیر بلدیات ہو کر ٹیسین وٹو آ گئے، جن سے ملاقات (سیکرٹری جنرل پیپلز پارٹی کے ہونے تک جاری رہی۔ اللہ اللہ کیا کیا منزلیں طے کی ہیں پیپلز پارٹی نے)۔

سندھ میں پیر علی محمد راشدی کے توسط اور سندھ ادبی بورڈ کے اجلاس میں شرکت کے مواقع ملنے پر اور این میری شمل کے ساتھ، پیر حسام الدین راشدی سے گفتگو کرنے، بلکہ ادبی موضوعات پر بحثیں کرنے، لاڑکانہ میں ان کے امرودوں کے باغوں میں چہل قدمی کرنے، امرود کھانے اور فارسی شاعری میں عشق کے رموز والائم پر ان کی باتیں سننے کے بے شمار مواقع ملے۔ فارسی کتابوں کی تلاش اور مخطوطوں کے حصول کے سلسلے میں مخدوم امین فہیم کے والد طالب المولیٰ سے یادگار ملاقاتیں رہیں۔ قرۃ العین طاہرہ کے کلام کو جزوی طور پر تو پڑھا تھا۔ مکمل طور پر پڑھنے کا ذائقہ پیر صاحب کے توسط ہی حاصل ہوا۔ کئی دفعہ لندن سے کراچی آتے ہوئے، وہ فرسٹ کلاس میں سفر کر رہے ہوتے تھے۔ مخدوم صاحب کو بھیج کر یہ خبر ملنے پر کہ اس جہاز میں، میں بھی ہوں۔ پیر صاحب اپنے پاس بلا کر، بیدل، حافظ اور مولانا روم کے اشعار کی تفسیر کرتے جاتے تھے۔ اس طرح تالپور برادران کو ہم نے فیض صاحب کے قدموں میں بیٹھے شعر سنتے دیکھا ہے۔ چاہے وہ گورنر تھے یا وزیر داخلہ۔

ضیاء الحق کے زمانے میں صعوبتیں کاٹنے والے جام ساقی اور پلیجو صاحب سے ملاقات ہی نہیں رہی۔ ہم نے ان کے اعزاز میں بہت سے محفلیں بھی منعقد کیں۔ سید ھیانی تحریک کے حوالے سے مریم پلیجو سیاسی حیثیت میں اور نورالہدیٰ شاہ ہم عصر لکھنے والیوں میں بہت قریب رہی ہیں۔ حیدرآباد میں آپا شمس (جو کہ ماہر تعلیم تھیں) اور عابدہ پروین سے پہلی ملاقات ہی بنائے دوستی بنی تھی۔ بیگم بھٹو کے قریب ہونے کے باعث بیگم اشرف عباسی سے بہت اچھے تعلقات رہے جواب تک قائم ہیں۔ جب بھی لاڑکانہ جاؤں ان سے ضرور ملاقات رہتی ہے۔

ہم عصر لکھنے والوں میں عبدالقادر جونیجو کے ساتھ مکالمہ بڑا پرلطف رہتا ہے۔ یہ دور کے دوست قریب کے دوستوں سے بہت اچھے ہیں۔ خاطر مدارات اور محبت کی دیوانگی ان سب میں کوٹ کوٹ کر بھری ہے۔

پشاور جاتی تھی اور ہوں تو سب سے قریبی دوست تو محسن احسان ہے کہ ہم سب لوگ لاہور سے محسن کی برات لے کر ثروت کے گھر گئے تھے۔ پھر بعد میں اس کی اولاد کی شادیوں میں بھی شریک رہی ہوں۔ ممکن نہیں کہ محسن اسلام آباد آئے اور ملاقات نہ ہو۔ آج سے 25 برس پہلے ملاقات کا اڈہ فارغ بخاری کا گھر ہوتا تھا۔ رضا ہمدانی، خاطر غزنوی اور محسن ہم سب اکٹھے بیٹھتے تھے۔ ہم سب لوگ مل کر کوہاٹ بھی گئے تھے کہ قتیل شفائی کے ساتھ شام کا اہتمام ایوب صابر نے کیا تھا اور میری صدارت رکھی تھی۔ کوہاٹ میں ایک شاعر تھا جو میری ماہِ نو میں ادارت کے دوران دیسی گھی کا کنستر لے کر آ گیا تھا کہ آپ میری غزل شائع کریں اور یہ تحفہ وصول کریں۔

ایسے ہی حالات ساہیوال کا ایک شاعر پیدا کیا کرتا تھا۔ وہ کہتا تھا میں پستول نکال لوں گا اگر آپ نے میری غزل شائع نہیں کی۔ میرا اور قاسمی صاحب کا معاہدہ تھا کہ وہ جس کے پاس بھی پہلے آئے گا دوسرا فوراً ہنگامی اطلاع دے گا کہ غائب ہو جاؤ.... قدرت آ رہا ہے۔ جس طرح ہندوستان میں شاعر مشاعرہ پڑھتے ہوئے کہتے ہیں کہ "اگر آپ نے میری اس شعر پر داد نہ دی تو میرا دل ٹوٹ جائے گا" بالکل اس طرح گوجرانوالہ اور چھوٹے شہروں کے بہت سے شاعر اس طرح کے فقرے لکھ کر غزل کے ساتھ خط بھیجا کرتے تھے۔ یہ الگ بات کہ انہی لکھنے والوں میں سے غلام محمد قاصر جیسے شاعر اور محمود احمد قاضی جیسے افسانہ نگار نکلے ہیں۔

آج کے یا پرانے سیاست دان سب لاہور کے نیشنل سنٹر کے طفیل ہی لوگوں کے سامنے آئے ہیں۔ شیخ رفیق احمد ہوں کہ ملک معراج خالد، حنیف رامے کہ ایس۔ ایم مسعود، عابدہ حسین

ہوں کہ عطیہ عنایت اللہ، نیشنل سنٹر کی سٹیج نے ان کے تقریری ہنر کو جلا بخشی۔ اعتزاز احسن سے لے کر جہانگیر بدر تک، یہ سب بھٹو صاحب کی حکومت کے دوران ایسے دوست بنے کہ چاہے فیض صاحب کی سالگرہ، محمد علی فلم سٹار کے گھر ہو کہ خود فیض صاحب کے گھر، یہ سب دوست موجود ہوتے تھے۔ ایسی ہی کبھی رات گئے، ممتاز دولتانہ شامل ہو جاتے تھے تو کبھی میڈم نور جہاں۔ دولتانہ صاحب آخری مرتبہ، ڈاکٹر مبشر حسن کے ساتھ میرے بھائی جان کے گھر، اس مشاعرے میں آئے تھے جو کہ ہم نے حبیب جالب کے لیے فنڈز اکٹھا کرنے کے لیے منعقد کیا تھا، اس مشاعرے میں پہلی بار اعتزاز احسن نے اپنے شعر سنائے تھے۔ ویسے آج بھی پروین شاکر اور فیض صاحب کا حافظ اگر کوئی ہے تو وہ اعتزاز احسن ہیں۔

ملتان جاتی تھی تو پہلے تو قسور گردیزی کا گھر ہمارا اڈہ ہوتا تھا۔ میں تو ان کی لائبریری میں ایک دن ضرور گزارتی تھی۔ ان کے جانے کے بعد اڈہ ہے تو وہ اپنے دوست عزیز الرحمان کا گھر کہ عزیز، یوسف کا کلاس فیلو رہا ہے اور ہماری دوستی کو 46 برس ہو گئے ہیں۔ عزیز کے گھر ہی ڈاکٹر انوار، خالد، مجو کہ اور دوسرے دوست جمع ہو جاتے ہیں، جب بھی میں ملتان جاتی ہوں۔

ہم لوگ ملتان میں ایک گھر کو نہیں بھول سکتے۔ وہ ہے ثریا ملتانیکر کا۔ اتنے سلیقے سے کھانا بناتی ہیں اور ساتھ ساتھ جو کہو وہ سناتی جاتی ہیں۔ یہی منظر کوٹ اڈو میں ہوتا تھا۔ ہم لوگ پٹھانے خاں کی زندگی پہ فلم بنانے کو کوٹ اڈو گئے۔ دریا کے کنارے ان کو بٹھا کر گوایا ''میںڈا عشق وی توں''.... ان کے رہن سہن کی سادگی پہ بہت پیار آیا۔ وہیں میں نے کہا اگلی اتوار آپ میرے گھر ٹھہریں گے۔ مجھے کیا پتہ تھا۔ وہ سچ مچ اپنے سارے سازندوں کے ساتھ آ جائیں گے۔ خیر محفل تو بہت جمی مگر مجھے اپنے قالین دھونے کے باوجود ان میں سے مدت تک نسوار کی بو آتی رہی۔

ویسے ہم نے کیسے شرمناک کام کیے ہیں۔ ہم نے الن فقیر کو سندھیالوجی ڈیپارٹمنٹ میں چپراسی کی نوکری پہ فائز کیا۔ ہم نے استاد دامن کے گھر سے چرس برآمد کی۔ حبیب جالب پہ قاتلانہ حملے کا مقدمہ بنوایا، احمد فراز کو نوکری سے ایک دفعہ نہیں، کئی دفعہ نکلوایا۔ ''مائے نی....'' جیسے لازوال گیت گانے والے حامد علی بیلا کو سفیدی کرنے پہ مجبور کیا جب گانے کے لیے کوئی موقع نہ ہوتا تو گھر کی روٹی چلانے کے لیے کچھ تو کرتا۔ ساغر صدیقی کو کُپّی پلا پلا کر، داتا صاحب کی نالیوں میں گرا ہوا دیکھنے والے بھی تو ہمیں لوگ تھے۔ ڈاکٹروں کے منع کرنے کے باوجود، چھپ چھپ کے حبیب جالب کو شراب پہنچانے والے بھی تو ہمیں لوگ تھے۔ جوش صاحب سے ملنے نہ جانے والے اور جنازے میں شرکت نہ کرنے

والے بھی تو ہمیں لوگ تھے۔ اس وقت الطاف فاطمہ بالکل اکیلی ہیں۔ ان سے ملاقات کرنے کتنے لوگ جاتے ہیں۔ منیر نیازی کے گرد اگر عقیدت مند نہ ہوں اور اس کی پیاری سی بیوی نہ ہو تو ادیب تو اپنے علاوہ کسی دوسرے کی فکر ہی نہیں کرتے ہیں۔

لاہور میں میرا اور یوسف کا ڈاکٹر بلکہ سارے ادیبوں کا ڈاکٹر ایک اکیلا انور سجاد ہوتا تھا جس کو اب کراچی راس آ گیا ہے۔ جس وقت میں اقبال ٹاؤن رہتی تھی تو ڈاکٹر سلیم اختر، ذوالفقار تابش، یحییٰ امجد یہ سارے ایک منٹ کے بلاوے پہ اکٹھے ہو جاتے تھے۔ صرف شہروں کے فاصلے نے دلوں کے فاصلے زیادہ بڑھا دیئے ہیں۔

انور سجاد، ہندوستان میں بلراج مین را کا دوست تھا۔ یہ انور سجاد ہی تھا جس کے توسط، میری شاعری ہندوستان کے کونے کونے میں پہنچی۔ یہ انور سجاد ہی تھا کہ جب جیل جا رہا تھا تو اس نے مجھے فون پر کہا ''میرے Documents حفاظت سے رکھنا۔'' بس یہی فقرہ ٹیپ ہوا اور مجھ پر سی۔ آئی۔ ڈی تعینات کر دی گئی۔

یہی انور سجاد تھا کہ جس نے ہم دونوں کے ساتھ مل کر شاکر علی کو ہسپتال پہنچایا۔ زاہد ڈار کا مسلسل علاج کرانے والا بھی یہی ڈاکٹر تھا۔

بالکل ایسے جیسے ہم سب پر مقدمے بنتے تو کبھی اعجاز بٹالوی اور کبھی اعتزاز احسن ہماری وکالت کے لیے اپنے آپ حاضر ہو جاتے۔

بالکل ایسے جیسے ڈاکٹر آصف فرخی، ہم سب کو نت نئی چیز لکھنے پر آمادہ کرتا ہے، پڑھنے کے لیے کتابیں بھی دیتا ہے اور Internet سے نئے مضامین اتار کر پڑھواتا ہے۔ ضرورت پڑے تو ڈاکٹر بھی بن جاتا ہے۔

فراموش گاہوں سے نکل کر میرے سامنے ہاشم خاں کے فلیٹ کی محفلیں زندہ تر ہو گئی ہیں۔ ظہور نظر، اکرام اللہ، مسعود اشعر، یہ سب دوست کتنے ہنگامے کرتے تھے، مگر وہ مصرعہ ''تھی وہ اک شخص کے توسط۔'' یعنی ہاشم خاں نہیں کرتا محفلیں برپا تو لگتا ہی نہیں کہ لاہور میں کوئی رہتا ہے۔

لاہور میں موچی دروازے باغ کی ساری محفلیں تو خواب و خیال ہو گئیں۔ شہر کے اندر بیٹھکیں ہوتی تھیں۔ جہاں حقہ خواں بھی ہوتے تھے اور ہیر پڑھنے والے بھی۔

اب لاہور کے ہر کونے میں کھانے کے ذائقے ہیں۔ یہی رت اب کراچی اور اسلام آباد کیا حیدر آباد اور ملتان کو بھی اپنی لپیٹ میں لیے ہوئے ہے۔

بس رونق اگر ملے گی تو آپ کو داتا صاحب، شہباز قلندر کے مزار پہ سارے سال، باقی بابا فرید کے مزار کا جب بہشتی دروازہ کھلتا ہے تو بہت سے لوگ اس میں سے پہلے گزرنے کے جنون میں اپنی ٹانگیں تڑوا بیٹھتے ہیں۔ ہیر کے مزار پہ جھنگ میں لوگ جاتے ہیں۔ البتہ پنوں کا قلعہ تربت میں ٹوٹا پھوٹا ہے۔ ماروی، سوہنی اور سسی کی بس کہانیاں ہیں۔

عشق کتنی لازوال کہانیوں کو جنم دیتا ہے۔

صحافت کا شامیانہ

فیض صاحب' صوفی صاحب اور سبطِ صاحب کے پاکستان ٹائمز بلڈنگ میں بیٹھنے سے ایک تعلق یہ پیدا ہو گیا کہ ہفتے میں ایک دو بار چکر ضرور لگتا تھا۔ اس بلڈنگ میں پاکستان ٹائمز' امروز' لیل و نہار اور سپورٹس ٹائمز نکلا کرتے تھے۔ کون نہیں تھا جن سے دلی تعلق اور ذہنی رفاقت نہیں تھی۔ ہر کمرے میں دو تین ایسے لوگ ہوتے تھے' جن کے ساتھ گفتگو میں سیاست' ادب اور فنونِ لطیفہ' سبھی موضوع زیر بحث آ جاتے تھے۔

ایک کمرے میں صفدر میر بیٹھتے تھے تو دوسرے کمرے میں ننھا کارٹون بنانے والے انور علی اپنی محفل جمائے ہوتے تھے۔ صفدر میر کے کمرے نئی نظم کہنے والے نوجوان جن میں افتخار جالب نمایاں ہوتے تھے۔ منڈلی بنائے بیٹھے ہوتے تھے۔ انور علی اس زمانے میں کہانیاں پنجابی میں لکھ رہے تھے۔ شام کو نشست باری باری سب کے گھر ہوتی تھی اور نئی تحریریں سنائی جاتی تھیں۔ رپورٹرز کے کمرے میں اکمل علیمی امروز والے سیکشن میں اور پاکستان ٹائمز سیکشن میں آئی۔ اے۔ ایچ راشد اور محمد ادریس بیٹھا کرتے تھے۔ فوٹو گرافر سیکشن میں ایف۔ ای چودھری (ماشاء اللہ 90 سال کے ہو گئے ہیں اور خوش باش ہیں) ہنگامہ کر رہے ہوتے تھے۔

1960ء کے اوائل ہی میں اردو صحافت کے رنگ ڈھنگ بدلنے لگے۔ کچھ سنسنی خیز اور کچھ لڑکیوں کی تصویروں کے ساتھ کوہستان نکل آیا۔ ویسے تو پاکستان ٹائمز میں بھی خواتین کام کرتی تھیں۔ ایلیس فیس اور مریم حبیب بڑی متانت سے آتیں اور کام کرتی تھیں۔ ایلیس نے البتہ' پی پی ایل کے سرکاری ہونے کے بعد وہاں کام چھوڑ دیا تھا۔ امروز میں رفعت کام کرتی تھی' پاکستان ٹائمز میں طلعت بھی کام کرتی تھی مگر کوہستان میں سلمٰی کیا آئی۔ کچھ صحافتی زمین ہل سی گئی۔ میکلوڈ روڈ کی جانب سارے

نوجوان لکھنے والوں نے آنا جانا شروع کر دیا۔ ابھی دو ایک سال ہوئے تھے اس ہل چل کو کہ نسبت روڈ پر ایک اور اخبار کا بورڈ آویزاں ہوا۔ عنایت اللہ صاحب نے کوہستان سے الگ ایسا دیوان خانہ کھولا کہ جس میں چن چن کے مکین احسن اصلاحی، حبیب اشعر سے لے کر انتظار حسین تک کو عزت سے جگہ ملی۔ اب باقاعدہ خواتین کے صفحات میں مقابلے ہوتے، موضوع وہی تھا، لباس بال، سرخی پاؤڈر۔ ادب کا تڑکا انتظار صاحب لگاتے اور سیاسی تڑکے کے لیے انصاری صاحب کا ٹولہ تھا۔

پی پی ایل سے نکل کر ایک طرف حمید اختر اور عبداللہ ملک نے اپنا پرچہ نکالا، دوسری طرف مساوات ویکلی سے روزنامہ ہو گیا۔ اس زمانے سے پہلے بھی ویکلی نکلتے تھے، سب سے پرانا تو شیر محمد اختر کا تندیل تھا۔ پھر مولانا کوثر نیازی کا پرچہ تھا، جس میں سرخیاں لگانے میں اعزاز حاصل کرنے والا اور آج تک اُسی طرح مشہور، عباس اطہر تھا۔

عنایت اللہ صاحب نے کراچی میں مشرف کو مستحکم کرنے کے لیے اخبارِ خواتین نکالا۔ جنگ سے اس کے مقابلے میں اخبارِ جہاں نکالا اور انگریزی میں میگ نکالا۔ لاہور میں چھوٹی موٹی صحافت سے ایک دم اخبارِ جہاں کی ایڈیٹری کے درجے پہ محمود شام متمکن ہوئے، بے ہنگم داڑھی اونچا پاجامہ اور شیروانی کی جگہ سوٹ اور خوبصورتی سے کئی داڑھی نے مسکراہٹ بھی پہن لی کہ ٹائٹل پہ لڑکیوں کی تصویریں آنی ہوتی تھیں۔ وہ فون کرتی تھیں، ملنے بھی آتی تھیں۔ ادھر مسرت جبیں، اخبارِ خواتین کی پہلی ایڈیٹر مقرر ہوئیں۔ وہاں بھی لڑکیوں کا غلغلہ کچھ اس طرح ہی کا تھا۔ صحافت کی سنجیدگی جو امروز اخبار کے حصے میں تھی، وہ وہیں رہی۔

1968ء سے لے کر 1971ء تک، تہلکہ آمیز صحافت جاری رہی۔ ایک طرف مساوات تھا تو دوسری طرف عبداللہ ملک کا پرچہ تھا۔ تیسری طرف مشرق اور چوتھی سمت نوائے وقت انگریزی میں سول ملٹری گزٹ غائب ہونے کے بعد، اکیلا پاکستان ٹائمز رہ گیا تھا۔

اب انگریزی میں تہلکہ مچانے کو حسین نقی کا پرچہ ''پنجاب پنچ'' اور مظہر علی خاں کا پندرہ روزہ پرچہ تھا، جس میں ایلیس فیض، آئی۔ اے رحمان کے علاوہ سارے باغی نوجوان لکھ رہے تھے۔ ''پنجاب پنچ'' کے دفتر کے ساتھ شیزان کے اوپر پریس کلب تھا جہاں، حسب توفیق شراب یا جوا کھیلنے والے، رات گئے گھروں کو جایا کرتے تھے۔ ایک دفعہ نہیں، کئی دفعہ، بھٹو صاحب کے زمانے میں پنجاب پنچ پہ چھاپے مارے گئے، گرفتاریاں ہوئیں، جلوس نکلے، بہت ہنگامے ہوئے۔

1971ء ہی کے زمانے میں منو بھائی، عباس اطہر اور نذیر ناجی، مساوات کے صفحوں پر چھا

گئے۔ چونکہ حنیف رامے ادارت سے ایک دم سیاست میں آ گئے تھے۔ اس لیے پرچے کی ادارت میں نذیر ناجی کا دخل شروع ہو گیا۔ وہ بہت سی بعد کی حکومتوں کی طرح، بھٹو حکومت میں قربت کی گلیوں میں ہی خراماں خراماں گردش کرتے تھے۔ لوگ پوچھتے تھے کیا آپ نے بھٹو صاحب کا سوٹ پہنا ہوا ہے تو کبھی اثبات میں جواب دینے سے چوکتے نہیں تھے۔

سیاسی انقلاب نے اخباروں پر بھی اثر ڈالا۔ صحافت پر ضیاء الحق کی ایسی سنسر شپ نے گرفت مضبوط کی کہ قرآن کی آیات کے تراجم بھی نہ بچ سکے۔ جرنلسٹوں نے پی۔پی۔ایل کی بندش پہ بھوک ہڑتالیں کیں لوگ کہتے تھے کہ بھوک ہڑتال کے باوجود، صفدر میر کا وزن دو پونڈ بڑھ گیا تھا کہ رات کو ہم لوگ چپکے چپکے جا کر، ان لوگوں کو کچھ کھلا آتے تھے۔

بہر حال گرفتاریاں پیش کرنے کے لیے روزانہ دس صحافی سامنے آتے تھے۔ نہ حکومت نے اپنی روش بدلی اور نہ صحافیوں نے کہ اس زمانے میں مساوات پر زیادہ دباؤ تھا۔

ضیاء الحق کے زمانے میں ملتان کے ایڈیٹر کی حیثیت سے کام کرنے والے مسعود اشعر کا لاہور تبادلہ کر دیا گیا۔ انہوں نے ادبی ایڈیشن امروز کو چار چاند لگا دیئے۔ ان کی دیکھا دیکھی نئے نکلنے والے ''جنگ'' نے ادبی صفحے کے انچارج بنے۔ مظہر السلام تو چونکہ درویش صفت افسانہ نگار ہے۔ وہ تو اپنی جگہ قائم رہا مگر مرحوم حسن رضوی کے علاوہ دیگر روزناموں کے ادبی صفحوں کے انچارج حضرات نے دنیا بھر سے دعوت نامے منگوائے۔ ان لوگوں کے گھروں کا کھانا کھا کر، پاکستان میں ان کی رنگدار تصویریں شائع کیں۔ تقریبات منعقد کیں۔ گویا ادبی صفحوں نے ادب کی کمرشل مارکیٹ کھول دی۔

جیسے یہ ''جنگ'' نکلا ''مشرق'' کی لٹیا ڈوبنے لگی۔ آخر کو اِدھر پی۔پی۔ایل کی بندش ہوئی۔ ''مشرق'' بھی غائب ہوا اور پھر ''اخبارِ خواتین'' بھی غروب ہو گیا۔ زمانہ ایک جگہ تو ٹھہرتا نہیں۔ اسلام آباد جہاں پہلے صرف ایک ''مسلم'' نکلتا تھا۔ وہاں اخباروں کی، سیاست کی طرح گرم بازاری شروع ہو گئی۔ ''مسلم'' کو تو نکالنے والوں نے، زندہ درگور کر دیا مگر دیگر انگریزی اور اردو کے اخبار کچھ مالکوں نے اور کچھ ایجنسیوں نے نکال ڈالے کہ اسلام آباد، آدمیوں کا کم اور ایجنسیوں کا زیادہ طاقتور شہر ہے۔

کالم نگاری میں یوں تو سب سے پہلے ابن انشاء، نصر اللہ خاں اور ابراہیم جلیس نے نام پیدا کیا تھا۔ پھر لاہور میں انتظار حسین، محمد ادریس اور صفدر میر نے معرکے کے کالم لکھے۔ بعد ازاں نمودار ہونے والوں میں زِم اور منو بھائی نے اپنی زورِ بیانی سے بہت سے لوگوں کے منہ بند کیے اور آگے نکل گئے۔

کمپیوٹر اور انٹرنیٹ نے اخباروں کو ایک سے زیادہ جگہ سے شائع ہونے کے مواقع دیئے۔ آگے بڑھے تو انہی اخبار والوں نے اپنے اپنے چینل بھی کھول لیے۔ دن دگنی اور رات چوگنی ترقی ہوئی مگر وہ صحافت کہ جس نے پی ایف یو جے سے جنم لیا تھا جس کی بنیاد نثار عثمانی اور منہاج برنا نے ڈالی تھی، جس کی خاطر انہوں نے سینکڑوں دفعہ جیل کی سلاخیں دیکھی تھیں، جس کو آج تک چھاپڑا اور راشد، اصولی صحافت کے ذریعہ چلائے جا رہے ہیں، اس صحافت کی جگہ، ایجنسیوں کے کارندوں نے لے لی ہے۔ اس کا پورا احوال، آپ کو ضمیر نیازی کی کتابوں میں مل جائے گا۔

ایک زمانہ تھا کہ ہماری طرح، صحافیوں کی بیویاں بھی، اخباروں کی ردی بیچ کر مہینے کا آخری ہفتہ چلایا کرتی تھیں۔ اب جب وزیر مقرر ہوتے ہیں تو ان کے ہاتھ میں وہ فہرست تھما دی جاتی ہے کہ یہ اپنے بندے ہیں، یہ آپ کا خیال رکھیں گے، آپ ان کا خیال رکھیے گا۔

اب جرنلزم، بزنس ہے۔ مولانا ظفر علی خاں والی صحافت نہیں ہے۔ خلیل صاحب ''جنگ'' کے دفتر میں کاغذ کے دوسری طرف بھی لکھنے کی کفایت شعاری کیا کرتے تھے۔ اب تو کوٹے کا کاغذ بیچ کر بھی آمدن بڑھانے اور بلڈنگیں کھڑی کرنے میں کوئی حرج نہیں ہے۔ اس لیے آج کل اشتہار پڑھنے کے لیے اخبار خریدا جاتا ہے۔

مگر یہ سب برداشت کہ فریدہ حفیظ، شمیم آرام الحق تو صحافت چھوڑ چکی ہیں۔ ایاز امیر اور خالد احمد کے کالم، مبارک اور اسحٰق چودھری خبریں اٹھائے آ کر کہتے ہیں ''آپی یہ ہے نیا تازیانہ۔'' اسلام آباد میں رہنا، رسّی پہ چلنے کے مترادف ہے۔

میں اور میری پنجابی

ایک دفعہ احمد بشیر اور صفدر میر کے درمیان شرط لگی کہ احمد بشیر کہہ رہے تھے کہ میری پیدائش پنجاب کی ہے اور صفدر میر کہہ رہے تھے کہ میں ہندوستان میں پیدا ہوئی تھی۔ دونوں نے سوسو روپے کی شرط لگالی۔ اب مجھے فون کیا اور تحقیق کرنی چاہی۔ میں نے کہا ''آپ دونوں مجھے ہی سوسو روپے دے دیں کہ میں گرچہ پیدا ہندوستان میں ہوئی تھی مگر ہوش سنبھالا پاکستان میں اور وہ بھی لاہور میں۔''

مجھے نہیں یاد کہ میں نے کوشش سے زبان سیکھی ہو۔ یہ بھی یاد نہیں کہ میں نے سکول ہی میں پنجابی بولنی شروع کردی تھی کہ کالج میں آ کر بولی۔ کہ سکول میں تو گلستان اور بوستان پڑھنے کے علاوہ سعدی کی ساری شاعری پڑھنی مجھے اچھی لگتی تھی۔

بس اتنا یاد ہے کہ جب میری شادی ہوئی تو میں اپنے سسرال کے ساتھ اچھی بھلی پنجابی بول سکتی تھی۔

پھر یوں ہوا کہ شفقت تنویر مرزا، نجم حسین سید اور دیگر دوستوں نے مجلس شاہ حسین بنائی۔ یوسف بھی اس میں پیش پیش تھے، میں بھلا کہاں پیچھے رہ جانے والوں میں تھی۔ ہم لوگ میلہ چراغاں پہ محفل شعروسخن کرنے کے علاوہ مطبوعات بھی بقدرِ استطاعت شائع کررہے تھے۔ یوسف تو میلے کے ہجوم کے درمیان گاڑی لے جا کر کھڑی کر دیتا تھا۔ گھوڑے نچانے والوں کو گاڑی کی چھت پر نچانے کی دعوت دے کر خوش ہوتا تھا۔ یہ الگ بات کہ ساری گاڑی کی چھت پہ گھوڑوں کے پیروں سے جو گڑھے بنتے تھے، ان کو نکالنے سے پہلے مستری کہتا تھا ''پہلے یہ بتائیں یہ نشان پڑے کیسے ہیں۔''

بھلا ہو ڈاکٹر نذیر اور بابر علی کا کہ انہوں نے ہیر وارث شاہ سے لے کر سارا پنجابی کلاسیکل کلام، خوبصورت مجلد شکل میں شائع کیا۔ حنا بابر علی جو خود انگریزی کی شاعرہ ہے اور مجھ سے ہمیشہ سے

بہت محبت کرتی ہے، وہ ہر اشاعت پر ایک کتاب مجھے بھجوا دیتی تھی۔ یہ تھی میری پنجابی شاعری سے گہرے تعلق کی اساس، صوفی صاحب کی پنجابی شاعری، انور علی اور رفعت کی پنجابی کہانیوں نے شوق کو سوا کیا۔ ستنام کے پنجابی کے ریشمی لہجے نے، مجھے پنجابی بے خطر بولنے پہ آمادہ کیا۔

یہ کوئی 1964ء یا 65ء کی بات ہے۔ ریڈیو پاکستان نے عورتوں کا پنجابی میں آدھے گھنٹے کا پروگرام شروع کیا۔ مجھے اور ستنام محمود کو کمپیئر کرنے کو کہا۔ ستنام کو گورمکھی میں پنجابی لکھنی آتی تھی۔ مجھے اردو میں بھی پنجابی لکھنی نہیں آتی تھی۔ فیصلہ ہوا کہ ہم دونوں زبانی آدھے گھنٹے کا پروگرام کیا کریں گے۔ کرنا بھی شروع کر دیا۔ پروگرام خوب چلا۔ کچھ لوگوں کی شکایت آئی کہ یہ دونوں تو لاہوری پڑھے لکھے لوگوں کی زبان بولتی ہیں۔ ٹھیٹھ پنجابی تو بولتی ہی نہیں۔ ہم نے کہا اگر ایسا ہے تو لو سنو۔ ہم دونوں نے لکھ کر ٹھیٹھ پنجابی پروگرام کیا۔ سٹوڈیو سے باہر نکلے تو ڈیوٹی آفیسر کا ہنسی کے مارے برا حال تھا۔ اس نے کہا ''بہت سے فون آئے ہیں کہ ان دونوں کو کہیں ہماری توبہ ہم اعتراض نہیں کرتے، یہ دونوں اپنے پرانے لہجے میں ہی گفتگو کریں۔ وہی لطف دیتا ہے۔''

پنجابی کلاسیک پڑھنے میں شریف کنجاہی نے بہت مدد کی۔ انہوں نے ہی زبردستی، منو بھائی کی بیگم اعجاز کو پنجابی میں ایم۔اے کروایا تھا۔ شاہین مفتی کو نظم و نثر لکھنے پر شاباش دی۔ جلال پور جٹاں بیٹھی اس خاتون نے Theory of alienation تک کو پاکستانی ادب پہ منطبق کر کے دکھا دیا۔

اسی زمانے میں میری طرح، ٹھیٹھ پنجابی اور ثقیل اردو بولنے والے خاندانوں میں اولادوں کی شادیاں ہوئیں۔ سلیمی کی شعیب ہاشمی سے اور حسین نقی کی قزلباش خاندان میں شادی ہوئی۔ نیر سلطانہ کی درپن سے شادی ہوئی۔ ایس۔ سلیمان کی زریں سے، قنبر علی شاہ کی نجمہ سے، بعدازاں بینا کی سلمان شاہد سے، فہمیدہ کی سندھی ظفر اجن سے، گویا اس طرح زبانوں کا ملاپ پھیلتا ہی گیا۔

ٹیلیویژن والوں نے مجھے پنجابی پروگرام کمپیئر کرنے کی دعوت دی۔ ہمارے ہی عزیز دوست شفقت تنویر مرزا اور سبط الحسن ضیغم نے اعتراض کیا کہ یہ تو اردو بولنے والے خاندان سے ہے۔ اس سے پنجابی پروگرام کیوں کروا رہے ہیں۔ پوچھا معانی یا تلفظ کی غلطی ہے۔ بولے یہ سوال نہیں ہے۔ سوال یہ ہے کہ Son of the soil سے پروگرام کروایا جائے۔ آج تک اسی قسم کے اعتراضات ان سب لوگوں پر فتوے کی طرح صادر کیے جاتے ہیں۔

حسین نقی نے پنجابی زبان کا روزنامہ نکالا۔ زبان کے استعمال کے لیے مشورے نجم حسین سید، دیتے تھے۔ کبھی ہیڈ لائن سمجھ میں آجاتی تھی کبھی دوسروں سے اس کا مطلب پوچھتے تھے۔ بجائے

اس کے لوگ تعریف کرتے کہ ایک اردو بولنے والے نے اتنی جرأت کی ہے اور پنجابی کا روزنامہ نکالا ہے۔ سو سو کیڑے نکالے جاتے تھے۔ آخر وہی ہوا کہ اخبار بند ہو گیا۔ سندھی کے کئی اخبار نکلتے ہیں۔ پنجاب کی آبادی سے ایک تہائی ہے مگر اپنی زبان پہ فخر کرتے ہیں، سکولوں اور دفتروں میں باقاعدہ پڑھائی جاتی ہے۔

ویسے تو انٹرنیشنل پنجابی کانفرنس کبھی کبھی سال میں دو مرتبہ بھی ہو جاتی ہے۔ یہ الگ بات اس میں سردار جی آکر احمقانہ تقریریں کرتے ہیں کہ یہ دو ملکوں والی لکیر مٹا دینی چاہیے، مقابلہ دیوارِ برلن سے کرتے ہیں۔ حالانکہ مولانا ابوالکلام آزاد نے قیامِ پاکستان کے بعد کہا تھا کہ اب یہ ملک پاکستان بن گیا ہے۔ اس کو تسلیم کرنا ہی دانشمندی ہے۔ علاوہ ازیں ان کانفرنسوں میں کبھی کبھی ٹماٹروں کا اور کبھی گالم گلوچ کا آزادانہ استعمال کیا جاتا ہے۔

اب ایک اور بحث چل پڑی ہے۔ انٹرنیشنل پنجابی کانفرنس کے عالمی سربراہ نے کہا تھا کہ اردو تو کوٹھے کی زبان ہے اور لوگوں نے خوب سنائی تھیں۔ اب احمد فراز نے اردو کے کلچر کو کوٹھے اور خوشامد کا کلچر کہہ دیا ہے۔

مجھے پنجابی اور اردو دونوں پسند ہیں۔ میں احمد راہی کو بھی اُسی محبت سے پڑھتی ہوں جس محبت سے فیض صاحب کو، یہ الگ بات ہے کہ اب احمد راہی کی ترنجن، ڈھونڈے سے بھی نہیں ملتی ہے۔ میں ان لوگوں میں سے نہیں ہوں جو پنجابی کی محبت میں سرائیکی زبان کی اپنی حیثیت کو فراموش کر دیتے ہیں۔

فلمی ستاروں کی دنیا جو ڈوب گئی

ایک تو فلم سٹار بھائی محمد علی کے باعث دوسرے ریاض شاہد کے سبب فلمی دنیا کے ادب دوست لوگوں سے محبت اور قرابت ہوتی چلی گئی۔ سنسر بورڈ میں میرے ساتھ سنتوش کمار صاحب تھے۔ ان کے باعث ان کے گھر آنا جانا ایسا ہوا کہ پھر درپن، نیر سلطانہ، ایس سلیمان اور زریں سے وہ دوستی ہوئی کہ لگتا تھا ہم سب ایک ہی خاندان کے لوگ ہیں۔

اُدھر روبینہ قریشی اور مصطفیٰ قریشی کو بھی ادب اور ادیبوں سے شغف تھا۔ جو بھی نشست ہوتی اس میں جب تک بخاری صاحب اور صوفی تبسم صاحب زندہ تھے وہ شامل ہوتے۔ میری اور روبینہ کی دوستی بہت پرانی تھی۔ اس لیے گانا اور میں نے ریڈیو پہ آنا، تقریباً بیک وقت شروع کیا تھا۔

نشستیں کہ جس میں گائیکی اور شاعری دونوں ہوتی تھیں، وہ کسی کے لاہور آنے کے بہانے چاہے وہ مہتاب راشدی ہو کہ نورالہدیٰ شاہ ہو کہ کسی ہندوستانی ادیب کی دعوت کے بہانے، ہم سب اکٹھے ہو جاتے تھے۔ اس زمانے میں سب پڑھے لکھے فنکار تھے۔ شمیم آراء، غلام محی الدین اور مونا، جاوید شیخ جن کے ساتھ ایک زمانے تک سلمیٰ آغاز اور پھر نیلی آتی رہیں، پھر جیسے جیسے ان کی محبتیں بدلتی گئیں ہیروئنیں بھی بدلتی گئیں۔ زیبا بھابی، علی بھائی کے ساتھ، میرے گھر، صوفی صاحب اور مصطفیٰ قریشی کے گھر آتی تھیں۔

فلم سنسر بورڈ کے دوران، سنتوش بھائی اور میں، بہت تنگ کیا کرتے تھے ان تمام حضرات کو کہ جن کی بظاہر داڑھی ہوتی تھی یا چھپی ہوئی داڑھی ہوتی تھی۔ اس زمانے میں حکم آیا تھا کہ پاکستانی نام کی ہیروئن نہ ساڑھی پہنیں گی اور نہ سکرٹ نما کسی قسم کا مغربی لباس۔ فلم والوں کو اور کیا چاہیے تھا۔ وہ ایک سائیڈ ہیروئن کو یا تو عیسائی بنا دیتے تھے یا ہندو۔ اب خوشی سے ان کو ساڑھی اور سکرٹ پہناتے، بندی

لگواتے، پگڑی والے سردار بنواتے، لطیفے جو اس طرح ادا نہیں کیے جا سکتے تھے ان کو سرداروں کے ذریعہ بیان کروایا جاتا۔

ضیاء الحق کے زمانے میں ستر ہزار لوگوں کو کوڑوں کی سزا دی گئی تھی۔ اس کو بیان کرنے کے لیے منور ظریف اور رنگیلا ایسے فقرے چھوڑتے تھے کہ ہم لوگ کہتے کہ اس کو فلم میں رہنے دیا جائے اور سرکاری ممبران کہتے نکال دیا جائے۔ مثلاً رنگیلا سپاہی بنا ہوا تھانے میں بیٹھا ہے۔ ایک صاحب آتے ہیں، پوچھتے ہیں ''کیوں بھئی تھانیدار جی کہاں ہیں۔'' رنگیلا کہتا ہے ''او جی، کوڑے کھٹ گئے نیں۔ ہور لینلئی گئے نیں۔''

اس کے علاوہ ساری فلم میں مار کٹائی دکھا کر آخر میں روضۂ رسولؐ دکھا کر ہیرو کو ایک دم عقل آ جاتی ہے کہ وہ تو ظلم کر رہا تھا۔ وہ گناہوں سے توبہ کر لیتا ہے اور جس خاتون پہ ظلم کر رہا ہوتا ہے، اس کو فوراً بہن بنا لیتا تھا۔

ضیاء الحق کے زمانے ہی میں سنسر قوانین میں اس تبدیلی کا حکم بھی آیا کہ ہیرو، ہیروئن نہ ایک دوسرے کو چھو سکتے ہیں اور نہ ایک بیڈ پر بیٹھ سکتے ہیں۔ اب فلم والے کیا کریں۔ وہ آدھی سے زیادہ فلم خواب میں بنا دیتے تھے، جس میں ہیرو، ہیروئن کی شادی ہو جاتی تھی۔ اب وہ سب کچھ کھیل کھیل میں شرعی طور پر، سینما سکرین پر کر لیا کرتے تھے۔

اگلے وقتوں میں جب ہم بابِ خیبر سے پرمٹ لے کر، کابل سیر کرنے اور فلمیں دیکھنے ساڑھیاں خریدنے جاتے تھے، اس زمانے میں، ہمارے سارے سینئر پروڈیوسرز، جیسے شباب کیرانوی وغیرہ تھے، یہ اپنی پوری ٹیم لے کر جس میں رائٹر، گیت نگار، مکالمہ نگار، موسیقار، کیمرہ مین، یہ سب ہوتے تھے، ان کو فلم دیکھنے اور ساتھ ساتھ اپنے سکرپٹ کے نوٹس تیار کرنے کا حکم ہوتا تھا۔ یہ سب لوگ ایک فلم کئی کئی دفعہ دیکھتے تھے، تاکہ مکمل نقل ہو سکے اور پھر پاکستانی فلم بن جاتی تھی۔ بالکل اس طرح جیسے آج کل ویسے تو کیبل پر انڈین چینل بند ہیں مگر پاکستانی چینل، ان کی با آسانی نقل بنوا کر پاکستانی چینلز پر چلا رہے ہیں، باقی جو کام بچ جاتا ہے، وہ ڈائجسٹوں میں ترجمہ کیے ہوئے ناولوں سے کام چلا لیا جاتا ہے۔

شمیم آراء میری دوست بنی جب انہوں نے ڈبلیو زیڈ۔ احمد کے بیٹے فرید سے شادی کی۔ پھر اس نے ثمینہ احمد سے شادی کی۔ اف اللہ اگر میں شادیوں کا سلسلہ بتانے لگ جاؤں گی تو باب بہت طویل ہو جائے گا کیونکہ بہت سی شادیاں تو ''دلہن ایک رات کی'' کا انداز لیے ہوتی تھیں۔ سوائے سنتوش فیملی، علی بھائی اور مصطفیٰ قریشی کے، باقی آئے بھی وہ گئے بھی وہ والا قصہ تھا۔

البتہ شبنم اور رابن گھوش کے علاوہ ناہید اور مصلح الدین کی جوڑی بڑی خوبصورت رہی۔ شبنم کے ساتھ، ضیاء الحق کے زمانے میں بہت سخت زیادتی ہوئی تھی۔ یہ رابن گھوش ہی تھا جس نے بڑے حوصلے سے سب کچھ سہا اور حکومت نے رائے عامہ دیکھ کر کچھ دن کے لیے ان لڑکوں کو بند کر دیا تھا جنہوں نے شبنم کے ساتھ زیادتی کی تھی۔ اسی زمانے میں موسیقی میں بھی شائستگی چونکہ کم کم ہوگئی تھی اس لیے ناہید اور مصلح الدین نے پاکستان سے کوچ کر جانے ہی میں دانشمندی سمجھی اور یوں سجاد سرور نیازی کی بیٹی ''ایک بار پھر کہو ذرا'' اپنے باپ کا گیت، دیارِ غیر میں گانے لگی تھی۔ اس طرح جب رابن گھوش نے میوزک دینا کم کیا تو بنگلہ دیش کی جانب رجوع کیا۔ شبنم فلموں میں 45 سال کی عمر تک آتی رہی۔ پھر ہیروئن، سٹیج سے غائب ہوگئی۔

پرانی فلموں میں، برصغیر کی ہیروئن ببو ہوتی تھی۔ سنا ہے وہ اصلی سونے کی جوتی پہنا کرتی تھی۔ پروڈیوسرز اس کو جوتی پہنانے کے لیے اپنی باری کے منتظر رہتے تھے۔ قیامِ پاکستان کے بعد وہ پاکستان آ گئی۔ لوگ غرارہ پہنے اس کو ماں کی شکل میں فلم میں دیکھتے تھے۔ دو ہی عورتوں کو غرارہ سوٹ کرتا تھا۔ ایک ببو اور دوسرے نیر سلطانہ۔ باقی لوگوں کو تو غرارہ پہننا آتا بھی نہیں تھا۔

وہی ببو جب مری تو گھر میں کھانے کو بھی نہیں تھا۔

کہنے کو صبیحہ خانم نے 25 برس تک فلم انڈسٹری پر راج کیا مگر وہ دن بھی آئے کہ رکشہ پر بیٹھ کر، لاہور آرٹس کونسل کی سٹیج پر ڈرامہ کر کے اپنے لیے روٹی کماتی تھیں۔ اب امریکہ میں بیٹے کے پاس زندگی کے دن پورے کر رہی ہیں۔

ڈبلیو زیڈ۔ احمد کی بیگم جو بمبئی سے ''پراسرار نیناں'' کے نام سے مشہور تھیں، پاکستان آ کر صرف ''پراسرار'' بن کر رہ گئیں۔ جیسے گڑھی شاہو میں ہمارے محلے میں ایک لڑکی رہتی تھی جو اکثر سکول چھوڑ کر چلی جاتی تھی۔ دو تین سال کے بعد پتہ چلا کہ وہ تو مسرت نذیر بن کر فلموں میں آنے لگی ہے۔ اس کے خاندان نے گڑھی شاہو کا وہ محلّہ چھوڑ دیا اور گلبرگ میں اس وقت فوارے تک جو کوٹھیاں بنی ہوئی تھیں ان میں منتقل ہو گئے۔

کرکٹرز اور فلم ایکٹرسوں کا عشق شروع ہی سے مشہور ہوتا چلا آیا ہے۔ کرکٹر وقار نے فلم ایکٹرس سے شادی کی۔ اس طرح محسن حسن خاں نے فلم ایکٹرس سے شادی کی۔ ہندوستان میں بھی یہ سلسلہ عام ہے۔ کبھی نرم، کبھی گرم، یہ داستان کبھی طویل، کبھی مختصر۔

زندگی سے مکالمہ

زندگی نے گزرتے ہوئے اکثر مجھے ٹوک کر یہ پوچھا ہے ''بتاؤ تمہارا سچا دوست کون ہے؟'' میں انگلی اٹھا کر جاوید شاہین اور ش۔ فرخ کی جانب دیکھتی ہوں کہ میری شادی کے دو ماہ بعد جیسے ہی جاوید شاہین دفتر کا ساتھی ہوا، ہمارا ایک دوسرے کے گھر آنا جانا شروع ہو گیا۔ مجھ سے کم اور یوسف کے ہم رکاب بلکہ ہم زبان اور ہم ذائقہ بہت رہتا تھا۔

زندگی نے پلٹ کر تھپڑ مارا۔ ''کیا وہ سب بھلا دو گی جو اس نے تمہارے بارے میں لکھا ہے۔'' وہ تو تمہارے بارے میں کہتا ہے کہ ''کشور ناہید بڑے عہدوں کی متلاشی عورت رہی ہے۔'' میں نے حوصلہ پکڑتے ہوئے کہا۔ ''وہ تھوڑا سچا ہے، اس نے تو لکھ دیا۔ باقی تو اس سے بھی زیادہ منہ زبانی کہتے رہتے ہیں۔''

زندگی نے پلٹ کر آگے جاتے ہوئے کہا۔ ''پھر تو تم منو بھائی کو بھی اپنا دوست کہو گی۔''

میں نے زندگی سے پوچھا۔ ''زندگی کے چالیس برس جن لوگوں کے ساتھ گزارے ہوں، ان کی ہر اچھی بری زندگی میں ساتھ دیا ہو، ان کو میرے اور ان کے رازوں کا علم ہو۔'' زندگی پھر ٹھٹک گئی۔ ''کیا کہے جا رہی ہو۔ کس کے رازوں کا علم ہو۔ تم تو اپنے بارے میں پہلے خود نقارہ بجاتی ہو۔ پھر لوگ اس پر تیل چھڑکتے ہیں۔''

''پر یہ تو تم مانو گی کہ ذہنی طور پر ان لوگوں کے قریب رہی ہوں۔ جانتی ہو ایک زمانے میں ہر روز شام کے سات بجتے اور زاہد ڈار گھر کے دروازے پر ہوتا تھا۔ بچوں کو پڑھاتے پڑھاتے میں ڈرایا کرتی تھی۔ جلدی جلدی ہوم ورک کرو۔ زاہد ڈار کے آنے کا وقت ہو چلا ہے۔ اتنے میں دروازے کی گھنٹی بج جاتی۔

''مگر اس نے تمہارے کہنے بلکہ ایک شام ڈانٹنے پر ساری عمر کے لیے شراب چھوڑ دی تھی۔ یہ وہی زاہد ڈار ہے نا کہ جو اپنا پوا ختم ہونے پر ضد کر کے چلتی گاڑی سے اتر جاتا تھا کہ مجھے اور شراب چاہیے۔'' زندگی نے مجھے یاد دلایا۔

''اس کے علاوہ یہ بھی درست ہے کہ اچھا اور عصری عالمی ادب پڑھنے کی جانب اس نے ہی مجھے راغب کیا تھا۔ نئی سے نئی کتابیں لا کر دیتا تھا۔ ان پر بحث کرتا تھا۔ میں ترجمہ کرنے پر تیار ہوتی تو وہ ہلاشیری دیتا۔ مجھے غیر ملکی ادیبوں کا تعارف چاہیے ہوتا تو وہ ڈھونڈ کر، کسی بھی لائبریری سے لا کر دیتا۔ سچ تو یہ ہے کہ جب منو بھائی اور جاوید شاہین، یوسف کی شاموں کو آباد کرتے، اس کی شام کی سہیلیوں سے ملاقات کرتے تھے تو زاہد ڈار ان کو ڈانٹتا تھا۔''

اب منو بھائی نے زندگی کو پکڑ لیا۔ ''دیکھو یہ کبھی نہیں کہے گی کہ وہ اس کی محبت میں گرفتار تھا۔ یوسف بھی اسی بات پر نالاں تھا اور ہم سب لوگ یہ بات جانتے تھے۔''

زندگی نے قہقہہ لگاتے ہوئے پوچھا۔ ''کیا کبھی زاہد ڈار نے تمہارے سامنے اس عشق کا اظہار کیا تھا کہ میں بھی تو کشور ناہید کے ساتھ رہی ہوں۔ میں نے ایسا واقعہ نہیں دیکھا۔''

میں ان دونوں کی گفتگو میں مخل ہوئی۔ ''یہ سب مرد میرے دوست تھے۔ باقی لوگ کتابوں کی باتیں نہیں کرتے تھے۔ زاہد ڈار کتابوں کی باتیں کرتا تھا۔''

''اور وہ جو ایک عورت کے حوالے سے اس نے پوری نظموں کی کتاب بنائی تھی، جس کے بعد تم نے اسے ڈانٹا تھا کہ تمہارے پاس کوئی اور موضوع نہیں ہے تو اس نے، شراب کے بعد شاعری لکھنا بند کر دی تھی۔ کیا اس کو بھی تم مروّت کے خانے میں ڈالو گی۔'' زندگی نے اب مجھے جواب دینے پر اصرار کیا۔

''دراصل زاہد ڈار کا آئیڈیل میرا جی تھا۔ بس حوصلے کی کمی تھی۔ اس لیے وہ میرا جی کی طرح مالائیں پہن سکا، نہ کسی عورت کا نام لے سکا۔'' مگر میرا جی نے بھی تو اپنے تصور میں خاتون میرا سین بسالی تھی۔ اس بے چاری کو تو علم بھی نہ تھا کہ کوئی شاعر اس کے عشق میں مبتلا ہے۔ ''شاید خود فریبی کی ایسی ہی منزل زاہد ڈار پر بھی تھی۔'' مگر وہ منزل اور کیفیت اس کی ساری زندگی پر حاوی رہی ہے۔ چاہے قصور جانا ہو کہ ماڈل ٹاؤن، ایک بے نام کیفیت میں مبتلا یہ شخص اس لیے اچھا ہے کہ کبھی کسی کے پیچھے غیبت نہیں کرتا ہے۔

شاموں کے دوستوں میں کبھی احمد مشتاق شامل ہو جاتا اور کبھی سلیم شاہد۔ بہت سے دوستوں

کی جوڑیاں مشہور ہوگئی تھیں۔انتظار حسین اور ناصر کاظمی کی جوڑی، قیوم نظر اور سعید شیخ کی جوڑی،اے حمید اور نواز کی جوڑی، جاوید شاہیں اور سلیم شاہد کی جوڑی۔ پھر یوں ہوا کہ منو بھائی، جاوید شاہیں اور اکرام اللہ کی تکون بن گئی۔ وہ بھی اکرام اللہ کے بہت دور جا بسنے کے باعث صرف تھوڑا جوڑی یعنی منو بھائی اور جاوید شاہیں ہی اکٹھے ہوتے ہیں۔

انتظار حسین کی الگ میز ہوتی تھی جس پر انجم رومانی، شہرت بخاری، سجاد باقر رضوی، احمد مشتاق اور ناصر کاظمی ہوتے تھے۔ بالمقابل افتخار جالب کی میز ہوتی تھی، نئی شعری لسانیات کی گرما گرم بحث ہوتی تھی جس میں عزیز الحق، انیس ناگی، جیلانی کامران، خالد لڈو، سعادت سعید اور کبھی کبھی شاہد محمود ندیم بھی شامل ہو جاتے تھے۔اب تم سب کا ذکر کر رہی ہوں مگر احمد بشیر کے مضمون کے حوالے سے گریز کر رہی ہو۔ اس نے تمہیں چھپن چھری کہا تھا۔اس نے مضمون میں ایسی واہیات باتیں کی تھیں کہ جلسے میں موجود خدیجہ مستور رونے لگی تھیں۔ زندگی نے کچوکا دیا۔

''یہ سچ ہے کہ احمد بشیر نے مجھے کئی دفعہ کہا تھا۔تو میرا مضمون پڑھ لے جو چاہے کاٹ دے۔ مجھے اندازہ ہی نہیں تھا کہ وہ اس قسم کی زبان استعمال کرے گا۔ میں نے ویسے اس کے لکھے ہوئے مضمون پڑھے بھی نہیں تھے''۔

''مگر وہ مضمون 20 برس تک غائب کہاں رہا''۔ زندگی نے پوچھا۔

''محمد طفیل نقوش والے نے غائب کر دیا تھا''۔ یہ تو یونس جاوید نے کھدائی میں نکالا اور صرف اس مضمون کے باعث، کتاب کا مرتب بن کر بڑی شیخی سے سب کو کتاب دکھاتا پھرا''۔

''مگر ان میں سے تمہارا دوست کون تھا؟'' زندگی نے پھر اچانک پوچھا۔''شاید اصغر ندیم سید، مگر وہ تو بہت چھوٹا تھا یعنی دس سال چھوٹا۔اس کو تو ہم لوگوں نے پروموٹ کیا، شاباش دی تھی مگر وہ سب سے آگے نکل گیا''۔ ''......کس کام میں؟'' کمرشل ڈرامے لکھنے میں۔ شاعری کو بہت دور چھوڑتا گیا۔ اسی طرح دوستوں کے ساتھ بھی ملنے کے لیے اس کے پاس وقت نہیں رہا۔ زندگی نے اُچک کر کہا۔''تم جو عورتوں کے لیے کاموں میں پڑی ہو، تمہارے پاس بھی تو وقت نہیں ہے۔اپنے بارے میں بھی ذرا بات کرو، تمہیں مکمل توجہ چاہیے تو دوسرے بھی ایسا ہی چاہتے ہیں''۔

مگر ایک بات ہے، قلم کی کمائی سے گھر بنا لینا اور زندگی کے دیگر لوازمات پورے کرنے یہ بھی کسی ہی کا کام ہے۔ اس صف میں امجد اسلام امجد، مستنصر تارڑ اور اصغر ندیم سید تینوں ہی یکساں کھڑے ہیں۔ اے حمید اور یونس بٹ بھی تو ایسی ہی صف میں ہیں۔

زندگی گھبرا کے بولی: ''یہ تم کہاں سے کہاں نکل جاتی ہو۔ نہ وقت کا خیال کرتی ہو اور نہ موضوع کا۔ میں نے پوچھا تھا۔'' تم بتاؤ تمہارا سب سے اچھا دوست کون ہے اور اب تک صرف مردوں کا ہی ذکر کر رہی ہو۔ کوئی خاتون تمہاری دوست نہیں رہی۔''

اب تو میں بھی ٹھٹک گئی۔ ''میری فہمیدہ ریاض، شبنم شکیل اور خالدہ حسین سے بہت دوستی ہے۔ اتنی دوستی کہ سارے مرد ادیبوں کی برائیاں کرنے میں ہمارے درمیان کبھی اختلاف نہیں ہوا۔ ہمیں ایک دوسرے پہ سبقت لے جانے کی کبھی ضرورت پیش نہیں آئی۔ ہم نے ایک دوسرے کی چیزوں پہ تنقید بھی کی اور سراہا بھی۔''

''چلو ٹھیک ہے مگر دوست تو وہ ہوتا ہے جس پر آپ انحصار کریں، اعتبار کریں، یقین رکھیں کہ مشکل کے وقت دوڑا چلا آئے گا۔ جہاں تک اپنے سے چھوٹے دوستوں کو یاد کر رہی تھیں تو کراچی کے بہت عزیز دوستوں کو کیوں بھول گئیں۔ جمال احسانی کیا کمال شاعر تھا، دوست بھی بہت اچھا تھا۔ ثروت حسین اور صغیر ملال، کیسے بھاگے بھاگے لاہور آ کر ملتے تھے۔ ہم لوگ فوراً پوچھتے تھے ''کونسی تازہ کتاب پڑھی ہے؟'' پھر اس پر بحث کرتے تھے۔ یہ سارے دوست چالیس کے پھیرے ہی میں چلے گئے۔

''تو کیا بھول گئیں جون ایلیا کو؟'' زندگی نے مسکرا کر پوچھا۔ ''وہ جو کہتے تھے اس حرآفہ نے آزادی کی تحریک چلا کر میری بیوی کو گمراہ کیا۔'' ارے یہ کونسی انوکھی بات جون بھائی کرتے تھے۔ ایک زمانے میں جاوید شاہین نے نہیں کہا تھا۔ ''یہ تو ستنام محمود کی طرح ہنستی اور باتیں کرتی ہے۔ اسی کی طرح اکیلی رہنا چاہتی ہے۔'' بہت سے ادیبوں نے یہ نہیں کہا تھا۔

"She is a happy widow" اور کیا نہیں کہا گیا۔ تم اے زندگی مجھے کیوں امتحان میں ڈال رہی ہو۔

زندگی کھلکھلا کے ہنس پڑی۔ ''تم کب امتحان میں نہیں تھیں۔ جب تم اپنا گھر چھوڑ کر جاوید شاہین کے گھر چلی گئی تھیں۔ اس وقت امتحان میں نہیں تھیں یا جب جاوید شاہین کی بیویاں لڑ کر تمہارے گھر آ جاتی تھیں، اس وقت تم امتحان میں نہیں پڑتی تھیں یا پھر زاہد ڈار کے ساتھ ٹی ہاؤس والوں نے جو سکینڈل بنانے کی کوشش کی، اس وقت امتحان میں نہیں تھیں۔

وہ تو کسی بھی عورت کے لیے سکینڈل کی کوئی حد، کوئی عمر اور کوئی جواز نہیں ہوتا ہے۔ یہ صرف پاکستان پہ موقوف نہیں۔ ساری دنیا اسی حمام میں ایک جیسی ہے مگر اے زندگی! مجھ جیسی بدشکل عورت

کے لیے بھی سکینڈل بنانے کی زبانیں کیسی طرار تھیں۔'' زندگی نے یاد دلایا۔'' وہ سلیم اختر نے تم پہ مضمون میں لکھا تھا: ''کشور ناہید کی شاعری میں "Sex deprivation" نظر آتی ہے مگر یوسف کامران ہمارا دوست ہے، ہم کیا کہہ سکتے ہیں۔'' زندگی نے کہا اور تمہیں یاد ہے تمہاری دوست شبنم شکیل کے بارے میں شہزاد احمد نے بھی ایسی ہی فضول سی بات شاعری کے حوالے سے کہی تھی اور فہمیدہ کی شاعری کو ریختی کے خانے میں ضمیر الدین احمد نے ڈال دیا تھا۔ وہ بے چاری سارہ شگفتہ کی کن کن لوگوں نے بوٹیاں نوچنے کی کوشش کی۔ عذرا عباس کی شاعری سن کر تو عینی آپا نے بھی ناک بھوں چڑھائی تھی۔''

زندگی نے پینترا بدلتے ہوئے کہا۔'' ذرا بتاؤ تو ان ساری نئی شاعرات کی حوصلہ افزائی، یہ افتخار جالب اور مبارک احمد کیوں کیا کرتے تھے۔ یاد ہے کئی سال شام کو افتخار جالب، نسرین انجم بھٹی کے کمرے میں شائستہ حبیب اور فہیم جوزی کے ساتھ کئی گھنٹے بیٹھے گفتگو کرتے اور عذرا عباس کو کھل کر نظمیں لکھنے پہ مائل کیا۔ اس کے شعری مجموعے کا دیباچہ لکھا۔ اس ساری توجہ کا کیا مطلب تھا۔

''تو کیا ہوا۔ وہ نئی شعری لسانیات پہ کام کر رہے تھے اور ان سب لوگوں میں ان کو اپچ نظر آئی۔'' میرا فقرہ سنتے ہی زندگی نے اچھل کر کہا۔ ''تم پہ بھی تو خاص نظر تھی۔ وہ گھر پہ بھی تم سے ملنے بھی آتا تھا۔'' میں اب واقعی غصے میں آ گئی۔ ''یہ کیا بات ہوئی۔ وہ تو سارے ادیب مجھے گھر ملنے آتے تھے۔ تمہیں معلوم ہے کیسی کیسی حیران کن اور خوش کن محبتیں مجھے ملی ہیں۔ لالہ حفیظ ہر مہینے کے شروع میں تنخواہ لیتے تھے رکشہ کر کے میرے گھر آ کر بچوں کے لیے کوئی نہ کوئی چیز دے کر جاتے تھے۔ ادھر چیز دی ادھر اسی رکشہ پہ واپس۔ شاکر علی میرے بچوں کو دس روپے عیدی دیا کرتے تھے۔ انہوں نے کبھی کسی کو یوں پیسے نہیں دیئے۔

زندگی نے حیران ہو کر پوچھا۔ ''ویسے سچ بتاؤ۔ آخر ساری دنیا کے سارے ادیب تمہارے گھر کیوں آتے تھے اور تم ان سب لوگوں کو جمع کر لیتی تھیں جو واپس جاتے ہوئے راستے میں ان دعوتوں کا مذاق بھی اڑاتے تھے۔ اصغر ندیم سید جیسے اگر ان کو جواب دیتے تو وہ، وہ جو میرے دوست تھے کہتے ''چپ کر چھچے۔''

''اور جن کو تم گھر کبھی نہیں بلاتی تھیں۔ وہ بھلا کیا باتیں کرتے تھے۔'' زندگی نے کریدتے ہوئے کہا۔'' ارے ان کا اعلان تھا کہ یہ ایجنسی کی عورت ہے۔ سارا خرچہ وہ اٹھاتے ہیں۔ اس کا تو بس نام ہوتا ہے۔''

ادیبوں میں اکیلا زاہد ڈار ہوتا تھا جو میری غیر موجودگی میں میری طرف سے جواب دیتا تھا۔

ورنہ سارے دوست، کبھی چپ رہتے، کبھی مسکراتے رہتے اور کبھی ہاں میں ہاں ملاتے۔ اس میں وہ دوست بھی شامل تھے جو میرے چالیس برس سے دوست ہیں۔

پھر وہی بات۔ ''میں نے شروع میں تم سے پوچھا تھا۔ تم مجھے اپنے ایک دوست کا نام بتاؤ اور تم ہو کہ پوری ادبی لغت کھول کر بیٹھ گئی ہو۔ کبھی تم زاہد ڈار کو فراڈ کہتی ہو۔ کبھی بہت پڑھا لکھا اور کبھی دوست۔ تمہیں خود نہیں معلوم کہ تمہارا کوئی دوست ہے بھی کہ نہیں یا پھر تم نرگسیت کا شکار ہو۔ تمہارے اندر دو عورتیں ہیں۔ ایک وہ جوان تمام دوستوں کے بغیر رہ نہیں سکتی اور ایک وہ جوان کی حرکتوں اور بدزبانیوں کو برداشت نہیں کرسکتی ہے۔''

اچھا چھوڑو یہ موضوع۔ یہ بتاؤ کہ اب تم لوگ ادب کے موضوعات پر گفتگو کیوں نہیں کرتے۔ ایک دوسرے کی نئی چیزیں پڑھ کر، ان پر تبصرہ کیوں نہیں کرتے۔ ''کیا کریں ہمیں ایک دوسرے سے محبتیں کم ملیں، شاید ان سب کو اپنے اپنے گھر اور مفادات زیادہ عزیز تھے۔''

زندگی پھر تڑپ کر بولی۔ ''تم نے اپنے بچوں تک پر وہ پوری توجہ نہیں دی جو ایک ماں کا فرض ہے۔ تمہارے بچے مشترک خاندان کے عفریت میں ایسے گم ہوئے کہ تم اور تمہارے نام سے متنفر ہو گئے۔ بیس برس بچھڑے ہوئے ہو گئے۔ آج بھی وہ محبت جو لفظوں سے ٹپکتی ہے، وہ تک تمہارے نصیب میں نہیں ہے۔''

اب مجھے واقعی غصہ آ گیا۔ ''زندگی تم مجھے اس وقت بھی طعنے دیتی تھیں جب میں دو چوٹیاں کر کے کالج جاتی تھی۔ تمہیں میرے منحنی جسم اور ملگجے رنگ پر غصہ آتا تھا۔ جب میں نے زبردستی کی شادی کی، تم اس پہ بھی بپھر کر بیٹھ گئی تھیں میرا امتحان لینے۔ جب میں نے شاعری شروع کی تو بہت سے مردوں کے اندر کی خباثت تم نے نچوڑی۔ جب میں نے بال کاٹے اور خود ہی کاٹے۔ تم ہنستی رہیں۔ جب میں دوستی کی ناؤ میں قدم رکھا تو ساری دنیا کو تم نے تماشا بنا دیا۔''

کس کی بات کر رہی ہو۔ ان دوستوں کی جنہوں نے میری اور یوسف کی لڑائی سے فائدہ اٹھا کر، مجھ سے تعلقات استوار کرنے چاہے۔ میں نے ''ادبِ لطیف'' پرچے کی ادارت سنبھالی تو انہوں نے اپنے خالی کوزے کو سیراب کرنا چاہا۔ تمہیں دفتر چھوڑنے کے بہانے، یوسف کو جتانا چاہا کہ دیکھو کیسے تمہاری بیوی، دوسروں کے ساتھ دندناتی ہوئی جاتی ہے۔ صبح کو تمہاری اردل میں اور شام کو بیوی کی اردل میں۔''

''ارے یہ تو سیاست دانوں سے لے کر ادیبوں، سب کا شعار رہا ہے اور رہے گا۔ کچھ اور نہیں

تو تمہارا ہاتھ پکڑ کر دبانے کی کوشش کریں گے۔ کچھ اور نہیں تو تمہارے پیر دباتے ہوئے پوری محفل کو متوجہ کریں گے اور کچھ نہیں تو سب کے سامنے گلے ملیں گے۔''

''پھر وہی اتنے کا لارا۔'' یہ بتاؤ تمہیں کیوں برا لگتا تھا جب ایک لڑکی انتظار حسین کے کندھے پہ ہاتھ رکھ کر اور دوسرے ہاتھ میں سگریٹ لیے کہتی تھی۔ ''یار انتظار حسین دیکھو۔ اب مجھے زندگی پہ واقعی غصہ آ گیا۔ تم جانتی ہو کہ انتظار حسین ہمارے ادب کا بہت بڑا نام ہے بلکہ اس صدی کا بڑا نام ہے۔ پھر یہ کہ وہ ہم سے بہت بڑے ہیں۔ ہم چاہے کتنے بھی بے تکلف ہونے کی کوشش کریں، ان سے اس طرح تخاطب ہمیں خود زیب نہیں دیتا۔ اب دیکھو نا یوسفی صاحب ہوں کہ جالبی صاحب یا عالی جی۔ ہر چند چالیس برس سے اوپر ہوئے کہ ہم ان کو جانتے ہیں مگر ان کو نام لے کر بے تکلفی سے نہیں بلا سکتے ہیں۔

زندگی نے پھر اچک کر کہا۔ ''مگر جمیلہ ہاشمی بھی تو تم سے بڑی تھیں، اسی طرح نثار عزیز بٹ ہیں۔ انور سجاد یا جاوید شاہیں۔ تم ان سب کو نام لے کر بلاتی ہو۔ اسد محمد خاں کو اسد بھائی کہتی ہو۔ قیوم نظر، یوسف ظفر اور مختار صدیقی کو استاد جی کہہ کر مخاطب کرتی تھیں۔ البتہ شہرت بخاری کو شہرت بھائی، سجاد باقر رضوی کو بھی رضوی صاحب اسی طرح انجم رومانی کو انجم صاحب کہہ کر مخاطب کرتی رہی ہو۔ سمجھ میں یہ نہیں آتا کہ کب کسے بھائی کہہ ڈالو اور کسی کو کبھی بھی نہ کہو۔''

واقعی تمہاری بات درست ہے۔ میں نے اکرام اللہ، عزیز، شریف جنجوعہ اور ان سے بھی سینئر حمید اختر، آئی اے رحمٰن یا عبداللہ ملک میں سے کسی کو بھائی بھی نہیں کہا بلکہ ان کو تو کامریڈ کہہ کر مخاطب کرتے تھے۔ البتہ قتیل شفائی کو میں قاسمی صاحب کی طرح بھائی کہہ کر مخاطب کرتی تھی۔

کچھ لوگوں کو حد ادب میں رہتے ہوئے، ان کے نام سے مخاطب ایسے کیا کہ سید وقار عظیم کو ہمیشہ سید صاحب کہا، وہ اتنی آہستگی سے بولتے اور اتنی محبت سے سر پر پیار دیتے تھے، ویسا کسی اور نے نہیں کیا حالانکہ ڈاکٹر عبادت بریلوی سے گھر سے قریب رہتے ہوئے کافی بے تکلفی تھی۔ ان کی بیوی فہمیدہ کو ہمیشہ نام سے پکارا، ڈاکٹر سید عبداللہ کو ڈاکٹر صاحب کہا۔

زندگی نے ٹوکا۔ ''ارے تمہیں یاد ہے ڈاکٹر عبداللہ اور احمد فراز کا مکالمہ ''کونسا'' بھئی جب ان کے گھر گئے تھے تو ان کا کتا لان میں آ کر بھونکنے لگا تھا۔ ڈاکٹر صاحب نے کئی دفعہ اس کو جھڑکا مگر جب وہ باز نہ آیا تو فراز نے کہا۔ ''ڈاکٹر صاحب! آپ اپنا کان کا آلہ کتے کے کان میں لگا دیں۔ تبھی وہ آپ کی بات سمجھ سکے گا۔ یاد آیا تم کو کس طرح ہنس پڑی تھیں۔''

''ہاں تمہارے یاد کرانے پر، مری کی ہنگامہ خیز شامیں بھی یاد آ گئی ہیں۔ کس طرح سڑک پر ایک طرف ٹہلتے ہوئے جسٹس انوار الحق آ رہے ہیں، دوسری طرف جسٹس ایس اے رحمٰن آ رہے ہیں۔ ڈاکٹر وزیر آغا آ رہے ہیں۔ ڈاکٹر سید عبداللہ آ رہے ہیں۔ سب لوگ لنٹالس میں جا کر بیٹھ کر کافی پیا کرتے تھے۔ یہ ریسٹورنٹ، بالکل لاہور کے شیزان کی طرح بھرا ہوتا تھا۔ کسی کونے میں اعجاز بٹالوی کا قہقہہ گونج رہا ہے، کہیں تجمل حسین کی منڈلی لگی ہوئی ہے۔

''اور وہ ندرت الطاف، تمہیں بھول گئی۔ وہ جو 60ء کی دہائی میں بین الکلیاتی مباحثے میں حصہ لینے کو، کوٹ پہنے، ایک ہاتھ میں سگریٹ لیے اور دوسرے ہاتھ میں قرآن لیے سٹیج پہ آتی تھی۔ ہر نکتے کا قرآن سے حوالہ دے کر سب کو خاموش کر کے سٹیج سے اتر جاتی تھی۔ فیض صاحب بھی اس کے دفتر میں ملنے جاتے تھے۔ وہ باقاعدہ وکالت کرتی تھی۔ جس زمانے میں وہ وکالت کرتی تھی۔ لوگوں نے کہا کہ وہ سی۔ آئی۔ ڈی کے لیے بھی کام کرتی تھی۔ پھر آگے پڑھنے لندن گئی۔ زندگی نے خواب دکھائے۔ وہ خواب ٹوٹ گئے، نروس بریک ڈاؤن ہو گیا۔ پھر وہ زمانہ آیا کہ وہ ٹی ہاؤس آ گئی۔ کھانے کے لیے کچھ لے کر بھی آتی مگر لوگ اس کی میز پر بیٹھنے سے گریزاں رہتے تھے۔ وہ جب مری تو دو لائن کی خبر بھی نہ لگی۔''

''مگر یہ تو بہت سوں کے ساتھ ہوا۔ صلاح الدین محمود چپ کر کے چلا گیا۔ مظفر علی سید کے بارے میں کوئی کہیں خبر نہ لگی۔ حجاب امتیاز علی، عارف عبدالمتین، مرزا ادیب، ظہیر کاشمیری، فارغ بخاری، سجاد حیدر، جعفر طاہر ان سب کے بارے میں مشکل سے دو لائن کی خبر شائع ہوئی ہو۔

البتہ کچھ لوگوں کا واقعی افسوس کیا گیا۔ منیر شیخ جیسے اچانک ہم سب کی زندگی سے گیا۔ کتنے ہی عرصے اس کا غم تازہ رہا۔ حفیظ جالندھری کی موت کو مسئلہ بنا دیا گیا تھا کہ شاہی مسجد کے پاس دفن ہو کہ مینار پاکستان کے احاطے میں۔ بالکل اسی طرح جیسے ظہور نظر کی موت کو علاقے کے مولوی نے مسئلہ بنا دیا تھا کہ اس کا باپ قادیانی تھا، کئی گھنٹے بعد یہ معاملہ طے ہوا۔

''ابن انشاء البتہ بہت اچانک، بہت دکھ دے کر گیا۔ میرا خیال ہے ادیبوں میں کینسر کا وہ پہلا کیس تھا۔'' زندگی نے پھر ٹوکا۔

ابن انشاء کا بہت غم کیا گیا اور ان کی مرنے کے بعد جتنی کتابیں بکیں اتنی زندگی میں نہیں فروخت ہوئی تھیں۔ اسی انداز میں شہاب نامہ، مفتی جی کی لبیک، اشفاق احمد کی ''زاویے'' پروین شاکر اور شفیق الرحمٰن کی ساری کتابیں شامل ہیں۔ بالکل اسی طرح کہ جب نجیب محفوظ کو نوبل انعام ملا تھا تو

ان کی کوئی کتاب انگریزی میں ترجمہ شدہ بازار میں دستیاب نہیں تھی۔ اب تو بنڈل کے بنڈل قاہرہ تک کی دکانوں میں انگریزی اور عربی دونوں میں موجود ہیں۔

زندگی نے پھر ٹوکا۔ ''تم ایک دم چھلانگ لگا کر نجیب محفوظ تک کیسے پہنچ گئیں؟''

''بھئی تازہ واردانِ تعلق ہیں۔ ابھی تو ان سے مل کر آئی ہوں۔ بھئی یہ بھی عجیب اتفاق تھا۔ قاہرہ میں اخبار میں تھا کہ وہ فلاں ہوٹل میں لوگوں سے ملاقات کریں گے۔ میری دوست فوزیہ سعید نے ملاقات کے لیے جانے کو گاڑی دی۔ ابھی پہنچ کر اسی انتظار میں تھی کہ کوئی لیموزین آئے گی، پولیس آگے آگے ہوگی اور پھر نجیب محفوظ اتریں گے۔ سات بج گئے، کوئی گاڑی نہیں آئی۔ سات بج کر پانچ منٹ ہوئے تو میں نے کہا، خود تیسرے فلور پر جا کر تلاش کرتے ہیں۔ تلاش کے بعد ایک کمرے میں تین اشخاص بیٹھے نظر آئے۔ ان میں سے سب سے بزرگ نجیب محفوظ کو میں نے پہچان لیا۔ ساتھ وہ ڈاکٹر حضرات تھے جو اس وقت بارہ سال پہلے جبکہ اسلامی جماعت نے ان پر قاتلانہ حملہ کیا تھا، ان کے ساتھ تھے۔ وہ دن اور آج کا دن یہ لوگ نجیب محفوظ کے محافظ کی حیثیت سے ہمیشہ ان کے ساتھ ہوتے ہیں۔''

زندگی نے اب دلچسپی لیتے ہوئے کہا۔ ''اب کچھ اور ان کے بارے میں بتاؤ۔'' اب مجھے بھی بتانے میں مزا آ رہا تھا۔ ''بھئی عجب مسکین صورت میں وہ بیٹھے تھے۔ پورا ہال خالی تھا۔ میں نے جا کر تعارف کرایا کہ شاعر ہوں اور پاکستان سے ہوں تو فوراً ''اہلاً وسہلاً'' کے نعرے بلند ہوئے۔ نجیب صاحب، بہت اونچا سنتے تھے۔ جو کچھ میں کہتی اس کو عربی میں ساتھ بیٹھے ڈاکٹر صاحب اتنی اونچی آواز میں دہراتے کہ میرے کان بجنے لگتے۔ پھر وہ کبھی کبھی جواب دیتے، خاص کر عورتوں کی مساوات کے بارے وہ بہت جوش میں آ کر بولے اور کہا۔ ''یہ ساری مصیبت مسلمان ملکوں میں دائیں مسلک کے لوگوں نے پیدا کی ہے، ورنہ دنیا بھر میں عورتیں آگے بڑھ ہی رہی ہیں۔

میں نے پوچھا۔ ''آج کل آپ کیا لکھ رہے ہیں؟'' بولے: ''اب تو بس خواب ہی رہ گئے ہیں۔ ان پر کہانیاں بنا رہا ہوں۔'' پھر سوال کیا۔ ''تمہیں میری مصر کی پرانی تہذیب سے متعلق تحریریں کیسی لگتی ہیں؟'' میں نے کہا۔ ''آپ جس متوسط طبقے کی نمائندگی کرتے ہیں وہی ہمارا معاشرہ ہے۔ مجھے تو آپ پاکستانی معاشرے کے عکاس معلوم دیتے ہیں۔'' یہ سن کر وہ بہت خوش ہوئے۔

اور وہ بھی تو بتاؤ، جب رخصت ہونے لگیں تو کیا ہوا۔ زندگی نے چٹکی لی۔ ''ہاں۔ میں نے رخصت مانگی اور عقیدت سے ان کا ہاتھ چومنا چاہا تو انہوں نے دبک کر اپنا ہاتھ پیچھے کر لیا۔ شاید مصری

تہذیب میں یہ رواج نہ ہو۔''

زندگی نے لقمہ دیتے ہوئے کہا۔ ''ہماری تہذیب میں تو چھوٹے کے ماتھے پہ بوسہ دیا جاتا ہے، جیسا کہ احمد شمیم نے لکھا ہے۔ ''ہمیں ماتھے پہ بوسہ دو۔'' اچھا خیر یہ تو ہوا نجیب محفوظ کا قصہ کہ وہ بھی زندگی سے گئے۔ مگر اتنے ہی بڑے ادیب احمد ندیم قاسمی تھے۔ تم نے ان کا کہیں ذکر نہیں کیا۔'' ارے میں نے ابھی تو بہت سے ادیبوں کا ذکر نہیں کیا۔ قاسمی صاحب بہت نیک تھے۔ اتنے نیک کہ ان کی نیکیاں دیکھ کے ڈر لگنے لگتا تھا مگر بس ایک اور بات ہے جس سے ڈر لگتا تھا۔ وہ سنی سنائی بات پر نہ صرف اعتبار کر لیتے تھے بلکہ دل میں رکھ لیتے تھے۔ برا مان جاتے تھے، اس کا بھی پتہ نہیں چلنے دیتے تھے، ورنہ بڑے آدمی سے غلطی کی معافی بھی مانگی جا سکتی ہے۔ پر پتہ تو چلے کہ کس بات پر برا مانا ہے اور بات ان تک کس رنگ میں پہنچی ہے۔ میں بس اسی بات پر دکھی ہو جاتی ہوں۔''

زندگی نے پھر موضوع بدلا۔ ''زندگی کے 66 سالوں میں دنیا کے ہزاروں ادیبوں سے ملی ہو۔ تمہیں امیتابھ بچن کے والد سے مل کر خوشی ہوئی تھی۔'' کوئی خاص نہیں۔ ان کی نظمیں ہر چند سوویت یونین روس میں بہت مقبول تھیں، مگر مجھے کوئی مزہ نہیں آیا۔ البتہ معین بسیسو سے ملاقاتیں آج بھی یاد ہیں۔ یہ ملاقاتیں ماسکو میں ہوئی تھیں۔ عجیب نثر نگار تھا۔ گفتگو میں بھی شگفتہ تھا۔ سنا ہے اس کو ہوٹل کے کمرے میں مروا دیا گیا تھا۔''

تاشقند میں زلفیہ خانم سے ملاقات اور ان کے گھر دعوت، آج تک ذہن میں تازہ ہے۔ اسی طرح جیسے ماسکو سے 50 کلومیٹر دور وزنے سینسکی سے ملنے خاص طور پر گئی۔ ایک تو زبان نہ جاننے کے فاصلے، گفتگو کی جگہ اشاروں اور مسکراہٹ کو محبت کی شناخت بنا دیتے ہیں۔ بس یہی ہوا، ہم ایک دوسرے کے ہاتھوں کو چومتے رہے کہ مجھے ان کی نظم ''مارلین منرو کی خودکشی'' بہت پسند تھی اور میں نے اس کو ترجمہ بھی کیا تھا۔''

''اور وہ چین کی بات.....'' زندگی اب مجھے ماضی میں جھولا جھلا رہی تھی۔ بہت پرانی بات ہے۔ ہم ادیبوں کا وفد چین گیا تھا اور ماؤزے تنگ سے ملاقات ہوئی تھی۔ کیسی خوبصورت بلڈنگ اور آہستہ گفتگو میں خوشبودار باتیں، سادہ شخص، ہم لوگ بہت متاثر ہوئے تھے۔ وہ بھی یاد ہے جب میں سوویت یونین روس کے وزیراعظم کا گھر تلاش کرتے ہوئے ایک بلڈنگ میں گئی تھی کہ مجھے اعتبار ہی نہیں آ رہا تھا کہ اتنی بڑی مملکت کا وزیراعظم، ایک فلیٹ میں رہتا ہوگا۔ بس فرق اتنا تھا کہ ایک چوبدار، گھر کے باہر بیٹھا تھا۔

دیوارِ چین کا سفر ہو کہ دریائے نیل کا یا موئن جے ڈیرو یا مہر گڑھ کا۔ یہ سب سلسلے مجھے اپنی تہذیب ہی کے لگتے ہیں۔ البتہ کچھ لوگوں سے ملنا اچھا نہیں لگا جیسے سلویا پلاتھ کے شوہر، پوئیٹ لاریٹ ٹیڈ ہیوز سے، یہ میرا ذاتی تعصب تھا۔ ایڈرین رچ سے ملنا کہ وہ اس زمانے میں لزبیئزم میں گرفتار تھیں۔ اچھا نہیں لگا۔ البتہ لیلیٰ خالد سے ملنا، آج تک تازہ ہے۔ ہلیری کلنٹن اور ملکہ الزبتھ سے ملنا، بالکل خواب لگتا ہے۔ یاسر عرفات، نوم چومسکی اور نیلسن منڈیلا سے، افسروں کے ہجوم میں ملاقاتیں، زندگی کا سرمایہ ہیں۔ نیلسن منڈیلا نے تو مجھے تحفہ بھی بھیجا تھا اور انعام بھی کہ میں نے اسی رات ان پر نظم لکھی تھی جب وہ رہا ہو کر 26 سال بعد، جیل سے باہر آ رہے تھے۔

ان ہی بڑے لوگوں کی طرح عام پسی ہوئی، پسینے کی بدبو میں لپٹی عورت سے ملنا بھی میرے لیے اعزاز کی بات ہے۔ میں اپنے ملک کی مٹی کی طرح ہر ملک کی مٹی اور زمین پر پیر جمائے لوگ، آنکھوں میں آنکھیں ڈالنے والے، محنت کی کمائی کا پسینہ، ماتھے پہ سجائے لوگ، اچھے لگتے ہیں۔

"رکو" زندگی نے مجھے ٹوکا۔ "میں نے تم سے گفتگو شروع کی تھی تو پوچھا تھا بتاؤ تمہارا سچا دوست کون ہے۔" اتنی دنیا بھر کی باتیں کرلیں۔ سچ نہیں بول سکتیں نا۔

سچ یہ ہے کہ جو لوگ چالیس برس سے دوست ہیں۔ جیسے برے بھلے ہیں۔ وہی دوست ہیں۔ اس عمر میں نئی دوستیاں بھی نہیں بنائی جاسکتی ہیں۔ "میں بری، میرے دوست برے" بس یہی سمجھ لو اور اب مجھ سے کوئی سوال مت کرنا۔

زندگی ہنس پڑی۔ بالکل میری طرح۔

[redacted]